Donna Kauffman vit dans la campagne de Virginie, non loin de Washington. Quand elle n'est pas couverte de farine ou en train de mettre le feu à sa cuisine – littéralement –, elle écrit des romans qui lui ont valu plusieurs nominations aux RITA Awards, ainsi que d'élogieuses critiques dans *Cosmopolitan*, entre autres.

Du même auteur, chez Milady :

Cupcake Club :
1. *Baiser sucré*
2. *Petites Douceurs*

Ce livre est également disponible au format numérique

www.milady.fr

Donna Kauffman

Petites Douceurs

Cupcake Club – 2

Traduit de l'anglais (États-Unis) par Alix Paupy

Milady Romance

Milady est un label des éditions Bragelonne

Titre original : *Sweet Stuff*

ISBN : 978-2-8112-0856-1

Bragelonne – Milady
60-62, rue d'Hauteville – 75010 Paris

E-mail : info@milady.fr
Site Internet : www.milady.fr

Pour les amis et la famille,
qui sont les racines qui nous lient
et les fondations sur lesquelles on bâtit
une vie heureuse et épanouie…
Peu importe où chacun dort la nuit.

Chapitre premier

Plus tard, elle dirait que tout était la faute des cupcakes.

Riley jeta un coup d'œil par la porte-fenêtre qui donnait sur une terrasse en bois exotique, dotée d'une pergola et d'un jacuzzi. À travers les vitres étincelantes, elle voyait une paire d'yeux familière, au marron un peu terne, qui l'observait.

— Je connais ce regard, dit-elle assez fort pour se faire entendre malgré le double vitrage. Ne ris pas. Je peux le faire. (Elle reporta son attention sur le panneau de contrôle électronique du Jog Master 3000.) Ça ne doit pas être bien difficile, si ?

Question toute rhétorique, bien sûr. Tout le monde, même le dogue anglais qui prenait le soleil sur la terrasse, était capable de comprendre comment presser quelques boutons et…

— Holà !

Le tapis roulant se mit en marche sous ses pieds. À grande vitesse. Très grande vitesse.

— Oh, merde !

Elle s'agrippa aux barres latérales matelassées, mais pas d'une manière très sportive. Il s'agissait d'un mouvement purement instinctif visant à éviter de s'écraser tête la première sur le tapis lancé à pleine vitesse. Si elle parvenait à tenir suffisamment longtemps pour retrouver son équilibre, elle pourrait lâcher prise et frapper – presser, elle voulait dire presser – les boutons de commande de cet équipement de location hors de prix. Sa malheureuse petite aventure se terminerait bien.

Ou du moins, sans intervention des secours ni séjour de longue durée à l'hôpital. Elle n'avait pas de temps à perdre à se faire recoudre.

— Ouais, haleta-t-elle. C'est du gâteau.

L'ironie d'une telle phrase lui arracha un sourire, qui laissa aussitôt place à la panique lorsqu'elle se rendit compte qu'elle n'était pas exactement en train de gagner du terrain. Elle en perdait même rapidement, ainsi que le peu de souffle qu'il lui restait.

— Merde, merde, merde, ahanait-elle en rythme.

Elle ne courait que depuis quelques minutes – trois minutes et quarante-quatre secondes, d'après cet écran digital tellement pratique – et elle transpirait déjà. Rectification : elle suait comme un bœuf. Soit à cause de l'effort, soit à cause d'une angoisse abjecte : ne pas sortir en un seul morceau de cette nouvelle catastrophe.

Pourquoi ces grands livreurs suédois tout en muscles n'étaient-ils jamais là quand on avait besoin d'eux ? Ils allaient certainement se ruer dans la pièce et voler à son secours comme les preux chevaliers qu'ils étaient. Et elle se laisserait sauver avec joie. Même si elle s'enorgueillissait d'être une femme moderne et indépendante A.J. – comprendre « Après Jeremy » –, ça ne voulait pas dire qu'elle était au-dessus d'un petit fantasme façon conte de fées de temps en temps.

Voilà plus d'une heure qu'elle attendait la livraison d'un élégant piano demi-queue. Donc, techniquement, tout était la faute des livreurs. L'instrument en question était à la fois la touche finale et l'élément central de sa mise en scène. Avec tous les autres détails dont elle devait s'occuper, elle avait bêtement succombé à l'envie de tester – bon, d'accord, de jouer avec – quelques-uns des équipements sportifs qu'elle avait installés. Et, une fois encore, elle avait réussi à se fourrer dans le pétrin.

Assez de métaphores alimentaires, Riley ! Huit minutes, vingt-trois secondes. À un train d'enfer. Elle ne se serait pas crue capable de réaliser cet exploit, ou alors, seulement poursuivie par une horde de zombies armés de machettes. Et uniquement si le monde tel qu'elle l'avait connu devait s'effondrer si elle n'atteignait pas à temps l'orée de la sombre forêt.

Au lieu de ça, tout ce qu'elle avait pour se motiver, c'était son chien qui l'observait d'un œil indifférent : pas de quoi lui donner des décharges d'adrénaline.

Dix minutes, treize secondes. Exténuée, le visage écarlate, elle ruisselait carrément de sueur. Elle croisa de nouveau le regard de Brutus, qui la surveillait toujours fidèlement mais semblait tout à fait indifférent à sa détresse.

— Pas de jus de viande sur tes croquettes ce soir ! cria-t-elle.

Ou du moins le pensa-t-elle très fort. Elle était si épuisée qu'elle n'avait plus l'énergie de prononcer le moindre mot. Mais elle espérait qu'un regard menaçant suffirait à faire passer le message à son dogue mutant de soixante-dix kilos…

Celui-ci ne semblait pas impressionné le moins du monde. Il savait qu'elle était incapable de le priver de quoi que ce soit. Après tout, elle l'avait pris pour qu'il la protège, non ?

Le doux carillon de l'entrée résonna dans la pièce, indiquant que les livreurs étaient enfin arrivés.

— Merci, mon Dieu, souffla-t-elle.

Elle ne se souciait même plus de ce qu'ils allaient penser de la situation, ni de l'apparence épouvantable qu'elle devait avoir. Elle allait leur graisser la patte avec quelques délicieux cupcakes forêt-noire de chez Leilani, fourrés à la framboise et garnis de framboises fraîches, bien rondes et joliment rosées. Elle avait disposé avec soin deux bonnes douzaines de petits gâteaux sur un plateau de cristal à trois étages, dans le coin-repas décoré avec goût. Avec ça, ils se retiendraient sûrement de mentionner devant Lois-la-Terreur l'attitude peu professionnelle de Riley… Surtout si elle y ajoutait quelques-unes des bouteilles de bière blonde d'importation qui attendaient au frais dans le réfrigérateur en acier brossé…

Lois Grinkmeyer-Hington-Smythe était sans conteste la personne la plus intimidante pour laquelle Riley ait jamais fait de travaux de décoration et, d'une manière générale, l'employeur le plus terrifiant qu'elle ait eu. Ce qui, pour une ancienne styliste culinaire de *Foodie*, le premier magazine gastronomique du pays, n'était pas peu dire. Même le plus terrible des chefs cuisiniers n'arrivait pas à la cheville de Lois-la-Terreur, l'agent immobilier le plus redoutable de *Gold Coast Properties*, et Riley ne pouvait se permettre de contrarier son meilleur client.

Le carillon retentit de nouveau.

Oh, bon sang, mais entrez donc !

Elle voulut crier, mais ne parvint à émettre qu'un gargouillis étranglé. Pourquoi ne se contentaient-ils pas d'entrer ? « Entrée libre », ça voulait bien dire ce que ça voulait dire !

Elle visualisa les gros titres dans les journaux :

« Riley Brown, la célèbre décoratrice d'intérieur de Sugarberry Island, retrouvée morte après un tragique accident de tapis de course.
Archipel des îles-barrière, Géorgie. Livreurs de piano, et mannequins à leurs heures, Sven et Magnus affirment ne pas avoir su que la porte d'entrée de la propriété en location, récemment redécorée, était déverrouillée, et qu'ils auraient pu entrer pour sauver d'une terreur grandissante et d'une mort certaine la belle et talentueuse décoratrice d'intérieur.

Ils ont cependant eu la présence d'esprit de s'assurer que le journaliste écrive correctement leurs noms et les prenne en photo sous leur meilleur profil. »

Pendant ce temps, la mort de la pauvre Riley Brown n'aurait probablement même pas justifié la présence d'un policier. Pas de bel inspecteur de police qui, visiblement ému par son visage angélique et ses abondantes boucles blondes, aurait pu lui faire la promesse posthume de traquer jusqu'au bout du monde le responsable de cette horrible tragédie.

Bien sûr, ce ne serait pas évident d'arrêter un Jog Master 3000…

À l'instant même où elle comprenait qu'avec ses mains glissantes, elle ne pourrait plus tenir bien longtemps les barres caoutchoutées, et où elle lançait un ultime regard à Brutus, toujours vautré sur la terrasse, une voix grave qu'adoucissait la chaleur d'un léger accent du Sud se fit entendre :

— Je vous prie de m'excuser. Je croyais que cette maison était à louer. Je vous présente toutes mes excuses, je…

Riley tourna brusquement la tête vers l'intrus. Ce n'était pas un Sven. Ni même un Magnus. Il était beaucoup, beaucoup plus beau que n'importe quel fantasme nordique. Debout sous ce plafond voûté dont elle connaissait parfaitement la hauteur – deux mètres soixante-quinze –, il devait faire au moins un mètre quatre-vingt-cinq, avec les épaules et le menton qui allaient avec. Même en le voyant vêtu ainsi d'une chemise blanche en coton, d'un jean délavé et d'une veste en tweed marron foncé, on l'aurait imaginé sans peine livrant un piano d'une main et sauvant le monde de l'autre. D'épais cheveux bruns encadraient un visage bronzé, avec de légères rides au coin des yeux... Les plus incroyables yeux bleus que Riley ait jamais vus. Mais... ce visage lui disait quelque chose ! Où l'avait-elle déjà aperçu ?

Bouche bée, elle reconnut l'homme qui, mille fois plus beau en chair et en os qu'en photo, se tenait là, au beau milieu de sa véranda. Bon, pas à proprement parler sa véranda à elle, mais... c'était sans importance puisque, pour son malheur, elle venait de lâcher prise.

Elle laissa échapper un cri perçant et le tapis roulant, lancé à pleine vitesse, la projeta en arrière, telle la femme-canon d'un spectacle de cirque. Mais sans le moindre talent d'acrobate, ni l'atterrissage en douceur.

La bonne nouvelle ? La jolie composition, arrangée par ses soins, de palmiers nains, de figuiers de Barbarie et de yuccas l'empêcha de passer au travers du double vitrage qu'elle avait passé une heure entière à astiquer le matin même. La mauvaise nouvelle, hormis le fait que les palmiers et les cactus n'étaient pas vraiment réputés pour leur feuillage doux et accueillant ? Elle était affalée par terre, les joues rouges, couverte de sueur et d'égratignures... et toujours subjuguée par les yeux bleu turquoise de Quinn Brannigan en personne.

Étourdie dans tous les sens du terme, Riley se surprit à espérer que sa vie inspire un téléfilm, afin qu'un scénariste lui invente une réplique intelligente et spirituelle à sortir du tac au tac. Une réplique qui montrerait qu'elle avait à la fois du chien et du charme… malgré son apparence désastreuse, pathétique, dépenaillée.

Hélas, ses talents étaient plutôt d'ordre visuel – c'était même la raison pour laquelle elle était styliste et photographe, et non écrivain. Quinn Brannigan, lui, était écrivain, de ceux dont le nom apparaissait régulièrement dans la liste des best-sellers du *New York Times*. Alors, bien sûr, il savait précisément ce qu'il fallait dire en de telles circonstances.

— Je suis désolé.

Sa voix légèrement traînante lui donnait un air naturellement sincère, et l'inquiétude inscrite dans les fines ridules de son magnifique visage ne faisait qu'accentuer cette impression.

— Je ne sais pas comment j'ai pu faire une telle erreur, reprit-il. Je ne voulais pas vous effrayer. Permettez-moi de vous aider à vous relever, qu'on puisse s'assurer que vous n'êtes pas blessée, proposa-t-il en lui tendant la main.

Et voilà. Le parfait chevalier servant, avec juste ce qu'il fallait de sincère repentir… Tout en lui était parfait. Elle l'avait toujours trouvé craquant sur les jaquettes de ses nombreux best-sellers, mais la photo ne pouvait restituer ce magnétisme, ce charisme à vous couper le souffle. Sans parler de sa voix. Douce et profonde, avec des inflexions qui évoquaient un filet de miel tiède sur un biscuit au beurre tout juste sorti du four. Si, en achetant ses livres, on avait pu entendre la voix de l'auteur, il aurait doublé des ventes déjà colossales.

— Vous savez, souffla-t-elle, vous devriez vraiment lire vos livres.

Devant son air abasourdi, elle ferma les yeux. *J'ai vraiment dit ça à voix haute ?* Nouvelle question rhétorique, évidemment.

— Sur CD, ajouta-t-elle sans conviction, comme si ça allait clarifier les choses. Vous savez, des livres audio. (Riley laissa retomber sa tête dans le feuillage piquant.) Peu importe. Je la ferme, maintenant.

— Donnez-moi la main, dit-il d'une voix à vous donner envie de faire l'amour dans un hamac, et qui fit d'autant plus d'effet à Riley qu'il s'était baissé vers elle. Vous êtes blessée ? Vous vous êtes cogné la tête sur la vitre ?

Vu le commentaire absurde qu'elle venait de faire, la question n'était pas surprenante. Il lui offrait une bonne échappatoire, qu'une femme manquant de tempérament aurait saisie. Mais personne n'avait jamais reproché à Riley d'en être dépourvue. D'en avoir un peu trop, peut-être – sûrement, même.

— Non, parvint-elle à articuler. Je n'ai que quelques égratignures. Ça va, j'ai seulement…

Sa voix se brisa. Ayant poussé un petit soupir, suivi d'une grande inspiration, elle tenta de se frayer un chemin à travers la jungle au feuillage acéré. Mais elle abandonna presque aussitôt l'idée : les plantes semblaient vouloir l'avaler tout entière. Elle avait déjà perdu assez de peau comme ça.

En revanche, elle avait sans doute atteint les sommets du ridicule. Elle essuya sa main toujours moite et pleine de terre sur la jambe de son pantalon, puis saisit celle que lui tendait l'écrivain, essayant de maîtriser ses hormones en ébullition. Ce n'était pourtant pas dans ses habitudes de se laisser submerger par ce genre de sentiment mais, à ce moment précis, elle ne trouvait pas les ressources pour résister.

Et… vlan ! En plein dans la libido. Large paume, peau tiède, poigne ferme.

Il extirpa Riley sans effort de l'enchevêtrement de feuilles coupantes et de dards mortels. Elle qui se trouvait trop grande et plutôt bien charpentée eut l'impression d'être aussi légère qu'une petite plume duveteuse. On ne l'avait jamais comparée à une plume. Pas même une plume d'autruche. Il fallait bien l'admettre, c'était assez grisant. À tel point que, s'il le lui avait demandé, elle aurait accepté avec joie de se déshabiller, là, tout de suite, de lui faire des enfants, ou tout ce qui aurait pu lui faire plaisir. Même sur le diabolique Jog Master.

Parce que c'est exactement ce qu'il brûle de faire, Riley. Te prendre, te prendre violemment. Mais bien sûr…

De toute façon, ça n'avait aucune importance. Même si elle avait peut-être, par miracle, réussi à paraître charmante et pleine de cran malgré ses écorchures et son visage rouge et ensanglanté, elle s'était juré de renoncer aux hommes. Dix-neuf mois, dix jours et plusieurs dizaines de cupcakes auparavant.

Certes, tous les hommes n'étaient pas des salauds menteurs, stupides et infidèles comme son ex-fiancé Jeremy. Elle le savait bien, et n'en voulait pas à tous les mâles de l'espèce humaine pour ce qu'il lui avait fait. Du moins, pas tout le temps. Mais elle avait été tellement dupée et si profondément humiliée par le seul membre de la gent masculine à qui elle avait offert son âme et son cœur, d'ordinaire cuirassé avec soin, que non, elle n'était pas pressée de mettre à l'épreuve ses capacités de discernement en la matière. D'où sa préférence à se réconforter avec des douceurs sucrées.

Les hommes étaient compliqués ; les cupcakes, beaucoup moins.

— Vous avez le visage écorché, dit Quinn, une main posée sur son épaule pour qu'elle ne retombe pas.

Cendrillon, tu peux aller te rhabiller ! Elle se rendit compte que, si son cœur battait à un rythme effréné, c'était à cause de ce sauveur magnifique et célèbre plutôt que du Jog Master.

Au bout d'un moment, il la lâcha avec mille précautions – ce qui ne fut pas facile, puisqu'elle agrippait la main de son Beau Samaritain avec autant de force que la barre du tapis de course quelques minutes auparavant. Il garda encore un instant l'autre main posée sur son épaule, puis la laissa aller pour de bon.

— Permettez-moi de vous aider à vous nettoyer.

Riley prit conscience, un peu tard, qu'elle dévisageait Quinn avec des yeux de merlan frit. Elle avait peut-être renoncé aux hommes, en se forgeant une carapace de farouche indépendance, mais elle n'acceptait pas pour autant que l'un d'entre eux la regarde d'un air horrifié. Ou pire, profondément apitoyé.

— Je… euh… non, ce n'est pas la peine, articula-t-elle lorsqu'elle parvint enfin à se reprendre. Ce ne sera pas nécessaire. Je n'ai que quelques égratignures. Vraiment. Je peux… je vais pouvoir m'en occuper. Je… je suis vraiment désolée.

— Désolée ?

— Oui, de vous avoir effrayé comme ça. J'étais seulement… (Elle regarda le Jog Master, qui tournait toujours à pleine vitesse derrière elle.) Peu importe.

Elle se retourna, se pencha d'un air détaché, réprima une grimace de douleur en sentant ses membres engourdis… et arracha le cordon d'alimentation de la prise murale avec un peu plus de force qu'il n'en aurait fallu. Ou peut-être beaucoup trop, puisque la fiche, projetée dans sa direction, lui heurta violemment la cheville, pile à cet endroit, délicat et vulnérable, où un coup porté vous met instantanément les larmes aux yeux. Elle lâcha le cordon comme si c'était un serpent prêt à mordre, parvenant à ravaler in extremis les jurons – pas très élégants mais tellement adaptés à la situation – qui lui vinrent à la bouche. Puis elle se força à se redresser, lentement, en se sermonnant intérieurement. Il faudrait qu'elle attende un peu pour s'effondrer – et Dieu sait qu'elle en avait envie.

Pour l'instant, elle devait sauver le peu de professionnalisme qu'elle n'avait pas détruit en même temps que le feuillage. Elle se tourna alors vers Quinn, essayant d'afficher un sourire radieux qui, du fait de ses multiples écorchures au visage, s'acheva en un rictus de douleur.

— Donc vous êtes venu pour la visite ?

Il fronçait toujours les sourcils, parfaite incarnation du Beau Samaritain inquiet pour son prochain. Elle se sentait ridicule et pathétique face à lui, même si elle savait qu'il n'avait nullement l'intention de l'humilier. Ç'aurait été inutile : elle y arrivait très bien toute seule.

— Je pense vraiment qu'il faudrait nettoyer ces écorchures. Et puis, vous devriez vous asseoir un moment pour reprendre vos esprits. Encore une fois, je vous présente mes excuses pour vous avoir effrayée à ce point. (Son expression soucieuse laissa place à un demi-sourire gêné qui ne fit rien pour calmer le cœur de Riley.) J'imagine ce qui a pu vous passer par la tête, un étranger qui entre dans votre maison comme s'il était chez lui. Je suppose que j'ai de la chance que vous m'ayez reconnu. Je n'arrive pas à croire que je me sois trompé de numéro. L'île n'est pas si grande, pourtant… Mais, attendez une minute. (Il fit une pause, l'air profondément troublé.) Vous voulez dire que c'est… qu'il s'agit bien de la maison en location ?

L'espace d'une fraction de seconde, Riley imagina de se faire passer pour une visiteuse ayant pris la malheureuse décision de tester le Jog Master. Mais elle abandonna aussitôt cette idée. Même en admettant que Quinn la croie, Sugarberry était la plus petite des îles habitées de l'archipel, et la seule commune qu'elle abritait était tout juste assez grande pour mériter le nom de ville. Fatalement, si l'écrivain finissait par louer l'endroit, ils allaient se recroiser.

Il allait vite comprendre qu'elle n'avait absolument pas les moyens de louer cette villa de bord de mer, nouvellement restaurée et d'un luxe inabordable. La péniche où elle vivait pouvait donner l'illusion d'un bon salaire, mais c'était une location, et elle avait beau être très jolie, ce n'était pas exactement le genre d'embarcation qu'on pouvait trouver dans un yacht-club. Évidemment, Sugarberry ne possédait pas de yacht-club. Le *Seaduced* était amarré au sud de l'île, à côté d'un groupe de chalutiers. C'était le seul embarcadère où Riley avait pu s'installer.

D'ailleurs, il n'y avait pas non plus d'autre résidence haut de gamme en bord de mer à Sugarberry. L'ancienne propriété des Turner était la première du genre, achetée aux enchères par quelques investisseurs venus d'Atlanta en quête de nouvelles opportunités immobilières. Et, si les habitants de Sugarberry avaient leur mot à dire sur le sujet – ils n'avaient d'ailleurs pas attendu qu'on leur en donne la permission –, ce serait aussi la dernière.

Quinn Brannigan, contrairement à Riley, était exactement le genre de personne qu'on s'attendait à trouver dans un yacht-club ou une villa chic.

— Oui, c'est bien ici, répondit Riley en désignant la pièce d'un grand geste circulaire. (Tout, pourvu qu'il cesse de la dévisager avec cet air inquiet.) C'est un vrai joyau. Je suis sincèrement navrée que votre première impression ait été… enfin, vous voyez… gâchée par mon amateurisme. Ce n'était pas la présentation rêvée, j'en ai bien peur.

Elle hésita un instant à lui demander de ne pas mentionner leur petite aventure devant Lois-la-Terreur, mais elle y renonça. On ne sollicite pas de faveurs auprès d'un homme qui vient de vous sauver la vie, même par inadvertance.

— Vous n'êtes pas Lois Machin-Chose, n'est-ce pas ?

Sa question la réjouit, même si elle ne put manifester son amusement que par une grimace de douleur.

— Non, non, ce n'est pas moi.

Quinn la gratifia une fois encore de ce demi-sourire ridiculement charmant.

— Je m'en doutais.

— Vous voulez dire que je n'ai pas l'air d'être le meilleur agent immobilier du secteur ? rétorqua-t-elle. Je suis atterrée.

Il sourit de plus belle. Si Riley avait craint que son cœur lâche lors du marathon de Jog Master, cette peur se révélait injustifiée. Il battait très bien, merci beaucoup.

— Je n'ai pas encore eu l'honneur de la rencontrer, dit-il avec son accent au miel et aux biscuits tout chauds. Mais à en juger par les quelques contacts que j'ai eus avec elle, disons que vous avez l'air beaucoup plus… abordable.

— Vous voulez dire moins effrayante ? (Riley se regarda et poussa un soupir.) Je n'en suis pas tellement sûre. J'ai peur rien qu'à l'idée de me regarder dans un miroir.

— Venez. Trouvons la cuisine, que vous puissiez vous nettoyer un peu.

Une manière galante de dire « ouais, super effrayante ». Ça n'avait aucune importance, de toute façon.

— Ça va, vraiment. Je vais m'en occuper. Pourquoi n'en profitez-vous pas pour visiter un peu ? C'est Lois qui a tous les papiers mais, dès que je serai un peu plus propre, je pourrai vous faire faire le tour. Je suis au courant de tous les travaux et devrais pouvoir répondre à la plupart de vos questions – du moins, si elles se rapportent à la maison.

En vérité, Riley connaissait chaque centimètre carré de la propriété, avant et après les travaux de rafraîchissement. Elle était calée sur le moindre gadget, la moindre rénovation, ainsi que sur les parties de la maison laissées en l'état et la raison de ces préservations. Pas parce que son histoire était liée à celle de Sugarberry – elle ne vivait sur l'île que depuis un peu plus d'un an. C'était en fait le premier projet qu'elle avait réalisé sur l'île elle-même. Habituellement, elle travaillait plus loin au sud de l'archipel, là où se trouvaient les clients fortunés.

Mais elle considérait simplement que maîtriser les moindres détails des maisons qu'elle décorait faisait partie de son travail.

Mettre en scène des maisons ou des appartements était finalement assez proche de son ancienne occupation de styliste culinaire. À l'époque, elle s'efforçait toujours d'en apprendre le maximum sur la cuisine où elle travaillait, son histoire, les traditions qui s'y rattachaient. Puis, la plupart du temps, elle préparait les plats elle-même, ou du moins s'en approchait aussi fidèlement que possible afin d'obtenir des présentations uniques, à l'authenticité minutieuse. Tout comme l'histoire et le cadre des propriétés qu'elle décorait désormais lui semblaient aussi importants que les détails les plus tape-à-l'œil.

Bien sûr, la plupart des clients ne s'intéressaient pas à la moitié de ses découvertes. Il était même rare que quelqu'un s'y arrête. Ils ne se souciaient pas plus que ça du fait que les portes coulissantes sculptées à la main, restaurées par ses soins, soient d'origine, ou qu'elle ait à dessein assorti les couleurs des poteries et des cales de porte avec celle des bardeaux de terre cuite du toit ; mais elle savait que c'était cette attention portée au moindre détail qui faisait vendre une propriété. Les clients n'avaient pas besoin de comprendre pourquoi ils aimaient la maison ; l'important était qu'ils l'aiment assez pour signer un bon gros chèque à Lois. Qui, en retour, signait ceux de Riley.

— Vous pouvez commencer par la…

Elle allait dire « la terrasse, le jacuzzi et le jardin », mais elle se souvint juste à temps que Brutus y prenait toujours son bain de soleil. *Merde !* Normalement, elle et son fidèle compagnon étaient censés quitter les lieux avant les visites. Que Brutus l'accompagne à l'occasion quand elle décorait diverses propriétés, voilà un autre tout petit détail qu'elle avait omis de préciser à Lois. Mais cette maison était à deux pas de sa péniche, et elle savait qu'il allait adorer se prélasser sur la terrasse… Et puis, pour être franche, elle aimait sa compagnie. Pas pour ses qualités de chien de garde, évidemment.

— … euh, par les chambres, improvisa-t-elle en évitant soigneusement de regarder vers les portes-fenêtres. Elles sont juste en haut de l'escalier qui part de l'entrée. Vous allez adorer la suite parentale. (Elle se souvint trop tard que la suite donnait elle aussi sur une terrasse, d'où on voyait très bien celle du rez-de-chaussée.) Mais vous voulez peut-être commencer par la chambre d'amis, qui donne sur l'avant de la maison. Les, euh, les éclairages, juste là… ils font un effet de lumière matinale vraiment spectaculaire.

Si Quinn avait perçu l'intonation paniquée de sa voix, son expression affable ne le trahit pas.

— Et risquer de voir ma chère grand-mère, paix à son âme, revenir me pourchasser avec son rouleau à pâtisserie en m'accusant de ne pas être digne de l'éducation de gentleman qu'elle nous a inculquée, à mon père et à moi ? (Un grand sourire reparut sur ses lèvres.) Non, madame. Je tiens d'abord à m'occuper de vos plaies, surtout que c'est moi, le responsable de cette catastrophe. (Il lui fit signe de passer devant pour aller dans la cuisine.) En plus, je suis sûr que grand-mère en serait vraiment capable, ajouta-t-il avec un air de profond respect, tout en suivant Riley.

Riley sourit, sans trop se préoccuper de la douleur. Il était impossible de ne pas tomber sous son charme. Mais elle avait besoin qu'il monte à l'étage aussi vite que possible. Elle ne savait pas encore où elle pourrait dissimuler un chien de la taille d'une petite voiture, mais elle avait bien mérité un coup de chance.

Elle entra dans la cuisine et, si Quinn fut impressionné par l'électroménager ultramoderne, l'îlot central avec son plan de travail en marbre ou la rangée de poêles et de casseroles de luxe suspendues à un râtelier en argent martelé, il n'en laissa rien paraître. Pas plus qu'il ne sembla les remarquer. Il était probablement habitué à ce genre d'équipement luxueux.

Il se mit à ouvrir les placards et les tiroirs, mais elle se doutait bien qu'il ne faisait pas l'inventaire.

— Pas grand-chose pour vous nettoyer, ici, murmura-t-il.

— J'ai ce qu'il me faut.

Riley contourna le plan de travail pour rejoindre le coin-repas, où se trouvait le plateau à cupcakes. Elle attrapa quelques-unes des serviettes en papier aux couleurs assorties qu'elle avait disposées avec soin à côté des assiettes en carton, puis revint vers l'évier à deux bacs en acier inoxydable de l'îlot central.

— J'insiste, vous devriez faire un tour...

— Attendez.

Alors qu'elle tenait toujours les serviettes sous le robinet, il se plaça juste derrière elle. Et dire qu'elle venait tout juste de retrouver sa capacité à respirer normalement...

— Laissez-moi faire.

Quinn posa sa grande main sur son épaule et la fit pivoter. S'emparant des serviettes détrempées, il s'en servit pour tamponner avec précaution les écorchures sur ses joues et son front. Et son menton. Et son cou.

Ça ne doit pas être beau à voir...

Il valait mieux éviter d'y songer. À moins de fermer les yeux, elle ne pouvait faire autrement que de regarder son Beau Samaritain. Et puisqu'il était occupé à nettoyer ses blessures et ne faisait pas attention à elle, elle ne put résister à la tentation de l'observer. De le dévisager.

Il était encore mieux de près. La moindre ride d'expression, la moindre patte-d'oie, même cette petite cicatrice juste au-dessus de la tempe... tout contribuait à le rendre séduisant. La vie était vraiment injuste : même sans égratignures, elle n'aurait jamais pu résister à une inspection aussi minutieuse. Premièrement, sa peau était constellée de taches de rousseur. Pas les petites mignonnes qu'on attrape avec le soleil : non, de vraies taches de son. À trente et un ans ! Elle avait passé l'âge où on trouvait ça adorable. Deuxièmement, sa bouche était grande et pulpeuse, mais pas du tout à la façon mystérieuse et glamour d'Angelina Jolie. En lieu et place de cette moue sexy, idéale pour vendre du rouge à lèvres et de la lingerie, Riley avait les commissures des lèvres qui semblaient perpétuellement retroussées en un sourire bête. Au mieux, elle était bonne à faire de la pub pour du chewing-gum.

A priori, être doté d'un sourire permanent n'était pas une mauvaise chose. Mais essayez donc d'être prise au sérieux dans une réunion éditoriale remplie d'hommes quand, malgré tous vos efforts pour avoir l'air strict et professionnel, vous ressemblez à une bimbo sans cervelle. Même Dolly Parton avait l'air plus farouche.

Sans parler du fait qu'elle était naturellement blonde. Avec des cheveux très, très frisés. Quelle que soit leur longueur, ils tombaient toujours en boucles joyeuses et souples. Personne ne pouvait la prendre au sérieux, avec ça. Elle avait beau serrer son chignon au maximum, des bouclettes s'en échappaient toujours, auréolant son visage rond et couvert de taches de rousseur. Ajoutez à ça des seins en forme d'obus et un derrière tout aussi rebondi, et voilà. Les princesses de glace, minces et parfaitement coiffées, se faisaient respecter, mais Riley ne pouvait pas prétendre un seul instant jouer la froideur sophistiquée. Ce type d'attitude ne collait pas avec le sourire, les bouclettes et les rondeurs : c'était l'équation impossible. Et une année entière de fréquentation du Cupcake Club n'avait pas arrangé la donne.

— Et voilà, dit-il en tapotant une dernière égratignure.

— Merci.

Quand leurs regards se croisèrent, elle se sentit rougir. Il sourit, et des pattes-d'oie apparurent au coin de ses yeux, le rendant plus attirant que jamais.

— C'était le moins que je puisse faire.

— Tout à fait, dit-elle, consciente de sa voix essoufflée.

Il fallait qu'elle remette illico presto un peu de distance entre eux, histoire de ne pas se ridiculiser davantage. Si c'était possible.

— Je voulais dire, se reprit-elle, ne vous en faites pas. C'était un de ces petits incidents qui peuvent arriver à tout le monde.

Elle recula d'un pas, se cogna la hanche contre le plan de travail, se retourna dans l'intention d'aller n'importe où pourvu que ce soit loin de lui et heurta de plein fouet la poignée du réfrigérateur.

— Aïe !

L'instant d'après, il avait de nouveau les mains posées sur elle. Sur ses épaules, pour la guider vers un endroit plus sûr. Il n'avait pas encore compris que le danger venait de lui ? Dans ses bons jours, elle était déjà empotée – encore un point qui l'éloignait des princesses de glace – et, même en l'aidant à trouver l'équilibre, il nuisait considérablement à sa santé et à son bien-être.

— Ça va, je vous assure. J'ai seulement…

Dans un effort désespéré pour mettre un peu d'espace entre eux, elle se tourna et se retrouva nez à nez avec lui, bloquée contre le plan de travail.

Leurs regards se croisèrent de nouveau et restèrent rivés l'un à l'autre l'espace d'un instant – mais quel instant. Celui qu'on trouve dans les films, quand un millier de choses sont dites sans qu'aucun mot ne soit prononcé. Quand la tension est telle qu'il n'y a pas besoin d'autre musique que ce silence assourdissant, empli de tant de promesses, de tant de possibilités… Si seulement l'un des deux personnages se décidait à faire quelque chose. Un seul petit mouvement suffirait, alors on regarde, on espère, on souffre le martyre dans l'attente que l'un ou l'autre fasse ce geste crucial, si intense. L'instant s'étire, s'étend, plein d'une tension si douce et si prenante que l'on finit par avoir envie de crier grâce.

Quinn fronça légèrement les sourcils.

—Vous devriez peut-être vous asseoir. Vous êtes toujours un peu rouge.

Elle ferma doucement les yeux et sentit ses joues s'empourprer de plus belle. *Ce n'est pas du tout ce que l'homme du film aurait dit!*

—Merci, murmura-t-elle.

Elle ouvrit les paupières, mettant un point d'honneur à ne pas le regarder. Elle se glissa vers le coin de la pièce le plus éloigné de lui, et Quinn, par bonheur, fit un pas en arrière.

— Asseyez-vous à table, je vais vous servir un verre d'eau. À moins qu'il n'y ait quelque chose de plus fort…

— Non, vraiment. Vous avez été plus qu'aimable. Vous devriez plutôt en profiter pour faire le tour de la maison avant le début officiel des visites. Lois-la-Terreur va bientôt arriver, et je…

Elle s'interrompit en voyant Quinn plaquer son poing sur la bouche pour réprimer un éclat de rire, et feindre aussitôt une quinte de toux.

— Qu'est-ce que j'ai… ?

Puis elle se rendit compte de ce qu'elle venait de dire. *Oh non ! Oh non !* Elle faisait apparemment tout pour se retrouver au chômage, alors même qu'elle adorait son travail. Peut-être pas autant que celui qu'elle avait abandonné en quittant Chicago, mais autant – et même plus – que ce qu'elle avait espéré trouver en s'installant sur l'île. De plus en plus embarrassée, elle se tourna en gémissant vers la porte du garde-manger pour y appuyer le front. Elle aurait volontiers donné un bon coup de tête dans le panneau de bois, mais elle avait déjà connu tellement de mésaventures depuis le début de la matinée qu'il valait mieux ne pas prendre le risque de finir aux urgences avec une commotion. Ou dans le coma.

— Il y a des lits ? Dans les chambres ? À l'étage ?

— Pardon ? s'écria-t-elle en se tournant vers lui.

S'était-elle finalement cogné la tête si fort qu'elle l'avait oublié ? Elle ne pouvait pas l'avoir entendu dire…

— Des lits ? Pou… pour quoi faire ?

— Je me disais que vous feriez peut-être mieux de vous allonger un moment.

Il ne lui laissa même pas le temps de répondre. Avec un mélange de douceur et de fermeté, il la prit par le bras et la guida vers l'escalier. Malheureusement, son attitude ne disait pas : « Vite ! Je te veux, tout de suite ! » Il s'agissait plutôt de la sollicitude dont on fait preuve envers les malades et les faibles d'esprit.

— Ne vous inquiétez pas, ajouta-t-il sobrement. Je surveille l'arrivée de Lois-la-Terreur.

Riley gémit encore, mortifiée. Au moins, si elle le faisait monter à l'étage, elle pourrait attirer son attention sur les chambres et en profiter pour redescendre discrètement, récupérer Brutus et fuir.

Alors qu'ils arrivaient à mi-palier, les carillons de l'entrée résonnèrent à travers le vestibule, annonçant enfin l'arrivée des livreurs. Comment avait-elle pu oublier qu'il restait encore un piano demi-queue à installer ? Sans parler du feuillage saccagé qu'il fallait nettoyer.

Il s'avéra que les livreurs n'étaient pas tout à fait Sven et Magnus : plutôt Jeffy et T-Bone, d'après les noms brodés sur leur bleu de travail. Riley doutait également que l'un d'entre eux ait pu embrasser une carrière de mannequin, même avec quelques années en moins. Quoique… L'un et l'autre semblant avoir dépassé la soixantaine, elle était libre de supposer qu'avec un peu moins de ventre et un peu plus de cheveux… bon, et quelques dents dans la bouche, ils aient pu faire tourner la tête d'une femme un jour.

Puis Jeffy prit une portion de tabac à chiquer. *Finalement, peut-être pas*, se dit Riley.

— Je… je dois aller leur indiquer… (Sans achever son explication, elle se retourna, prête à prendre la fuite.) Montez donc jeter un coup d'œil.

Quinn s'écarta pour la laisser passer. Alors qu'il lui posait une main dans le dos pour la guider dans la descente de la première marche, un délicieux frisson, totalement déplacé dans ce contexte professionnel, courut sur sa peau. *Il n'agit ainsi que par égard pour ma faiblesse*, se rappela-t-elle. Elle s'appuya à la rampe, juste pour assurer son équilibre, et commença à descendre. Mais, soudain, elle sentit un petit chatouillement sur sa nuque. Elle faillit perdre l'équilibre une nouvelle fois en essayant instinctivement d'écraser l'insecte coupable… et se figea lorsque sa main rencontra celle de Quinn. Elle se retourna pour le voir brandir une petite branche de palmier qu'il venait apparemment de retirer de ses cheveux. Il esquissa un bref sourire et jeta discrètement la brindille derrière lui.

Riley avait l'impression que ses joues ne reprendraient jamais leur couleur normale tant qu'il serait dans les parages. Elle parvint à le remercier d'un rapide signe de tête, avant de concentrer son attention sur l'installation du demi-queue.

Par chance, cette nouvelle préoccupation lui permit de retrouver rapidement ses esprits – et, heureusement, son équilibre – tandis qu'elle dirigeait les deux hommes vers le coin de la véranda qu'elle avait réservé au piano.

— Punaise, qu'est-ce qui vous est arrivé, madame ? demanda Jeffy en désignant le visage de Riley.

— Un petit incident avec les palmiers, répondit-elle, se rappelant qu'il fallait qu'elle nettoie toute cette pagaille. Rien de grave. Voilà, c'est par ici, indiqua-t-elle, sans même jeter un regard en direction de l'escalier.

Elle pouvait encore sentir ce demi-sourire amusé lui chatouiller la nuque.

Les deux hommes placèrent sur le parquet des tapis de protection, firent rouler le piano dans la maison et l'orientèrent avec précaution pour passer la voûte intérieure.

Naturellement, ce fut à cet instant que Brutus décida de manifester son instinct de protection. Il n'aboya pas, mais émit un hurlement grave et sonore qui semblait venir du plus profond de sa carcasse géante de chien mutant.

— Nom de Dieu ! Qu'est-ce que c'est que ce bordel ?

T-Bone arrêta de déballer les pieds du piano et tomba nez à nez avec Brutus, qui le regardait derrière la porte-fenêtre maculée de bave.

La même fenêtre qu'elle avait passé la moitié de la matinée à nettoyer. Charmant.

— C'est juste... mon chien. Ne vous inquiétez pas pour lui.

— Ce n'est pas pour lui que je m'inquiéterais, répliqua T-Bone.

Gardant un œil méfiant sur la terrasse, il reprit son travail.

— Nourrir une bête pareille, ça doit être comme de donner à manger à un cheval, marmonna Jeffy dans sa barbe.

Il semblait moins inquiet que son collègue. À tous les coups, il était en train de calculer combien de membres de sa famille il pourrait nourrir en emmenant Brutus à la chasse.

— Si vous pouviez placer le piano juste là, pour qu'il soit face à la fenêtre, avec la vue sur l'océan mais pas en plein soleil non plus, ce serait parfait, dit Riley pour que tous, et elle la première, se concentrent de nouveau sur leur travail.

Tandis qu'ils finissaient d'installer le piano, elle s'occupa de remettre en place les plantes en pots, puis balaya la terre et les feuilles cassées.

— Vous savez qu'il n'est pas accordé, ni rien, dit T-Bone. On ne fait que livrer. Si vous voulez jouer dessus, faut appeler Marty pour un rendez-vous.

— Oui, merci.

Elle n'avait pas besoin de faire accorder l'instrument. Il n'était là que pour le décor. Elle avait choisi quelques partitions à mettre sur le pupitre – la *Première Arabesque* de Debussy, parfaite pour les couchers de soleil –, mais elle n'avait pas l'intention d'ouvrir le couvercle. Avec un peu de chance, personne n'y toucherait. Marty était un de ses meilleurs contacts, et elle voulait qu'il le demeure.

Quand tout fut terminé et qu'elle eut signé le formulaire stipulant qu'elle serait personnellement responsable de tout dommage subi par le piano pendant la durée de la location, Quinn avait disparu. Supposant qu'il était parti visiter les autres pièces, Riley raccompagna les livreurs, puis s'éclipsa dans la salle de bains.

— Encore une mauvaise idée, soupira-t-elle en constatant l'étendue des dégâts dans le miroir biseauté accroché au-dessus du lavabo en verre.

Elle avait une mine encore plus affreuse que ce qu'elle avait imaginé. Elle se rafraîchit le visage à l'eau froide, puis essaya de nettoyer le plus gros des écorchures de ses mains et de ses bras. Les taches de terre sur son chemisier à carreaux n'étaient pas rattrapables et, de toute façon, comme le vêtement était trempé et froissé depuis son marathon sur le tapis roulant, ce n'était pas la peine de tenter quoi que ce soit.

Elle remit un peu d'ordre dans ses cheveux et refit son chignon : lorsqu'elle était tombée dans les palmiers, il était parti complètement de travers, ce qui lui donnait l'air d'une pocharde. Tout en remettant en place son élastique bleu ciel, elle lança à son reflet dans la glace :

— C'est l'histoire de ta vie, Riley Brown.

Elle se gratifia d'un sourire narquois, redressa les épaules et passa une dernière fois en revue ses coupures et ses écorchures. Elle pouvait en rire ou en pleurer. Et elle avait appris une chose depuis son arrivée à Sugarberry Island : c'était beaucoup plus drôle d'en rire.

Chapitre 2

Quand la blonde aux cheveux bouclés vint le retrouver – ou plutôt les retrouver – Quinn était sur la terrasse, tenant dans chaque main la moitié d'une grosse branche.

— Je n'ai pas saisi votre nom.

— Riley, répondit-elle en traversant la terrasse. Riley Brown.

— Quinn Brannigan, dit-il par politesse, conscient qu'elle connaissait déjà son nom.

Elle afficha de nouveau ce sourire sarcastique qui étirait sa bouche outrageusement sensuelle.

— C'est un plaisir de faire votre connaissance, même si j'aurais préféré vous accueillir d'une autre manière.

— Au moins, vous savez vous rendre mémorable, fit-il remarquer, espérant flatter son humour pince-sans-rire.

Sans se départir de son petit sourire ironique, elle inclina la tête et fit une brève révérence, mais ce fut la manière charmante dont ses joues constellées de taches de rousseur s'empourprèrent qui acheva de le captiver.

— Je suis une experte des entrées remarquées, répliqua-t-elle plaisamment. Mais je ne les exécute pas toujours de manière idéale.

Sa réflexion fit rire Quinn mais, ne voulant pas l'embarrasser davantage, il reporta son attention sur la bête.

— Il n'aime pas rapporter ?

— Son truc, c'est plutôt débusquer et mâchouiller.

Quinn soupesa la plus longue des branches et regarda au loin, tout au bout de la propriété, derrière la petite piscine, en direction des jardins et des dunes au-delà.

— Oui, je pense qu'il a le potentiel pour décrocher une bourse dans ce domaine. Comment est-ce qu'il s'appelle ?

— Brutus. (Elle leva la main en le voyant étouffer un rire.) Ce n'est pas moi qui ai choisi. Ça ne lui va pas du tout.

— Si vous le dites. Allez, mon gros !

Quinn referma la main sur la branche, prit son élan et la lança comme un javelot. Elle vola haut dans les airs et dessina une parabole au-dessus de la pergola et du potager biologique, avant de retomber à l'autre bout de la propriété, sur un lit d'aiguilles de pin. Des dunes couvertes de broussailles délimitaient le terrain et, au loin, on entendait le grondement de l'océan.

— Impressionnant, dit Riley en suivant la trajectoire du bout de bois, une main en visière. Vous étiez quarterback au lycée ? Et aussi à l'université, je suppose ?

— Non. J'étais trop maigre. Je faisais de l'athlétisme. Du décathlon. (Il sourit en voyant où la branche avait atterri.) Je ne savais pas que j'avais toujours le coup de main.

Quinn eut l'impression qu'elle avait marmonné quelque chose entre ses dents, mais il ne parvint pas à en saisir le sens. Son attention était toujours concentrée sur le chien.

Brutus était resté assis à côté de lui, suivant sagement des yeux la trajectoire de la branche, sans manifester la moindre excitation. Ce ne fut qu'après qu'elle eut atterri, en soulevant un petit nuage d'aiguilles de pin et de feuilles sèches, que l'énorme dogue se mit à descendre d'un trot lent et mesuré le chemin dallé.

— Je crois que je comprends pourquoi il ne ressent pas le besoin de faire de l'exercice, commenta Quinn. Personne n'oserait lui disputer le premier prix.

— C'est une grosse peluche, en fait, dit Riley en s'approchant de Quinn. Il ne ferait pas de mal à une mouche.

— Sauf si la mouche essayait de lui voler son gros bâton.

Quinn joua un instant avec l'autre bout de bois, puis le jeta dans la haie qui bordait la terrasse.

— Il a cassé le bâton parce qu'il a cru que vous vouliez jouer à tirer dessus.

— Sûrement. C'est toujours marrant de jouer à des jeux où on ne perd jamais.

— Ça, je n'en sais rien, moi je perds tout le temps, lança Riley en riant.

Elle se retourna vers son monstre de compagnie qui revenait en trottant, la branche calée entre ses puissantes mâchoires. Mais Quinn avait eu le temps d'apercevoir la grimace qu'elle avait réprimée après son éclat de rire, et la façon dont elle avait posé la main sur la plus grosse écorchure de son visage.

Elle avait pris l'incident avec beaucoup d'humour et de bonne grâce. C'était d'ailleurs à peu près tout ce qu'il y avait de gracieux chez elle, du moins pour ce qu'il en avait vu. Il avait peut-être réagi par instinct. Il avait passé la plus grande partie de ses années de lycée dans le corps dégingandé d'un ado ayant grandi trop vite, et il savait ce que c'était d'être mal coordonné. La jeune femme avait visiblement terminé le lycée depuis longtemps, tout comme lui, mais le fait qu'il ait surmonté sa maladresse ne l'empêchait pas de comprendre ceux qui n'y étaient pas arrivés.

Malgré cela, elle était loin d'avoir l'air cruche. En dépit de ses boucles blondes et des taches de rousseur qui bordaient ses lèvres incroyablement pulpeuses, il devinait que rien n'échappait à ses grands yeux marron.

Brutus trotta vers eux et se laissa tomber sur le derrière, juste devant Riley. Il posa la branche à ses pieds avant de lever les yeux vers elle, avec un air impayable de fierté et d'arrogance.

— Ça, c'est un bon chien, le félicita Riley en grattant la tête massive qui lui arrivait à hauteur des hanches, comme s'il n'était qu'un petit chiot frétillant en quête d'approbation. Maintenant, file ! ordonna-t-elle au chien avant de se pencher pour ramasser le bâton.

Immédiatement, Brutus se tourna vers Quinn, l'œil vif, la mâchoire serrée.

— Quoi ? s'étonna celui-ci en présentant ses mains vides. Ce n'est pas moi qui tiens le bâton. C'est elle.

Riley éclata de rire.

— Oui, mais il sait bien que je ne sais pas lancer. Et aussi que vous, vous en êtes capable.

— Ah.

Elle leva de nouveau la main en visière et se retourna pour l'observer. Contrairement à la plupart des gens, Riley n'avait pas besoin de beaucoup lever la tête pour le regarder, et il se rendit compte que ça lui plaisait. Sa maladresse avait peut-être quelque chose d'adolescent, mais son corps, en revanche, était un vrai corps de femme. « Voluptueux », voilà le mot qui lui venait à l'esprit pour caractériser cette silhouette robuste et toute en courbes. Avec sa haute taille, sa bouche pulpeuse et ces abondantes boucles blondes, elle attirait facilement le regard, empotée ou pas. En fait, sa maladresse et ses taches de rousseur étaient d'autant plus intrigantes qu'elle était vraiment sculpturale. Quoi qu'il en soit, elle avait attiré son attention.

— Vous n'aimez pas trop les chiens ? hasarda-t-elle.

— J'adore les chiens. J'en avais plein quand j'étais petit. Mais… c'était il y a longtemps. Et puis, les chiens que j'avais n'atteignaient pas la taille d'un pick-up.

Elle le gratifia de nouveau d'un sourire grimaçant et détourna les yeux.

— La plupart des gens s'arrêtent à la taille, ils ne veulent pas voir au-delà des apparences.

Elle parlait du chien, mais quelque chose dans son intonation lui laissa croire qu'elle voulait signifier autre chose. Peut-être faisait-elle référence à elle-même ? Il se sentit jugé, et jugé décevant. Ou pire, prévisible. Cela le blessa, sans qu'il sache pourquoi son opinion lui tenait tant à cœur.

Avant qu'il ait trouvé quoi répondre, elle plongea la main dans la poche de son pantalon kaki délavé, en sortit un gros biscuit pour chien et, en se tapotant la jambe, appela l'animal.

— Viens là, Brutus, viens t'installer dans la Jeep, dit-elle en commençant à s'éloigner vers le portail.

Puis elle lança à Quinn :

— Je reviens. Je dois terminer d'installer le coin-repas. Lois arrive dans un instant, et il ne faut pas que Brutus soit dans les parages à ce moment-là. (Alors qu'elle ouvrait le portail, elle jeta un regard par-dessus son épaule.) Je sais que c'est beaucoup vous demander, mais j'apprécierais vraiment que l'histoire de ma mésaventure reste entre nous.

— Dans la mesure où j'en suis le responsable, ça me paraît tout naturel.

Elle esquissa un petit sourire.

— C'est très gentil de votre part, mais j'allais finir par tomber, quoi qu'il arrive. Je suis simplement… Enfin, merci beaucoup. Je vous dois une fière chandelle.

Sans lui laisser le temps de répondre, elle passa la barrière et courut derrière Brutus, qui était déjà hors de vue.

Cette fille était vraiment incroyable ! Et, malgré sa capacité à attirer l'attention, pas du tout son genre. Un tel constat l'ennuyait. Il aimait croire qu'il n'avait pas de type particulier, qu'il prenait les gens comme ils venaient. Mais, peut-être parce qu'il n'avait jamais rencontré quelqu'un comme elle, il ne savait pas quoi en penser.

De toute façon, peu importait. Il n'était pas là pour se faire des amis. Il était là pour se concentrer et venir à bout de son nouveau roman. La dernière chose dont il avait besoin, c'était d'un coup de fil de Claire, son éditrice, insistant, de façon très professionnelle mais néanmoins pressante, pour avoir une date de publication – ou pire, d'un appel de son agent, Lenore. *Si seulement elles savaient à quel point elles devraient s'inquiéter.*

La véritable raison de son retour à Sugarberry, c'était qu'il espérait se remémorer les quelques étés qu'il y avait passés chez son grand-père durant son adolescence, et surtout les leçons de sagesse transmises par ce dernier. Quinn devait décider de la direction à prendre, non seulement pour le manuscrit en question, mais pour l'ensemble de sa carrière. Il aurait aimé que son grand-père soit toujours en vie, mais il espérait que son retour sur l'île lui fournirait le recul nécessaire pour analyser la situation et opter pour la meilleure décision.

Et en finir avec ce foutu livre.

Fallait-il suivre la même voie que d'habitude, et faire ce que ses lecteurs attendaient ? Ou devait-il tout risquer et s'engager sur ce nouveau chemin si séduisant, qui l'appelait mais qui risquait de dérouter ses lecteurs ? Il sourit et secoua la tête. *Être prévisible. Bon ou mauvais ? Bien ou mal ?*

Lorsqu'il rentra, il trouva Riley dans le coin-repas, mettant les dernières touches à un plateau de cristal où elle avait disposé toute une série de cupcakes plus incroyables les uns que les autres, et recouverts d'une épaisse couche de glaçage. Il n'aimait pas trop le sucré, d'habitude, mais cette vision le fit saliver, et les protestations de son estomac lui rappelèrent qu'il n'avait rien mangé depuis le petit déjeuner.

— Ça a l'air absolument délicieux.

Riley poussa un hurlement et lâcha la pâtisserie qu'elle était en train de poser délicatement sur le dernier étage du plateau. Le cupcake heurta celui d'en dessous, qui tomba à son tour… et, bien sûr, l'étage inférieur fut aussitôt saccagé sur tout un côté.

— Oh non ! Je suis vraiment…

— … désolé, acheva-t-elle dans un soupir, les yeux rivés sur le désastre pâtissier. Maintenant, je sais pourquoi vous écrivez des histoires policières. Vous êtes du genre furtif.

— Je préfère croire qu'il s'agit plutôt de sens de l'observation, mais si j'en étais doté, j'aurais sans doute remarqué que vous étiez concentrée et j'aurais fait en sorte de m'annoncer en douceur. J'étais focalisé sur les cupcakes. (Il entra dans le coin-repas et s'approcha de la table.) Mais je suis vraiment désolé.

Il tendit la main, récupéra un peu du glaçage collé au plateau et se lécha le doigt.

— Mmm ! grogna-t-il. Si le gâteau est moitié aussi bon que le glaçage, vous pouvez aussi bien les laisser empilés comme ça. J'ai seulement besoin d'une fourchette.

— Malheureusement, je ne peux pas les laisser dans cet état. La visite commence officiellement dans… (Elle jeta un coup d'œil à l'horloge et pâlit.)… un quart d'heure. J'ai d'autres pâtisseries au frigo, mais il faut que je nettoie…

Sans achever sa phrase, elle se remit à s'activer.

Comme il était en train de savourer une autre lichette de ce glaçage riche et crémeux, il l'arrêta de la seule façon qui lui vint à l'esprit : il la saisit par le bras et la fit pivoter vers lui, réalisant trop tard qu'il l'avait attrapée avec des doigts couverts de chocolat.

— Oups, dit-il alors qu'elle posait sur lui un regard incrédule. Je suppose que vous n'avez pas de lait froid pour aller avec ? demanda-t-il avec un sourire qui se voulait désarmant.

Elle ouvrit la bouche, et il oublia aussitôt les cupcakes, troublé une fois encore par la vision de ses lèvres. Elles étaient en parfaite harmonie avec son corps voluptueux, mais paraissaient si incongrues à côté de cette multitude de taches de rousseur et de ses immenses yeux de biche.

Il n'avait à cet instant qu'une idée en tête : déposer un peu de glaçage sur la courbe pulpeuse de ces lèvres exquises pour mieux les goûter ensuite…

Sans lui lâcher le bras, il tendit impulsivement la main pour prendre un autre cupcake, parfaitement intact, celui-là.

— Vous en avez goûté un ?

— Monsieur Brannigan…

— Appelez-moi Quinn. S'il vous plaît. Et je ne plaisante pas. Goûtez. (Il approcha doucement le gâteau de sa bouche.) Je vous payerai un nouveau chemisier. Et je remplacerai les cupcakes. C'est vous qui les avez faits ?

— Non, c'est mon amie, Leilani Dunne. Elle dirige la pâtisserie *Cakes by the Cup*, en ville. Maintenant, il faut vraiment que je m'occupe de ce plateau avant que…

Elle lui repoussa le bras, doucement mais fermement.

— Ce que vous devriez vraiment faire, c'est goûter ça.

Il l'attira avec douceur vers le cupcake qu'il lui tendait. Il n'avait aucune idée de ce qui le poussait à agir ainsi, mais il ne pouvait pas s'en empêcher. Plus elle s'énervait, plus il s'obstinait.

— Après la journée que vous avez passée, vous l'avez bien mérité.

Il passa le gâteau tout près de ses lèvres, sur lesquelles le glaçage laissa une trace de chocolat.

Il la taquinait, se persuadant qu'il voulait seulement la faire sourire. Il n'avait pas vraiment voulu lui mettre du chocolat sur la bouche, mais cela importait peu désormais : son désir s'éveilla sans prévenir. Lorsque son regard s'arrêta sur la petite tache sucrée, il fut pris d'une envie quasi irrésistible de goûter encore un peu de ce glaçage-là.

Du bout de la langue, elle effaça l'objet de la tentation. Cela ne fit qu'accroître sa gêne… et son appétit.

—Qu'est-ce que vous…

—Pour être franc, je n'en sais rien. Mais maintenant, vous avez du glaçage sur vous.

Il continua d'agiter le cupcake sous son nez, prenant garde cette fois-ci à ne pas laisser de trace. Il sourit en la voyant froncer les sourcils.

—Allez-y, ça ne coûte rien d'y goûter. Ils sont incroyables, je vous promets.

—Monsieur Quinn… Je dois vraiment… (Elle s'interrompit et se retourna vers le plateau saccagé.) Lois va arriver d'une seconde à l'autre, il ne faut pas qu'elle me trouve debout au milieu d'un carnage pâtissier, en train de goûter la marchandise.

Tout son corps tressaillit, alors qu'il songeait, de manière importune, à tout ce qu'il aimerait lui faire goûter.

—Elle ne viendra pas. Lois-la-Terreur. Pas aujourd'hui.

— Comment ça ? Je ne peux pas m'occuper de la visite, ce n'est pas mon travail. Et puis, c'est elle qui a tous les… Est-ce qu'elle va bien ? Il est arrivé quelque chose ?

— Oui, elle va bien, et oui, il est arrivé quelque chose. Pendant que vous faisiez installer le piano, j'ai appelé mon manager et je lui ai demandé de faire une offre pour la maison. Une très belle offre.

— Vous avez quoi ?

— J'ai loué la maison. Je suppose qu'à l'instant où je parle, Lois-la-Terreur et David-le-Terrible sont en train de s'envoyer des fax en rafale. Je suppose que j'aurai à signer quelque chose à un moment donné, mais en tous les cas l'affaire est conclue.

— Donc… pas de visite.

— Pas de visite.

— Mais… il y a eu des annonces. Des gens vont venir.

— Et ils auront la déception de trouver un panneau « loué » devant la propriété. Je pense que je devrais aller m'en occuper.

— Très bien, mais…

— Mais d'abord… franchement, goûtez-moi ça.

Elle lui jeta un regard par-dessus le gâteau.

— Vous êtes toujours comme ça ?

— Comme quoi ? dit-il avec un sourire. Imprévisible ?

Il vit la façon dont elle le dévisageait, les yeux tantôt rivés aux siens, tantôt sur sa bouche. Tandis que ses pupilles se dilataient, ses yeux marron se firent plus sombres et plus profonds, sa poitrine se gonfla, et les muscles de ses bras se contractèrent – tressaillirent, en fait. Il avait écrit des pages entières sur tous ces petits détails révélateurs d'excitation. Mais, il devait en convenir, cela faisait longtemps, très longtemps, qu'il n'avait pas eu l'occasion de les observer en personne.

— Ce n'est pas toujours une mauvaise chose, si ? demanda-t-il.

— Euh, non, bredouilla-t-elle, toujours suspendue à son regard plein de franchise. Non, je suppose que non.

— Très bien. Et maintenant… goûtez.

Elle s'exécuta, ce qui, sans qu'il sache vraiment pourquoi, le surprit. Il s'était attendu à ce qu'elle lève les yeux au ciel. Ou lui jette un cupcake à la figure. Il aurait mérité l'un et l'autre. Il se demanda ce que sa grand-mère aurait pensé de son attitude pour le moins entreprenante. Mais ses pensées cessèrent de vagabonder quand il vit Riley fermer les yeux en laissant échapper, au moment où le succulent glaçage au chocolat franchissait ses lèvres, un long gémissement, avec l'instinct du gourmet capable de s'abandonner à la sensualité d'une expérience. L'odorat, le goût, le toucher… En l'observant, il se sentit tressaillir à son tour.

— Lani, murmura-t-elle, encore une fois, tu assures !

— Ce doit être la sainte patronne des pâtissiers, confirma Quinn avec un ton de quasi-révérence, tandis que, fasciné, il la regardait achever sa dégustation.

Elle ouvrit les yeux, vit qu'il l'observait, et rougit une fois encore.

— Je… (Elle libéra son bras et fit un pas en arrière.) Vous… euh… faites-moi simplement savoir quand vous comptez emménager, et je me chargerai de retirer les meubles et la décoration. Je, euh, ça me prendra au moins deux jours, mais je pourrai facilement avoir tout terminé pour ce week-end.

Elle posa les yeux sur sa main, qui tenait toujours le cupcake, puis de nouveau sur son visage. Il n'arrivait pas à percer le sens de cette expression affamée sur son visage, mais cela ne diminuait en rien l'ardeur de son désir à lui.

— Il faut juste que je passe quelques coups de fil.

— J'ai fait une offre pour avoir la maison en l'état, dit-il.

Il avait apparemment autant de mal qu'elle à se contenir. C'était peut-être pour des raisons complètement différentes, mais cela apportait tout de même la preuve que l'imprévisibilité, bien qu'excitante, n'était pas tout à fait sans risque. Il avait intérêt à s'en souvenir.

— Ah. Ah ! Bon…, bafouilla-t-elle en balayant la pièce du regard, l'air un peu hagard.

Mais peut-être n'était-ce que son interprétation. Son cœur battait à tout rompre.

— Du coup, je suppose que je dois… euh, y aller. Je vais y aller. (Elle se retourna vers lui avec un grand sourire, dont l'éclat néanmoins ne gagna pas ses yeux toujours un peu vitreux.) Si vous avez des questions, Lois pourra… ou vous pouvez m'appeler. Ou… David, c'est bien ça ? Il peut m'appeler. En fait, vous devriez. M'appeler, je veux dire. C'est moi qui ai les contacts pour les meubles, et je suis sur Sugarberry. À plein temps. Donc s'il y a quoi que ce soit dont vous ne voulez pas, je peux… Est-ce que vous voulez que je nettoie tout ça ? (Elle fit un geste vague en direction du plateau de pâtisseries.) Non, répondit-elle pour elle-même, alors qu'il avait de nouveau les yeux rivés sur sa bouche. D'accord, je vais… je vais y aller. Maintenant.

Il était toujours figé à côté du plateau de cupcakes, un gâteau à la main, lorsqu'il entendit la porte se refermer et une jeep se mettre en marche. Au crissement des roues sur le gravier, il se dit qu'elle avait démarré en quatrième vitesse, et qu'elle avait peut-être une réaction un peu extrême par rapport à la situation. Puis il tenta de faire un pas, mais se rendit compte qu'il était si tendu et à l'étroit dans son jean, qu'il pouvait à peine bouger sans risquer d'abîmer quelque chose… Il estima alors que, finalement, elle avait peut-être bien fait de prendre la fuite.

— Te concentrer, dit-il. Tu es venu pour te concentrer.

Il se promit de se mettre au travail… dès qu'il aurait entièrement dévoré le cupcake qu'il tenait à la main. Celui où il manquait un peu de glaçage. Et, sans se poser de question, il savoura chaque bouchée jusqu'à la dernière miette, tout en contemplant le plateau saccagé et en imaginant à quel point l'après-midi aurait pu être différent s'il avait simplement allongé la jeune femme sur la table, ouvert son chemisier, puis, avec l'un de ces petits gâteaux divins, chatouillé les bouts rosés d'une poitrine qu'il devinait belle et voluptueuse… avant d'y passer la langue. Il se demanda si la jeune femme appréciait avec autant de sensualité les plaisirs de la chair que ceux du palais… Il pensait déjà connaître la réponse à la question. Un vrai gourmand savait apprécier la vie tout entière.

Les images qui lui vinrent alors à l'esprit lui arrachèrent un grognement. Il jeta sur la table le papier chiffonné du cupcake, et décida de tester les propriétés hydromassantes de la douche tant vantée dans l'annonce.

Dix minutes plus tard, comme l'eau glacée ne lui faisait aucun effet, il s'aspergea d'un jet brûlant. Au moins parvint-il, pendant les dix minutes qui suivirent, à rester concentré sur quelque chose.

Chapitre 3

— La vache ! Où est-ce que tu es allée te fourrer ?

Alva Liles, la doyenne du Cupcake Club, n'ajouta pas « cette fois-ci », mais c'était sous-entendu.

— En tout cas, on dirait que tu as perdu la bagarre.

La jeune Dree, dont la crête violette recouverte d'un filet à cheveux faisait toujours sourire Riley, retourna à son gâteau couvert de fondant blanc. Elle était totalement absorbée par la conception de pétales de rose en sucre, qu'elle alignait soigneusement sur le bord arrondi de la pâtisserie. Quatre autres gâteaux se trouvaient déjà posés sur la table derrière elle, chacun décoré de dizaines de roses de toutes formes et de toutes tailles. Persuadée que « c'est en forgeant qu'on devient forgeron », Dree appliquait l'adage avec une ferveur sans égale.

Riley se débarrassa de son sac à main et prit sur son crochet son tablier Hello Kitty, qu'elle enfila rapidement. Elle aimait les tabliers fantaisie que tous les membres du Cupcake Club avaient fini par adopter, inspirés par Leilani qui en faisait collection depuis l'enfance. C'était certainement plus drôle et confortable que les vestes de chef qu'elle avait souvent dû porter dans sa vie antérieure.

— Sur quoi tu travailles aujourd'hui, Alva ?

Riley savait très bien qu'elle allait devoir raconter comment elle s'était débrouillée pour avoir le visage ainsi lacéré, mais elle n'était pas encore prête à amuser la galerie avec sa dernière mésaventure. En fait, elle n'avait aucune envie de parler de Quinn Brannigan. Il n'avait peut-être pas été capable de lire dans ses pensées – du moins l'espérait-elle –, mais elle savait que ses camarades de cuisine ne rataient jamais rien.

— Hé, mais tu es là, dit Leilani en ouvrant d'un coup sec la porte qui séparait la pâtisserie de la grande cuisine où le club se rassemblait tous les lundis soir, après la fermeture anticipée de la boutique.

Lani avait environ le même âge que Riley. Plus petite qu'elle, mais assez robuste, ayant l'habitude de rassembler ses cheveux châtain clair en une queue-de-cheval lâche, elle était d'un calme et d'une efficacité qui lui permettaient de toujours rester maître de la situation, même la plus chaotique.

— J'ai un nouveau cupcake que j'aimerais vous faire goûter, leur annonça-t-elle. Je me suis inspirée des sorbets vanille-mandarine, précisa-t-elle alors que s'élevaient des murmures enthousiastes. Je les laisse encore reposer cinq minutes, puis je m'occupe du glaçage et on va tous y goûter.

— Encore une fois : je n'échangerais ma place pour rien au monde.

Riley choisit le plan de travail le plus en retrait et y déposa sa boîte d'ustensiles et son sac à provisions. La pâtisserie occupait tout le rez-de-chaussée d'une vieille bâtisse du centre-ville, et Leilani avait réservé la majeure partie de l'espace à la cuisine. Riley avait d'abord douté du bien-fondé d'une telle répartition, considérant qu'il aurait été plus logique d'accorder davantage de place aux étalages, mais, bien sûr, c'était sa formation de styliste qui parlait. Pour elle, tout était affaire de présentation.

Pour Lani, c'était la préparation qui comptait. En se liant d'amitié avec elle, Riley avait découvert que Leilani Trusdale, nominée par la James Beard Foundation, avait dirigé les cuisines d'une grande pâtisserie new-yorkaise. Celle-ci appartenait toujours à son mari, Baxter Dunne, le célèbre chef britannique dont l'émission culinaire, *Hot Cakes*, était suivie chaque semaine par des millions de fans – dont Riley.

Lani et Baxter, qui s'étaient mariés juste avant l'arrivée de Riley à Sugarberry, étaient à présent bien installés sur l'île : tandis que Baxter enregistrait son émission dans une magnifique maison de planteurs du côté de Savannah, Lani faisait tourner sa propre pâtisserie à Sugarberry. Lorsque la fille des villes avait ouvert sa petite boutique sur cette île éloignée de tout, il n'y avait eu qu'une chose à laquelle elle avait refusé de renoncer : la cuisine professionnelle parfaitement équipée, identique à celle où elle était habituée à évoluer dans son ancien travail.

— Où est Franco ? demanda Riley.

Franco, un Italien né dans le Bronx, était un ancien collègue de Leilani à New York. Il avait lui aussi migré dans le Sud en compagnie d'une amie commune, Charlotte, avec qui il avait créé une entreprise de traiteur à Savannah. Charlotte était officiellement en couple avec Carlo, l'un des cuisiniers de l'émission de Baxter. Grand, beau, gay, Franco parlait avec un faux accent français parfaitement absurde, mais qui correspondait exactement à son personnage.

— Il est à Savannah pour quelques jours, il aide Baxter à boucler les dernières émissions de la saison. Ils ont resserré au maximum leur planning de tournage, afin que Baxter puisse terminer son dernier livre de recettes dans les temps. Le premier est sorti il y a plus d'un mois, et le second devrait normalement déjà se trouver chez l'éditeur à l'heure actuelle. Mais avec son émission qui va passer sur une grande chaîne la saison prochaine, toutes les interviews qu'il a dû donner pour la promo du livre, eh bien... Bref, vous m'avez déjà entendue râler à ce sujet. Je vous jure, ce type n'est pas humain. Et aujourd'hui, pour tout arranger, l'un de ses assistants a la grippe. Heureusement que Franco était là pour donner un coup de main.

Dree avait bien vu que la nouvelle alarmait Riley. Elle leva les yeux de son travail, juste le temps de dire :

— Ne t'inquiète pas. Le salopard de traître est parti.

Riley haussa les sourcils, et la douleur la fit grimacer. Elle se retint de se passer la main sur son visage pour l'apaiser, et demanda :

— Brenton est parti ? Parti-parti ?

Brenton était le petit ami de Franco. Enfin, l'ex-petit ami de Franco. Le salopard de traître.

Dree hocha la tête, et le nouveau piercing qu'elle s'était fait faire à l'arcade, un peu plus gros que les deux autres et lesté, selon toute apparence, d'un minuscule dragon, se balança en cadence.

— On lui a offert un emploi à San Francisco il y a deux jours, expliqua Dree. Et il a accepté.

— Baxter était soulagé quand il a donné son préavis, ajouta Lani. Il lui a dit qu'il n'avait pas besoin d'attendre deux semaines, et qu'il pouvait s'en aller tout de suite. Brenton est parti le jour même. Baxter l'aurait volontiers viré direct pour le coup qu'il a fait à Franco, mais comme ça n'avait rien à voir avec le travail…

— On sait. Personne ne reproche rien à Baxter, dit Riley. Je ne sais pas comment Franco a réussi à aider autant pour l'émission.

— Baxter a essayé de lui dire d'en faire moins, répondit Lani. Mais ce n'était pas juste de ne pas donner de travail à Franco, surtout depuis que Carlo fait équipe avec Charlotte pour ouvrir *Sucré-Salé*. Même si Franco est très engagé dans l'entreprise, je crois que, sans Brenton il se sentait un peu à la rue. J'avais vraiment peur qu'il retourne à New York. Baxter a offert à Franco un job à plein temps dans l'émission, mais il ne l'a pas encore accepté. Je pense que, pour l'instant, il compte poursuivre son partenariat avec Charlotte et Carlo, en aidant Bax quand il a le temps.

— Tant que Brenton part et que Franco reste, ça me va, dit Riley.

— J'espère juste que, maintenant, Franco retrouvera sa gaieté. Sans mauvais jeu de mots, bougonna Dree.

La petite assemblée manifesta bruyamment son approbation, puis Lani ajouta :

— Franco va être un peu en retard, il rentre avec Baxter. Et vous savez quoi ? dit-elle en haussant les sourcils. Je crois qu'il avait de la compagnie, avant-hier soir.

— Je confirme. Le genre de compagnie qui reste pour le petit déjeuner, précisa Alva, au cas où quelqu'un n'aurait pas compris l'allusion.

Tout le monde se tourna vers elle d'un air interrogateur, mais elle n'eut qu'un haussement d'épaules.

— On a discuté, expliqua-t-elle avec un sourire radieux. J'ai demandé à Franco d'amener son ami pour qu'on puisse le rencontrer.

— Quand est-ce que tu as parlé à Franco ? demanda Lani.

— T'occupe, ma petite. Entre Franco et moi, le courant passe bien.

Riley et Lani éclatèrent de rire. Même Dree faillit se laisser aller à sourire.

— Et ça fait parfois des étincelles, ajouta-t-elle devant l'air étonné d'Alva.

— Quoi ? quelles étincelles ?

Alva tapota ses superbes boucles blanches et vérifia l'ajustement de son jogging rose vif, impeccablement repassé et parfaitement coordonné. Riley était sûre que la fougueuse octogénaire était la seule femme au monde à savoir combiner avec élégance un collier de perles et une tenue de sport.

— Toi et Franco, précisa Dree. Peu importe, ajouta-t-elle d'un air confus, en voyant Alva froncer des sourcils.

— Je ne vois pas ce qu'il y a de drôle, dit Alva, visiblement un peu vexée. Franco, c'est ma famille, et on doit s'inquiéter pour les membres de sa famille. On ne sait rien au sujet de ce petit nouveau. D'où il vient, de quel milieu, qui il fréquente, et ce qu'il veut à notre garçon.

— Si quelqu'un veut quelque chose, je parie que c'est Franco, dit Dree de cette voix traînante et laconique typique de l'étudiante en art désabusée.

— En tout cas, je pense qu'il faudrait qu'on rencontre ce jeune homme au plus vite.

— Je suis sûre que, si Franco prend l'habitude de partager son petit déjeuner avec lui, il nous le présentera bientôt, dit Lani.

Riley commença à déballer les provisions qu'elle avait apportées pour ses expériences culinaires de la soirée, heureuse de ne pas être le sujet de la conversation. Elle avait choisi un plan de travail qui lui permettait de tourner le dos aux autres, et de dissimuler son visage lacéré.

— D'accord, concéda Alva. Mais sinon, je n'aurai aucun scrupule à débarquer sans prévenir avec mon fameux crumble aux myrtilles, prévint-elle avec son sourire le plus innocent.

Celui-ci dissimulait, sans que personne ne soit vraiment dupe, une vivacité d'esprit un peu retorse. Sur ce, la vieille chipie se remit à tamiser sa farine en chantonnant.

Riley sourit intérieurement, espérant secrètement avoir ne serait-ce que la moitié de l'énergie d'Alva quand elle atteindrait son âge, ou même déjà la cinquantaine. Oh, et puis, finalement, vu sa propension à se blesser, elle serait déjà très heureuse d'atteindre l'âge d'Alva, peu importe dans quel état.

À cet instant, Franco déboula sans crier gare par la porte de derrière, avec l'insouciance qui le caractérisait.

— *Bonsoir, mes amies*[*], s'exclama-t-il joyeusement. Comment vont mes pâtissières préférées en cette belle et chaude soirée ? Lani, tu n'aurais pas un vieux disque de Neil Diamond sous la main ? Je pense qu'on a tous besoin d'un petit *Cracklin' Rosie* ou d'un *Sweet Caroline.* (Il sourit, tout en faisant mine de se recoiffer.) En revanche, vous pouvez oublier *Solitary man*.

— Waouh ! s'écria Lani. Tu sais quoi, je devrais pouvoir trouver ce qu'il te faut.

---

[*] *En français dans le texte.*

Tous les membres du club savaient que lorsque Lani travaillait seule en cuisine, elle aimait danser sur du rock'n roll, du disco, ou de vieilles bandes originales de films. À plus d'une reprise, les membres du Cupcake Club avaient « joué les Dancing Queens », comme le disait Charlotte avec son accent indien cultivé, rendant cette expression adorablement cocasse.

Pour le moment, personne n'avait encore allumé la chaîne, restée silencieuse depuis deux semaines. La fois précédente, Alva avait apporté sa dernière découverte : un CD de ce « joli garçon », Justin Bieber.

Riley se retint de sourire afin de ne pas réveiller ses blessures, mais il était difficile de ne pas pouffer au souvenir d'Alva se trémoussant dans la cuisine en chantant *Baby, baby, oh* à tue-tête. Cela dit, Riley préférait que ce soit Bieber qui tourne en boucle plutôt que *Thank God I'm a Country Boy* de John Denver, dont la vieille dame s'était aussi procuré le best-of. Plus jamais ça.

— Je vais voir ce que j'ai, dit Lani à Franco en se hissant sur la pointe des pieds pour lui déposer un baiser sonore sur la joue. Où est Baxter ?

Ils avaient beau être mariés depuis plus d'un an, les yeux de la jeune femme brillaient toujours autant qu'au lendemain de ses noces lorsqu'elle prononçait ce nom. Et Baxter était sans doute bien pire encore. Riley voyait la chose avec bonheur, comme un conte de fées devenu réalité. Et même si elle éprouvait parfois quelques bouffées de jalousie incroyablement égoïstes, c'était son problème, pas celui de Lani et Baxter.

— Il m'a chargé de te dire qu'il passait d'abord à la maison, *tout de suite*[*], et qu'il débarquerait ensuite avec des restes rapportés du tournage, répondit Franco en croisant les bras d'un air suffisant. Et ce ne sont pas des plats mitonnés par lui. Devine qui est passé aujourd'hui ?

Lani se retourna.

— Qui ?

— Disons que quelqu'un avait envie de lancer un défi au chef Hot Cakes.

Lani en resta bouche bée.

— Tu rigoles ! Mon chef préféré à la télé, Bobby Flay ? Dans notre maison de Savannah ? Et personne ne m'a rien dit ?

Elle laissa échapper un petit cri de rage.

— Du calme, ma belle, dit Franco sans la moindre trace d'accent français, comme souvent quand il faisait la leçon à Lani. Ce n'était pas un vrai duel. Il devait venir en ville pour retrouver Paula, et il est passé voir comment ça se passait, discuter un peu… Et puis, tu imagines le truc… on se retrouve à cuisiner sans savoir comment. (Il s'approcha de Lani et lui passa un bras réconfortant autour des épaules.) Mais tout n'est pas perdu, tu vas pouvoir goûter aux sublimes grillades de ton cuistot de la télé.

— Il a fait des grillades ? s'écria Lani en poussant un profond soupir d'envie et de gratitude.

— Il est passé en fin de journée, c'est pour ça qu'on est en retard. Et il n'est pas resté assez longtemps pour que tu aies le temps de venir nous rejoindre.

— D'accord, d'accord. Mais j'ai une mémoire d'éléphant, prévint-elle en se tapotant le front. Je n'oublie rien. Et mieux vaut que ce soit toi qui annonces à Charlotte ce qu'elle a raté, ajouta Lani en pointant un doigt sur la poitrine de Franco, s'amusant de le voir blêmir. Et pas de Neil pour toi. Ce soir, on va cuisiner au son de…

Elle virevolta vers sa chaîne hi-fi, appuya sur « play » et reprit sa place en se dandinant, tandis que les premières notes de *Ice Ice Baby* résonnaient dans la pièce. Franco eut la réaction attendue : il lâcha un grognement de dépit.

— Eh oui, cher ami qui vient pavaner après avoir goûté aux grillades de Bobby Flay, ce soir, c'est ambiance rap sur le dancefloor.

Riley ravala à grand-peine son sourire en voyant Franco leur tourner le dos d'un air absolument dégoûté.

Alva se mit à rouler des hanches en agitant son tamis, faisant voler sur le plan de travail une légère brume de farine blanche.

À cet instant, Riley rendit les armes. Tant pis pour son visage écorché. Elle aimait ces gens. Riant, dansant, fredonnant la ligne de basse, elle continua à défaire ses paquets, dont son nécessaire à couteaux.

— J'espère qu'il apporte assez de grillades pour tout le monde, dit Alva.

— *Oui, oui, mes amies**, dit Franco, qui venait de retrouver toute sa gaieté. Ne vous en faites pas. Et elles sont *magnifiques**, ajouta-t-il en embrassant le bout de ses doigts.

Lani se frotta les mains par avance et revint en se trémoussant vers la table où elle s'apprêtait à appliquer le glaçage de ses nouveaux cupcakes.

— MC Hammer, prends-en de la graine ! s'écria Lani. Tu cuisines ce soir, Franco, ou bien, après cette dure journée à te tourner les pouces dans les cuisines du studio en mangeant des grillades et en faisant les yeux doux à mon copain de la télé, tu préfères jouer les goûteurs ?

— Avec tout le respect que je te dois, puis-je te rappeler que toi et ton copain Bobby êtes tous les deux heureux en mariage, même si ce n'est pas l'un avec l'autre ? Quant à moi, ce soir, je vais cuisiner de *parfaits petits gâteaux** Red Velvet, parce que je suis en manque de sucre après tout ce boulot.

Il se retourna et lança un clin d'œil à Riley qui, toujours dans l'euphorie du moment, lui rendit la pareille.

— Bon, on dirait que tout le monde a de quoi s'occuper. Oh, dans cinq minutes ce sera l'heure de goûter ma recette, dit Lani. J'envisage de l'ajouter à la sélection de la boutique.

— On se croirait dans un rêve, chanta Franco, qui se laissa aller à danser sur la musique en revêtant le tablier fantaisie de rigueur.

Ce soir-là, il portait un classique qui faisait toujours son petit effet : le tablier *Drôles de dames* que Dree et sa cohorte d'artistes avaient réalisé pour son dernier anniversaire. Comme chaque fois qu'il l'enfilait, il se lança dans une imitation incroyablement précise des poses des trois actrices.

—Mais alors… Tout mon univers est digne d'un rêve.

Dès qu'il en eut terminé avec Farrah Fawcett, qui constituait toujours le clou de ce petit numéro, Franco fit une pirouette et posa son nécessaire à pâtisserie sur l'emplacement libre situé juste à côté de Riley.

Cette dernière était toujours émerveillée par la grâce qu'il déployait malgré sa carrure. Si elle s'était risquée, même une fraction de seconde, à le singer, elle aurait ravagé la moitié de la cuisine et envoyé au moins trois de ses amis aux urgences. Et encore, dans un de ses bons jours.

Elle passa un bras autour de la taille de Franco et se pencha pour lui déposer un rapide baiser sur la joue.

—Ça fait du bien de te voir comme ça.

—Ça fait du bien d'être comme ça, *ma chère**, conclut-il avec sa voix de basse, douce, profonde, et pleine de sincérité.

Lorsque, après son histoire avec Brenton, Franco avait été au plus bas, Riley avait maintes fois envisagé d'aller le trouver pour lui expliquer en tête à tête à quel point elle comprenait sa douleur. Mais rien ne restait privé à Sugarberry, et même si Franco avait bon cœur, elle savait qu'il était incapable de garder un secret, même au péril de sa vie. Elle avait donc fait de son mieux pour être présente, tout en regrettant toujours un peu de ne pas lui avoir parlé de sa propre histoire. Et pourtant, Dieu sait qu'ils s'étaient tous raconté des choses très personnelles. Cette amitié fraternelle qu'elle avait nouée depuis son arrivée dans le club lui avait fait énormément de bien.

Elle avait atterri à Sugarberry pour se cacher et soigner ses blessures, sans autre projet que celui de changer d'air. Ce qu'elle y avait trouvé avait dépassé toutes ses espérances. Un peu plus d'un an plus tard, l'île, d'abord simple escale, était devenue un véritable foyer.

— Mais qu'est-ce que…

Riley sursauta en sentant la main de Franco, qui lui avait attrapé le menton pour mieux l'examiner.

— Qui t'a fait ça, *ma chère*[*] ?

— D'après toi ? dit-elle entre ses dents.

Il lui fit tourner la tête d'un côté, puis de l'autre, avant de la lâcher.

— Tu me connais, reprit Riley. Je suis… je suis tombée d'un tapis de course et j'ai atterri dans un tas de palmiers, OK ? expliqua-t-elle à voix basse pour ne pas alerter le reste de la bande.

Elle pouvait toujours essayer. Alva, qui avait l'ouïe particulièrement fine, se retourna.

— Qu'est-ce qui se passe ? Qu'est-ce que tu as fait sur un tapis de course ?

Dree et Lani levèrent la tête à leur tour.

— Vous connaissez la maison des Turner…, soupira Riley.

— Ne me lance pas sur le sujet, l'interrompit Alva. Cette baraque est une monstruosité. Je n'arrive pas à croire qu'ils aient osé faire un truc pareil.

— Je trouve ça plutôt génial, si vous voulez mon avis, dit Dree. (Tout le monde la regarda avec surprise.) Quoi ? Ce n'est pas parce que je m'habille comme une gamine des rues que je ne sais pas apprécier le luxe. Il se trouve que j'aime le confort, voilà. Je suis allée jeter un coup d'œil à la villa quand ils ont terminé l'extérieur. Ils ont allongé la toiture et ajouté une véranda, mais ils ont conservé le style traditionnel, et ce qu'ils ont fait du jardin est incroyable. Ça montre tout ce qu'on peut faire de cette lande asséchée par le sel, avec un peu d'ingéniosité. Et même si c'est chic, c'est resté vraiment sobre, pas grossier et tape-à-l'œil comme dans les îles du Sud. Je trouve que le concept est à la fois singulier et respectueux de la tradition. (Elle haussa les épaules.) Mais ce n'est que mon avis.

— Tu vas voir comme ce sera singulier, quand les autres promoteurs débarqueront sur l'île en essayant de nous pousser à vendre nos maisons pour les foirer à ces sales snobs venus de la haute, s'offusqua Alva.

— Fourguer, corrigea Lani. Pour les fourguer à ces sales snobs.

— Foirer, fourguer, peu importe. Je pense que ce sera la fin de notre paisible petite île. On aime vivre en paix, sans se presser. On n'a pas besoin de tout ce tralala. Et je dois dire que j'étais assez étonnée quand tu as accepté ce boulot, ajouta Alva à l'intention de Riley.

— Il faut bien qu'elle travaille, justifia Lani en jetant à Riley un regard d'excuses.

— Il y a toute une flopée d'îles qui ne demandent que ça, plus au Sud. On n'a pas à encourager ça ici.

— La maison avait déjà été rénovée quand on m'a proposé de la décorer, lui rappela doucement Riley. Ma seule mission était d'aider à la faire sortir du marché le plus vite possible.

— Et tu as réussi ? demanda Lani. Tu as trouvé preneur ?

— Euh, oui. Aujourd'hui, en fait, répondit Riley. Alva, tu seras heureuse d'apprendre que la maison était louée avant même le début des visites. (Elle fit mine d'être très occupée à sortir de son sac différents ingrédients.) Personne d'autre n'est venu traîner dedans, pas d'investisseurs se faisant passer pour des acheteurs… On a eu de la chance, ça s'est fait très vite.

— Vraiment ? s'étonna Lani. Ouah, c'est bizarre. Qui prendrait une maison sans même la visiter ?

— Je vais te le dire, dit Alva. Des snobs venus de la haute, voilà qui c'est.

Dree ricana, mais reprit immédiatement son air blasé dès qu'Alva pointa son tamis dans sa direction. Lani et Franco gloussèrent discrètement. L'octogénaire se contenta de les foudroyer du regard.

Lani se tourna vers Riley.

— Tu sais qui l'a louée ?

Franco, installé à côté d'elle, ne lui laissa pas le temps de répondre.

— Oh, la, la, *ma chère**, quelle est cette belle teinte rose que je vois sur tes jolies petites joues rondes ?

Riley lui donna une tape sur la main, mais sans se départir de son sourire.

— Raconte, ma douce. De toute façon, on saura tout bien assez tôt, insista-t-il.

Il s'appuya contre le plan de travail et croisa les bras. Comme elle ne s'exécutait pas assez vite, il s'approcha un peu plus près, puis plus près encore, jusqu'à pouvoir lui donner de petits coups de hanche.

— Franco.

Riley savait qu'elle était cernée. Avec un bref soupir, elle se retourna pour faire face à la petite assemblée, se rappelant combien elle avait de la chance d'avoir d'aussi bons amis.

— Super ! s'écria Franco en tapant dans ses mains. Et ne nous épargne aucun détail. C'est une histoire croustillante, je ne me trompe pas ? (Il regarda le groupe : chacune avait abandonné son plan de travail.) Je suis sûr que c'est croustillant, assura-t-il. Allez, mets-toi à table.

— C'est toi qui nous caches ton gigolo, répliqua Riley. C'est à toi de te mettre à table.

— La différence, *ma belle**, c'est que moi, j'adore révéler mes scoops. Mais je me suis juré de modérer un peu mes ardeurs cette fois-ci. Toi, par contre, tu ne veux jamais rien lâcher – ce qui rend tes infos d'autant plus intéressantes. (Il croisa les jambes et poursuivit en battant des cils, avec une grâce que toutes les femmes lui enviaient.) Tu me connais, je suis comme un chien avec son os. Brutus aurait honte à côté de moi. Alors autant cracher le morceau tout de suite, roucoula-t-il.

— D'accord, très bien.

Riley le repoussa du coude. Elle était prête à parler, mais elle réfléchit tout de même un instant pour faire le tri dans ce qu'elle voulait raconter. Elle n'allait pas s'humilier davantage en expliquant toute l'affaire du Jog Master. Elle n'allait pas non plus parler des images qui lui avaient traversé l'esprit lors de la fameuse scène du cupcake – certainement pas. D'ailleurs, elle ne savait toujours pas quoi en penser. Mais Franco avait raison : le reste ne pourrait rester secret bien longtemps.

— C'est Quinn Brannigan.

Alva et Dree froncèrent les sourcils, mais Lani et Franco en restèrent bouche bée.

— Tu es sérieuse ? demanda Lani.

— Aussi sérieuse qu'un infarctus, répondit Riley. D'ailleurs c'est ce qui a failli m'arriver : il m'a presque fait mourir de peur en arrivant en avance.

Franco éclata de rire, puis lui caressa doucement la joue.

— Ah, je comprends maintenant, dit-il en hochant la tête d'un air navré, le regard brillant d'affection.

Elle repoussa sa main.

— Quinn a jeté un rapide coup d'œil dans la maison, et il a aussitôt appelé son manager. Affaire conclue. Fin de l'histoire, conclut Riley en haussant les épaules.

Elle se retourna vers son sac pour le vider entièrement de ses provisions.

— Alors c'est « Quinn », hein ? Fin de l'histoire, mon vieux derrière tout avachi, oui, grommela Alva.

Personne ne put s'empêcher de rire, même Dree.

— Chérie, ton derrière est très bien comme il est, dit Franco, reprenant soudain l'accent du Bronx de son enfance, ce qui lui donnait pourtant des airs de Rocky gay. Rien d'avachi du tout, ma sœur.

Tout le monde rit de plus belle, à l'exception d'Alva, qui se rengorgea.

— Hum, merci, mon cher Franco, minauda-t-elle en lui adressant son plus doux sourire. Je ne sais pas quoi dire. (Elle se retourna vers les autres en tapotant ses boucles blanches parfaitement ordonnées.) Les Français savent apprécier la vraie beauté d'une femme.

Personne ne chercha à la contredire. Alva était capable de beaucoup de finesse, mais en de rares occasions, elle se montrait délicieusement bébête, ce que la plupart des gens trouvaient normal pour quelqu'un de son âge. Riley se demandait parfois si ce n'était pas seulement une comédie très réussie.

— Et maintenant, mademoiselle Riley May, dit Alva, allez-vous nous raconter la suite ?

Alva ajoutait « May » après le nom de tout le monde, sauf Franco et Baxter, surtout quand elle voulait obtenir quelque chose. Riley avait appris qu'il s'agissait d'une marque d'affection typique du Sud, et ne s'en était jamais offusquée. En fait, elle trouvait ça plutôt adorable, si l'on faisait abstraction de la manipulation sous-jacente.

— Il n'y a pas de suite, Alva. C'est un bail de six mois. Je suppose qu'il est venu chercher un peu de paix et de tranquillité pour travailler sur son prochain livre. Il n'y a vraiment rien de plus à ajouter. Il prend la maison en l'état, donc je n'ai même pas à renvoyer les meubles. Tout le monde y trouve son compte.

Alva se contenta de croiser les bras, dissimulant en partie le Petit poney dessiné sur son tablier – un souvenir d'enfance de Lani, qui convenait parfaitement à la minuscule silhouette de la vieille dame.

Riley soupira de nouveau.

— Je ne crois pas qu'il compte organiser des soirées chic avec des invités snobs, si c'est ce qui t'inquiète. En fait, j'ai l'impression que, tout ce qu'il veut, c'est qu'on le laisse tranquille.

— Donc tu lui as parlé, dit Lani, qui s'était approchée sans bruit. Dis-nous tout, est-ce qu'il est aussi beau que sur les jaquettes de ses livres ?

Riley rendit les armes.

— Encore plus, admit-elle.

Tout le monde dans la pièce laissa échapper un soupir.

— Raconte, exigea Franco. Des détails. Ses yeux ?

— Encore plus bleus que sur les photos.

— Je parie qu'il est plus petit en vrai, comme toutes les stars de cinéma, dit Alva.

— C'est un écrivain, pas une star de cinéma, précisa Riley. Et il n'est absolument pas petit. Bien au contraire, ne put-elle s'empêcher d'ajouter.

— Et puis ? supplia Lani.

— Et puis c'est tout. Il est grand, bronzé, magnifique, et il a une belle voix grave, avec juste ce qu'il faut d'accent du Sud pour pimenter le tout.

— Oh là là, soupira Alva en s'éventant avec son cahier de recettes, recouvrant ainsi son tablicr d'une fine couche de farine.

— Tu as lu ses livres, Alva ? lui demanda Lani. Tu n'as pas eu l'air de reconnaître son nom quand Riley l'a dit. Mais ça ne me surprend pas. Il écrit des trucs vraiment glauques.

— Et vraiment cochons, aussi, ajouta Dree dans un murmure.

Surprises, Lani et Riley se retournèrent vers la jeune femme. Mais celle-ci semblait très occupée à façonncr de nouvelles roses en sucre. À croire qu'elle était payée pour.

— Donc toi aussi, tu sais qui c'est, dit Lani.

— Non, sans blague, répondit Dree sans lever la tête. Tout le monde en a entendu parler, c'est comme John Grisham, ou Stephen King. Je suis surprise qu'il vienne s'installer à Sugarberry.

— Et comment tu sais qu'il écrit des trucs cochons ? lui demanda Lani.

Dree leva la tête et cligna des yeux derrière ses lunettes de soleil à motif léopard noir et rose vif, dont la féminité tranchait avec le style gothique du reste de sa tenue. Riley était persuadée que Dree les avait justement choisies pour le contraste. Dree adorait tout ce qui était incongru, en dépit de ses deux cents roses en sucre quasiment identiques. Perchées au bout de son nez, ses lunettes dissimulaient en partie les quatre anneaux qui ornaient son sourcil gauche, mais laissaient en revanche apparaître les lignes diagonales qu'elle avait rasées en travers de l'autre. Et force était d'admettre que ce drôle d'accessoire s'accordait parfaitement bien avec le tablier préféré de Dree, qui représentait Johnny Depp en chapelier toqué.

Avec une immense patience, Dree pencha la tête en arrière afin de mieux toiser Lani.

— Même si j'ai le corps d'un gamin de douze ans et la taille d'un enfant de dix, je vous assure qu'à vingt et un ans, il peut m'arriver de lire des livres cochons. Et je sais même comment on fait les bébés, figurez-vous.

— Allez, on est au courant que tu sors avec des mecs, et tout ça, dit Riley, qui ne voulait pas la mettre mal à l'aise. Ce que je voulais…

— Non, je ne sors avec personne, corrigea Dree, visiblement prête à se défendre toute seule. Je me concentre sur mes études et sur l'apprentissage de la pâtisserie avec les chefs Dunne, mari et femme.

Elle ponctua cette remarque d'une petite courbette vers Lani.

— Mais… Andrew, de ton cours d'illustration graphique ? demanda Lani en lui répondant par un bref salut. Tu n'es pas sortie avec lui, récemment ? Pour assister à des conférences, des trucs comme ça ?

— Oui. Mais c'est une relation purement amicale. On partage des centres d'intérêt, pas un lit. Et encore moins le siège arrière d'une voiture, comme dans les mauvais films.

La réponse de Dree sembla jeter Lani et Riley dans un abîme de perplexité.

Dree leva les yeux au ciel.

— Quoi ? Vous ne pouvez pas dire une chose et son contraire, prétendre que c'est cool que je fréquente des mecs, et donc que je couche avec eux, et être choquées à l'idée que je puisse… peu importe. Je ne veux ni relations sexuelles ni discussion sur le sujet. Voilà. Vous êtes contentes ?

La quinte de toux dont fut prise Lani l'empêcha de répondre, et Alva en profita pour prendre la parole :

— Tu es une bonne petite, ma chère Dree. Je suis fière de toi. Tiens-t'en à ce que tu veux, et ne te donne pas à quelqu'un dont tu n'as pas envie.

Ce fut au tour de Riley de s'étouffer, mais de rire, cette fois. Pour cacher son hilarité, elle baissa la tête et s'attacha les cheveux.

— Tant que tu es heureuse…, dit Franco à Dree.

Puis il se retourna vers Riley :

— Quoi d'autre ?

— Rien, lâcha-t-elle, exaspérée, en achevant son chignon.

— En tout cas, j'adore ses livres, dit Lani en attrapant la poche à douille remplie d'un glaçage orange crémeux. Ses intrigues policières bien glauques mais emballées dans des histoires d'amour bouleversantes… (Elle soupira et s'éventa avec le rabat de sa poche à douille.) Je me fais avoir chaque fois.

— Et je parie que c'est un bon coup, dit Alva avant de retourner à son tamis. Je ne lis ses romans que pour le sexe. Tu peux sauter les passages gore, si tu n'aimes pas ça. Les scènes érotiques valent à elles seules le prix du bouquin – et pas dans sa version poche.

Cette fois, tout le monde s'étouffa de concert. Riley fut la première à retrouver son souffle.

— La force est avec toi, Alva.

Comme Franco commençait à chantonner *Sisters Are Doin' It for Themselves*, Riley lui envoya un bon coup de coude dans les côtes.

Mais elle avait désormais le sourire aux lèvres. Elle adorait ce groupe, ses commérages, ses faux accents, ses tabliers fantaisie obligatoires, et tout le reste. Ils n'avaient aucune idée de tout ce qu'ils avaient fait pour elle.

— Attention tout le monde, c'est l'heure de goûter ! dit Lani en soulevant le plateau de pâtisseries fraîchement sorties du réfrigérateur. Je vous présente les cupcakes façon crème glacée de Leilani, avec une base à la mandarine fourrée au cheesecake et, en glaçage, une mousse à l'orange.

Tout le monde s'extasia dans un bel élan, comme les aliens de *Toy Story*.

Tandis qu'ils s'avançaient lentement, aussi émerveillés que les petits hommes verts du dessin animé, Riley se dépêcha de sortir le beurre de l'emballage réfrigéré où elle l'avait rangé avant de rejoindre les autres à la table de Lani.

Franco fit un pas en arrière pour l'arrêter, et se pencha à son oreille.

— On n'a pas fini de parler, toi et moi, *mon amie*[*].

Elle leva les yeux vers lui.

— Franco, je te jure qu'il n'y a rien à ajouter.

Mais il n'avait pas le regard taquin, ou bien encore suppliant dont il savait parfaitement jouer à l'occasion : il affichait une expression sérieuse qu'elle ne lui connaissait pas.

— Tu as été là pour moi, Riley (Elle esquissa un geste de dénégation, mais il posa avec douceur sa grande main sur son bras.) Tu as été là. Ce n'est même pas une question, je le sais, c'est tout. Les gens qui vous soutiennent dans les moments durs… on les reconnaît. Et c'est à moi de te rendre la pareille maintenant. Donc… on va devoir parler, mademoiselle Brown.

Surprise, Riley resta un instant silencieuse. Elle était heureuse qu'il ait senti son envie de l'aider, et elle avait peut-être été plus utile qu'elle ne l'avait cru, ne serait-ce qu'en lui offrant une épaule sur laquelle pleurer et des mots de réconfort. Mais il avait saisi toute l'ampleur de son empathie, et c'était un peu déconcertant.

— Je n'ai pas besoin qu'on me rende une faveur, Franco. Ça m'a fait plaisir. C'est à ça que ça sert, les amis.

— Je sais. Et les amis rendent les faveurs. (Il se pencha pour la regarder droit dans les yeux, puis lui fit un grand sourire.) Je vois des étoiles dans tes yeux, *chérie*[*]. Et ça, c'est une chose que je connais bien. (Il remit en place une boucle rebelle derrière l'oreille de Riley.) Je veux juste que tu saches que je suis là pour toi.

Chapitre 4

Quinn quitta la jetée et posa le pied sur le ponton flottant, tout au bout de la zone de mouillage commerciale. C'était là que les navires de pêche pouvaient s'amarrer temporairement, évitant ainsi de traverser le labyrinthe des mouillages à l'année pour aller acheter du matériel ou un sac de glace au magasin d'articles de pêche *Bigger's Bait and Tackle.* Du temps où le grand-père de Quinn manœuvrait son chalutier près de ces mêmes jetées, quinze ou seize ans auparavant, c'était le vieux Haney Biggers qui tenait la boutique. Celle-ci n'avait pas l'air d'avoir beaucoup changé, hormis quelques couches de peinture fraîche et un guichet automatique placé devant, mais Quinn se doutait bien que Haney, plus âgé que son grand-père, avait dû entre-temps céder la place à son fils, ou même son petit-fils.

Quinn tenta de faire quelques pas mal assurés sur le ponton, que les vagues produites par le sillage d'un chalutier faisaient tanguer. Il y avait longtemps qu'il n'avait plus exercé son pied marin, mais il fut ravi de découvrir, en reprenant son équilibre, que c'était comme le vélo : ça ne s'oubliait pas. Encore une activité qu'il n'avait plus pratiquée depuis des années, se dit-il distraitement en poursuivant son chemin sur la rangée de planches usées par les tempêtes. Il devrait peut-être se procurer un vélo pour aller se balader sur l'île, comme le faisaient de nombreux habitants – du moins, du temps de sa jeunesse.

Il reporta son attention sur les bateaux amarrés à des jetées plus grandes et plus solides, derrière *Bigger's Bait and Tackle*. C'était là que Gavin Brannigan laissait son chalutier. À l'époque, il possédait aussi un petit voilier à dérive centrale, qu'il amarrait derrière sa maison, nichée dans la baie à l'ouest de l'île. La propriété ne se trouvait pas très loin de celle qu'occupait Quinn à présent, mais il avait l'impression que toute une vie l'en séparait. La maison avait disparu, elle avait perdu ses bardeaux rongés par les intempéries lors d'un ouragan, sept ou huit ans auparavant. Par chance, elle était vide à ce moment-là : les grands-parents de Quinn étaient décédés depuis longtemps, et le nouveau propriétaire l'utilisait uniquement comme résidence secondaire.

La veille, Quinn était passé devant, poussé par une curiosité mêlée de sentimentalisme. À la place s'élevait une villa modeste et relativement récente. Il avait hésité à frapper à la porte, à se présenter et à demander s'il pouvait se promener le long de la baie, en souvenir du bon vieux temps. Mais le petit ponton derrière la maison n'existait plus, et le reste avait tellement changé qu'il s'était dit que cela ne valait pas la peine. Ses souvenirs lui suffisaient et, tandis qu'il contemplait les eaux calmes et lisses du bras de mer, ils lui revinrent en mémoire aussi clairement que si son grand-père et lui étaient partis la veille au soir pour une sortie en bateau.

Gavin était pêcheur de profession, et les journées sur son chalutier étaient longues, chaudes, moites et fort éprouvantes aux yeux du jeune Quinn, alors adolescent. Le travail exigeait des efforts physiques intenses et une extrême patience, mais avait mis Quinn à l'école de la vie. Il avait beaucoup appris sur le genre d'homme qu'il pourrait devenir, et la patience était le talent qui s'était révélé le plus utile à l'homme qu'il était devenu.

Gavin Brannigan avait vécu assez longtemps pour voir son unique petit-fils obtenir un diplôme d'université – dans cette branche de la famille, seul le père de Quinn avait connu auparavant la même réussite. Lorsque Quinn avait publié son premier livre, quelques années plus tard, Gavin avait déjà rejoint sa chère épouse, Annie, dans le « grand au-delà », comme il l'appelait, avec cet accent roulant qui donnait toujours l'impression qu'il s'agissait de la meilleure destination d'aventure au monde. Et peut-être l'était-ce ?

Quinn repensa aux étés qu'il avait passés là jusqu'à son vingtième anniversaire. Il avait travaillé dans le chalutier pour gagner de l'argent, pour apporter son aide là où on en avait besoin… et aussi parce qu'il pensait avoir compris ce que son père désirait réellement : vivre à l'écart des siens, et surtout de son fils, quitte à travailler 80 heures par semaine. Même si la paternité ne lui répugnait pas ouvertement, Michael Brannigan avait été heureux de laisser Mary Elizabeth, qui elle était née pour être mère, assumer la charge parentale. Lui, de son côté, avait adopté le rôle traditionnel du patriarche qui subvient aux besoins de la famille, et avait pris sa fonction très au sérieux. La famille n'avait pas vécu dans le luxe, mais n'avait jamais manqué de rien. Puis Mary Elisabeth était morte dans un accident de voiture, juste après les treize ans de Quinn.

Quinn n'avait jamais douté de l'amour de son père pour sa mère, même si cela ne s'était vu qu'au moment d'en faire le deuil. Michael n'avait jamais été très démonstratif, y compris avec sa femme – pour autant que Quinn puisse en juger. Néanmoins, la mort de Mary Elizabeth l'avait jeté dans un abîme dont il n'était jamais réellement revenu, même des années plus tard, ce qui témoignait d'un lien très étroit.

C'était du moins ce que Quinn en avait conclu. Le sujet était resté tabou avec son père.

Il préféra repenser aux quelques étés qu'il avait passés à Sugarberry. Quand il était enfant, ses grands-parents vivaient plus au sud, et il avait rarement eu l'occasion de passer du temps avec eux. Ce ne fut qu'après leur installation en Géorgie et la mort de sa mère qu'ils s'étaient occupés de lui pendant les vacances d'été. Il sourit en se souvenant de l'état dans lequel il rentrait parfois à la fin d'une journée harassante, trop fatigué pour imaginer se lever le lendemain matin et retourner en mer. Il lui semblait alors que le plus grand bonheur dans la vie serait de ne plus jamais toucher, sentir, et encore moins manger un seul poisson.

Et puis il s'asseyait devant un bon repas chaud, préparé avec amour par sa grand-mère, et lorsque son grand-père, après le dîner, lui proposait une petite balade en bateau autour de la baie, au coucher du soleil, face au vent et à la mer – et loin de ce qui nageait sous la surface –, Quinn s'étonnait toujours de trouver l'idée très bonne. De fait, naviguer tranquillement autour du bras de mer leur permettait à tous les deux de bavarder de tout et de rien, ce qu'ils n'avaient pas le temps de faire pendant le travail. Ces longues discussions décousues, que Quinn attendait avec impatience, constituaient le meilleur moment de la journée.

Quinn crut entendre résonner le rire franc de son grand-père aussi clairement que s'il s'était tenu à côté de lui. Il savait la fierté que ce dernier aurait ressentie devant la réussite de son petit-fils, et cette pensée lui arracha un sourire. Cela n'aurait pas empêché le vieil homme de le taquiner au sujet de son métier : difficile de concevoir que son unique petit-fils ait choisi de gagner sa vie en racontant des histoires plutôt qu'en se consacrant à d'honnêtes journées de travail.

Il n'y avait jamais eu beaucoup d'Irlandais à pêcher sur les côtes du Sud. Ses grands-parents étaient venus, avec leur famille respective, de Doolin, un petit village de la côte ouest de l'Irlande, afin de refaire leur vie en Nouvelle-Angleterre, où les Brannigan les plus hardis avaient repris l'activité ancestrale. Ce ne fut qu'après avoir rencontré et épousé Annie O'Sullivan et fondé une petite famille que Gavin décida de mettre les voiles vers le Sud. Le climat plus chaud de la région convenait mieux à la santé fragile d'Annie. Ils s'installèrent d'abord sur le golfe du Mexique, et ne vinrent à Sugarberry que bien après que le père de Quinn eut quitté le foyer familial.

La grand-mère de Quinn souffrait d'un problème respiratoire, mais il n'avait jamais su de quoi il s'agissait exactement. Annie Brannigan était une femme fière, qui refusait de montrer le moindre signe de faiblesse. Elle n'évoquait jamais ouvertement ce qu'elle considérait comme une affaire entre elle et son mari.

Le sourire de Quinn se fit plus nostalgique lorsqu'il songea au couple que formaient ses grands-parents. Même s'il s'était toujours senti très aimé, et notamment par sa mère, la relation qu'entretenaient ses parents lui avait toujours paru un peu austère et pleine de retenue. Quinn se rappelait la prédilection de sa mère pour les câlins et les baisers : sans doute avait-il fallu que cette dernière s'adapte au caractère distant de son père. Mais c'était seulement après son décès que Quinn avait pris conscience de tout cela. Il avait alors découvert, en séjournant chez ses grands-parents, un type de relation amoureuse dont il n'avait jamais soupçonné l'existence.

À la fin de la journée, ils se retrouvaient avec la même joie que s'ils avaient été séparés des années durant. Ils étaient réellement la lumière dans les yeux l'un de l'autre, même lorsqu'ils se disputaient, ce qu'ils faisaient avec plus d'affection que de colère. Leur histoire d'amour était si incroyablement romanesque que même Quinn, devenu écrivain, n'avait jamais pu faire aussi bien. Aucun lecteur n'aurait voulu croire à un bonheur si parfait.

Aux yeux de Quinn, c'était la plus belle des leçons jamais reçues sur les richesses du cœur humain, mais aussi l'une des plus difficiles. Trouver une compagne avec qui vivre une relation de cette intensité s'était révélé impossible. Il s'était souvent posé la question : s'il n'avait eu pour tout modèle que ses parents, aurait-il pu se contenter d'un amour moins absolu ?

Bien sûr, il aimait à penser que, s'il n'avait pas été témoin de l'affection de ses grands-parents, il ne serait pas devenu l'écrivain qu'il était. Même si la profondeur des sentiments que ses grands-parents avaient nourris l'un pour l'autre ne se laissait pas décrire dans les pages d'un livre, le simple fait de savoir qu'une telle passion pouvait exister était la motivation principale qui poussait Quinn à écrire – et non les meurtres, les scènes d'action ou d'horreur. Ça, c'était ce qui servait à attirer les lecteurs. Mais ce qui les captivait réellement, c'était l'empathie profonde ressentie pour des personnages que Quinn exposait à tous les risques. Allaient-ils triompher ?

Évidemment. Il ne pouvait en être autrement, et ce pour une bonne la raison : l'amour. C'était l'amour qui poussait ses protagonistes à combattre le mal causé par d'autres, qui leur donnait la volonté et la force de lutter, et qui, finalement, les menait à la victoire. Les histoires qu'il imaginait étaient pleines de rebondissements, et sans doute un peu plus romanesques et moins terre à terre que celle de ses grands-parents – cela restait de la fiction –, mais les personnages y vivaient un amour à la hauteur de ce que Quinn pouvait écrire sur le sujet.

Et, s'il était à présent en plein dilemme, c'était là encore pour une question d'amour.

— Qu'est-ce que je dois faire, grand-père ? murmura-t-il, plongé dans la contemplation de l'horizon d'un bleu brumeux, tandis que ses pensées vagabondaient. Qu'est-ce que tu ferais, à ma place ?

À première vue, la solution paraissait évidente. *Suis ton cœur*, lui aurait dit son grand-père. Ce qui, d'un certain point de vue, n'était pas un mauvais conseil, et peut-être même le seul que Quinn serait au final capable de suivre. Mais d'autres éléments entraient en ligne de compte. Pas l'argent, qui était le cadet de ses soucis, mais tout ce qu'il devait à ses lecteurs, à ceux qui lui avaient permis de mener cette vie rêvée en exerçant le métier qu'il aimait tant. Il ne voulait pas prendre à la légère le risque de décevoir leur confiance pour… quoi au juste ? Pour un choix égoïste qu'il serait peut-être le seul à apprécier ?

Son grand-père n'aurait peut-être pas compris l'engagement si particulier le liant à chacun de ses lecteurs, qui avaient choisi de lui offrir leur loyauté et leur argent durement gagné. Mais il aurait compris ce qu'il ressentait. Œuvrer pour le bonheur des autres, même au détriment du sien, c'était la raison pour laquelle Gavin avait quitté sa famille et la communauté de pêcheurs qu'il avait toujours connue. Par amour pour sa femme, pour son bien-être, il était reparti de zéro, et ce plus d'une fois. Sa réussite aurait été bien plus grande s'il était resté dans le Nord, là où les siens, forts du lien qui les unissait, avaient développé un commerce bien plus solide.

Ses grands-parents avaient mené une vie qu'on pouvait qualifier de simple, voire basique, mais Quinn était certain que son grand-père n'avait jamais rien regretté, et aurait refait les mêmes sacrifices s'il avait fallu, pour la santé et le bonheur de sa femme. Il aurait même prétendu avoir agi par égoïsme, parce que sa récompense avait été des années supplémentaires à profiter de la présence de sa compagne.

Quinn soupira et se massa la nuque, sentant la tension revenir. Son problème semblait tellement ridicule, d'un certain point de vue. Il n'avait qu'à se contenter d'écrire le livre qu'il avait envie d'écrire. Contrairement à ses aïeux, il n'était pas face à une question de vie ou de mort, après tout. Mais, à trente-cinq ans, dépourvu de l'amour que partageaient ses grands-parents, il s'épanouissait et trouvait son bonheur dans l'écriture, dans cet engagement qui absorbait toute sa passion et son énergie, et qui était la seule chose à compter véritablement. Donc, vu comme ça, c'était important. Pour lui.

Il se frotta le visage, se passa les doigts dans les cheveux… et éclata de rire.

— Bon sang, Brannigan ! Tu devrais peut-être penser à t'acheter une vie sociale.

Il venait à peine de prononcer ces mots que le ponton se mit à remuer sous ses pieds, tandis que retentissait un mugissement qui n'avait rien d'humain mais qu'il reconnut aussitôt. Un regard par-dessus son épaule lui indiqua qu'il ne s'était pas trompé.

Avec toute la puissance de ses soixante-dix kilos, Brutus fonçait vers lui, bajoues au vent.

Quinn resta figé un instant, ahuri devant la rapidité du monstre. Il eut tout juste le temps de lever les yeux vers le ciel et de murmurer :

— Parfois, tu as un sens de l'humour vraiment tordu.

Puis il fit un pas de côté, à la manière d'un torero, pour éviter une collision qui les aurait envoyés tous les deux à la mer.

Sa cible s'étant écartée sans prévenir, Brutus essaya de faire demi-tour et se lança dans un dérapage étonnamment agile pour son imposante carcasse. Malheureusement, il ne parvint pas totalement à maîtriser sa trajectoire, et, arrivé au bout du ponton, tomba à l'eau avec fracas. Une vague vint tout naturellement asperger le ponton… ainsi que Quinn.

— Brutus !

Quinn sentit de nouvelles vibrations sous ses pieds et, lorsqu'il se retourna, il vit accourir vers lui l'objet de tous ses fantasmes érotico-culinaires, ses boucles blondes volant sur ses épaules. Sa poitrine voluptueuse tressautait à chacun de ses pas, et ce fut probablement ce qui empêcha Quinn de réagir.

Ouaip. Il est grand temps de me ménager une vie en dehors du boulot, songea-t-il.

Bien sûr, c'était plus facile à dire qu'à faire, dans la mesure où il ne savait pas du tout comment s'y prendre. Il faudrait peut-être demander à Finch, son assistant personnel, de lui caler ça dans son agenda. Pour tous les problèmes pratiques, Finch était plutôt l'assistant de David, son manager : à eux deux, ils géraient tous les aspects de sa carrière, en dehors de l'écriture des livres. Ils pourraient peut-être aussi veiller au développement de sa vie sociale, tant qu'à faire, puisque Quinn n'y parvenait pas tout seul.

— Je suis désolée ! cria Riley, un peu essoufflée, en s'arrêtant à quelques pas de Quinn, complètement trempé. J'étais en train de poser mes sacs sur la jetée, mais je ne l'ai quitté des yeux qu'une seconde. Il n'a pas l'habitude de courir après les gens comme ça. Je ne sais même pas comment il vous a reconnu, à cette distance. Il vous aime bien.

Elle avait mis sa main en visière pour s'abriter du soleil, et le regardait avec un grand sourire.

Comment avait-il pu rater des fossettes aussi charmantes ? Il se rendit compte que ça l'excitait, sans qu'il comprenne pourquoi : des taches de rousseur, des joues rondes, des cheveux bouclés, et maintenant des fossettes. Elle ne semblait pas être le genre de femme susceptible de satisfaire le fantasme qu'il avait eu dans la douche, ni celui qu'il avait eu un peu plus tard dans la soirée, ou bien encore le lendemain matin, de nouveau sous la douche. Il n'y pouvait rien, ces images lui venaient à l'esprit bien malgré lui. C'était parfois difficile d'avoir une imagination débordante. Et, en ajoutant désormais le détail des fossettes, cela allait encore lui jouer des tours.

Ce n'était décidément pas une bonne idée de repenser à la scène du cupcake, à ces lèvres ridiculement pulpeuses perlées d'une goutte de délicieux chocolat, et qui contrastaient avec son visage plutôt banal… Et puis il y avait son corps, qui pouvait satisfaire des fantasmes qu'il ignorait avoir. Tant qu'ils n'essayaient rien de très acrobatique, rectifia-t-il, se souvenant de la chute peu gracieuse de la jeune femme, et de la façon dont elle s'était cognée un peu partout dans la cuisine.

Il se tourna vers la mer, là où Brutus faisait trempette.

— Il va réussir à revenir tout seul, ou est-ce qu'on va avoir besoin d'un gilet de sauvetage pour chien géant ?

— Ça va aller. Il va revenir, et je vais le hisser jusqu'à moi. Les pontons flottants sont pratiques pour ça.

Quinn lui jeta un regard en biais.

— Vous le hissez ? Et il ne vous entraîne pas avec lui ?

Elle éclata de rire et ses fossettes se creusèrent.

— Si, la plupart du temps. Mais il ne tombe pas souvent à l'eau. (Elle leva les yeux vers lui.) Qu'est-ce qui vous amène ? Vous avez reçu les papiers que j'ai envoyés à votre assistant ? M. Fincher ? Il est très bien, au fait. Très… efficace.

Cette remarque fit sourire Quinn.

— Oui, c'est une bonne description de Finch. (Il l'aurait plutôt qualifié de perfectionniste constipé mais, puisque cela contribuait à en faire un excellent assistant, ça n'avait pas d'importance.) Tout m'est bien parvenu, en effet. Je suis content que vous ayez obtenu aussi rapidement les signatures nécessaires pour que je puisse garder les meubles. J'ai pu emménager avant-hier.

— Très bien. Je suis ravie que tout se soit passé aussi vite.

— J'ai aussi fait en sorte que Finch et mon assistant soulignent devant Lois la qualité de votre travail et l'aide que vous m'avez apportée. Je ne savais pas que c'était vous qui aviez décoré et meublé la maison.

Elle pencha légèrement la tête de côté, visiblement perplexe.

— Et qu'est-ce que vous pensiez que je faisais là ?

Il sourit.

— Vous voulez dire, une fois que j'ai compris que vous faisiez du jogging pendant votre temps de travail ?

Il vit ses joues s'empourprer. Il ne connaissait aucune femme dont le visage trahissait aussi clairement les émotions. C'était sans doute détestable pour elle, mais il trouvait ça plutôt séduisant. Charmant, aussi, mais il se retint de le souligner, persuadé qu'elle le prendrait mal. Quelque chose dans sa façon de se tenir, de ne jamais baisser la garde, de promener sur le monde un regard toujours vigilant, semblait trahir, au-delà de sa nature enjouée et ouverte, de ses fossettes, de ses taches de rousseur, de ses boucles blondes et de son décolleté, une profondeur insoupçonnée.

Elle s'éclaircit la voix.

— Euh, oui, après ça.

— Eh bien… ne le prenez pas pour une insulte, mais au départ, j'ai cru que Finch, dans sa grande efficacité, avait peut-être commandé pour moi un service de femme de chambre.

Elle fronça les sourcils.

— Vraiment ? Avant même votre arrivée ?

Quinn esquissa un bref sourire.

— Il est vraiment d'une efficacité redoutable. (Elle ne souriait pas.) Attendez, je n'ai pas dit que vous ressemblez à une femme de chambre ! Bien au contraire, s'empressa-t-il d'ajouter.

— Je n'ai rien contre les femmes de chambre, répliqua-t-elle.

— C'est simplement que Finch est aussi… euh… Il veut toujours prendre soin de moi, il me harcèle constamment pour que je mette un peu plus de vie dans ma vie, si vous voyez ce que je veux dire. Alors…

sur le coup, ça ne m'aurait pas complètement étonné s'il avait organisé une surprise de ce genre, parce que vous êtes… euh…

Il s'interrompit, mortifié, réalisant qu'il ne faisait qu'aggraver son cas. D'habitude, il avait le rôle de l'observateur, celui qui regarde les autres bavarder sans prendre le risque de s'attirer des ennuis en ouvrant sa grande bouche et en mettant les pieds dans le plat.

— Je crois que j'ai compris où vous vouliez en venir, dit-elle d'un ton plus acerbe qu'offensé. Et vous faisiez clairement fausse route.

— D'accord, dit-il, soulagé par l'élégance avec laquelle elle semblait essuyer cet affront bien involontaire. Ne vous inquiétez pas. J'ignorais simplement les raisons de votre présence.

Elle rougit de nouveau, mais l'éclair fugace qu'il vit passer dans son regard l'amena à penser que ce n'était pas forcément par embarras.

— Donc, une fois que vous avez compris que votre assistant ne m'avait pas engagée pour m'occuper de vos… besoins personnels… D'ailleurs, il vous fournit souvent ce type de service ? Parce que j'ai du mal à croire que, même perdu dans le désert le plus reculé ou au fin fond de la toundra, vous ayez des difficultés à trouver tout seul une partenaire consentante.

— D'abord, non, il n'a jamais fait ça. Mais, ces temps-ci, mon état l'inquiète encore plus que d'habitude, et… eh bien, ses talents le portent plus à recourir aux solutions toutes basiques qu'à ce qui est socialement acceptable. Et, ensuite, merci pour le compliment. Enfin, je crois que c'en était un.

Quinn était incapable de dire comment la conversation avait pu déraper à ce point, mais il était seul responsable de la méfiance que Riley semblait ressentir à son égard. Peut-être qu'après tout, Finch n'avait pas le profil idéal pour aider Quinn à changer de vie.

—Alors, après avoir éliminé les scénarios à la *Pretty Woman* ou *Coup de foudre à Manhattan*, qu'est-ce qui vous est passé par la tête ?

—J'ai supposé que vous travailliez pour Lois, peut-être en tant qu'assistante. Mais je n'en étais pas certain. En tout cas, j'aurais préféré ne pas parler de cette histoire, parce que je vous ai visiblement blessée, et ce bien malgré moi. Je voulais seulement vous dire à quel point j'avais été impressionné par votre travail. Je n'avais pas encore vu toute la maison quand j'étais là avec…

—Attendez une minute, l'interrompit-elle en fronçant les sourcils, semblant remarquer qu'un détail clochait. Vous avez un peu évité le sujet, mais comment Finch aurait pu vous commander une « femme de chambre »… (Elle mima des guillemets et, pour la première fois, ce fut lui qui rougit.)… avant même que vous ne décidiez de louer la maison ? Je croyais que vous aviez passé vos coups de fil au moment où je faisais installer le piano.

—Ah oui. Ça. Eh bien, en fait, j'avais déjà mis David en contact avec Lois-la-Terreur. Il s'occupe de tous les contrats strictement personnels, tandis que mon agent traite tout ce qui relève du professionnel.

— Vous savez, vous devriez vraiment arrêter d'appeler Lois comme ça, ou ça me retombera dessus à un moment ou à un autre. Je n'arrive pas à croire que je l'ai dit à voix haute. Mais c'est tout moi, ça.

Cette remarque le fit sourire. Elle était tellement singulière, à la fois timide, rougissant pour un rien, et extrêmement franche.

— Je vais faire ce que je peux. Et si je gaffe, je prendrai mes responsabilités. J'inventerai un prétexte, par exemple en lui disant que je travaille à rendre un personnage d'agent immobilier aussi réaliste que possible.

— Je ne suis pas sûre que ça la flatte, de se voir dépeinte sous les traits du méchant... En fait non, quand j'y pense : elle va adorer.

Quinn éclata de rire.

— Alors nous sommes sauvés.

— Donc vous avez loué la maison sans la visiter ?

— Eh bien, j'avais vu la brochure mais, en toute honnêteté, j'aurais pris n'importe quel endroit vacant à Sugarberry, tant que la tranquillité était garantie. Ce n'est pas le cas dans une maison d'hôtes, et cette villa était tout ce qu'il y avait de disponible.

— C'est vrai. Quand les gens viennent ici, ils ont tendance à y rester. J'en suis un exemple vivant.

— J'étais tout content d'avoir enfin trouvé une maison libre et, une fois que je l'ai visitée, pendant que vous étiez occupée avec les livreurs, j'ai simplement informé David et Finch que je n'avais pas changé d'avis, et qu'ils pouvaient signer les papiers.

— Et vous avez poliment refusé le service de chambre. (Elle n'utilisa pas de guillemets cette fois-ci, mais son sourire était plein d'ironie.) Merci pour avoir fait des compliments à mon sujet auprès de Lois. Votre soutien m'est précieux. Surtout après le... euh... le jogging.

Comme il se contenta de sourire, elle rougit de plus belle et, pour cacher son embarras sans doute, se retourna, feignant de surveiller de loin Brutus, qui nageait de l'autre côté du ponton. Mais Quinn n'était pas dupe.

Vu son commentaire maladroit et peu galant, il pouvait difficilement blâmer la jeune femme, mais il regrettait qu'elle soit aussi gênée de rougir, d'autant que c'était incontrôlable. C'était justement le contraste entre cette voluptueuse silhouette de courtisane et sa personnalité directe qui la rendait si intéressante.

— Les compliments étaient sincères, dit-il en se retournant pour venir se placer à côté d'elle.

Il comprit, en la voyant lever la main droite comme pour se protéger du soleil, qu'elle cherchait toujours à lui dissimuler son visage. Il n'aurait pas dû se sentir blessé par cette pudeur. Pourtant, cela ne le laissait guère indifférent.

Il fallait qu'il mette rapidement fin à tout ça.

— David était en particulier chargé de souligner devant Lois à quel point la maison ressemblait à un foyer, comme si quelqu'un y avait déjà habité. Vous avez fait un travail incroyable : l'ensemble est très sophistiqué, avec tous ces gadgets délirants, mais ça demeure confortable. J'ai déjà loué des endroits qui avaient l'air sublime sur le papier, mais où je n'osais m'asseoir nulle part ni toucher quoi que ce soit, de peur de laisser des empreintes, comme un intrus. Alors que cette villa... je l'aime vraiment.

Il n'avait pas précisé à Finch ni à David que, s'il aimait autant la maison, c'était peut-être aussi parce qu'il savait le rôle qu'avait tenu Riley dans l'élaboration du décor, et parce qu'il ne pouvait s'empêcher de sourire en la revoyant se promener dans la cuisine ou dans la véranda.

Cela dit, s'il n'en avait pas parlé, c'était probablement parce qu'il venait seulement de s'en rendre compte.

— Mais pourquoi est-ce que vous louez des maisons qui vous indiffèrent ? demanda-t-elle en évitant toujours soigneusement son regard. Pourquoi ne pas au moins les remeubler à votre goût ?

À ces mots, Quinn laissa échapper un petit ricanement.

— Qu'est-ce qu'il y a de drôle là-dedans ? Je veux dire, sans vouloir paraître grossière ou indélicate, ce ne doit pas être une question d'argent, pour vous. C'est parce que vous ne restez pas assez longtemps pour que ça en vaille la peine ?

— C'est le cas parfois, mais là n'est pas le problème. C'est surtout que je n'ai pas la moindre idée de ce que peut être mon style. Je le sais quand...

— ... quand vous le voyez, acheva-t-elle en hochant la tête. Ça me surprend toujours, le nombre de personnes qui sont comme vous. Je comprends, bien sûr, mais, personnellement, je ne peux pas imaginer ne pas être influencée par ce qui m'entoure. Je pense que, si j'étais écrivain, je ne pourrais pas travailler sans être à l'aise chez moi, dans une atmosphère propice, remplie de bonnes vibrations. Ou de tout ce qui m'aiderait à avoir les idées bien en place.

— Ça ne compte pas autant pour moi. Je n'ai besoin que de calme. Quand je me plonge dans le travail, le monde s'efface. Mon seul horizon, c'est ce que j'écris. Le reste du temps... Oui, je suppose que je suis sensible à ce qui m'entoure, et je voudrais bien me sentir plus détendu, mais je crois que je n'ai jamais pris le temps de m'interroger sur ce qui me plaît vraiment. Tout ce que je peux dire, c'est que j'ai aimé la maison dès l'instant où je l'ai vue.

Elle leva un instant les yeux vers lui, puis se remit à contempler l'eau.

— Même le piano ? demanda-t-elle. Je n'ai pas l'impression que vous soyez un homme à piano.

— Pourquoi pas ?

— Sans raison particulière. Sans doute à cause de ce besoin de confort dont vous avez parlé. Si c'est ce qui vous plaît, je pense qu'un piano à queue est un peu excessif. Lois tenait absolument à ce que le décor comporte quelques pièces maîtresses, d'où le piano. Moi je songeais plutôt à une table de billard, voire à un baby-foot, mais elle…

— Un baby-foot, répéta-t-il avec un sourire ému. Je n'y ai plus joué depuis la fac. Ça aurait été génial.

— Si vous voulez, je fais enlever le piano et installer un baby-foot, un billard, ou même d'autres équipements sportifs. Ça ne me prendra pas plus d'un jour ou deux, et…

— Non, non, ça va. En fait, j'aime bien le piano. Pièce maîtresse, tout ça… (Il sourit, les yeux rivés dans les siens.) Est-ce que ça change l'opinion que vous avez de moi ?

— Non, dit-elle en lui rendant le même regard franc.

Aussitôt, il éclata de rire.

— Quoi ? demanda-t-elle. J'ai dit que ça ne changeait pas mon opinion, pas qu'elle était négative.

— Vous avez dit ça tellement spontanément. On dirait que le fait d'avoir une opinion à mon égard importe peu, parce que ce n'est pas votre job.

Elle le regarda.

— Vous avez déduit tout ça d'un simple « non » ?

Il étudia son visage un long moment.

— Je suis plutôt doué pour déchiffrer les gens.

Elle se détourna de nouveau, mais il vit sa nuque rosir et se rendit compte qu'il ne voulait pas qu'elle s'échappe. Alors, sans réfléchir, il lui posa doucement la main sur la joue, l'encourageant à lever son visage vers le sien.

— Monsieur Brannigan…

Il leva les yeux au ciel, mais ne retira pas sa main.

— Nous ne sommes pas là pour affaires. Appelez-moi Quinn, s'il vous plaît.

— Tant que votre maison contient des meubles que j'ai loués, vous êtes un client.

— J'ai signé des décharges pour ça. Si quelque chose arrive aux meubles…

— Ce n'est pas ce que je veux dire. Mais vous demeurez un client : vous louez une maison que j'ai décorée, avec des pièces dont je serai de nouveau responsable à un moment donné, et c'est mon travail, donc…

— Mais vous pouvez quand même m'appeler Quinn, et on peut aussi se tutoyer. À moins que vous ne vouliez vraiment que je vous appelle mademoiselle Brown. (Il lui fit légèrement tourner la tête.) Les écorchures ont vite cicatrisé. Il ne devrait pas y avoir de séquelles.

Elle se dégagea.

— Oui, merci, c'est cicatrisé.

Elle se retourna une nouvelle fois pour suivre la baignade de Brutus, qui s'approchait du ponton.

— Alors c'est seulement à cause du travail ? demanda-t-il.

Elle le regarda.

— Quoi donc ?

— Que tu recules quand je m'approche.

— Oui, c'est vrai, je fais ça. En partie à cause du travail, mais surtout parce que je ne suis pas…

— Tu n'es pas disponible, acheva-t-il à sa place.

Évidemment. Il songea à la réaction qu'elle avait eue lorsqu'il lui avait fait goûter le cupcake. Encore avait-il eu de la chance qu'elle ne lui écrase pas le gâteau sur le visage, en lui décochant au passage un bon coup de genou dans l'entrejambe. *Quel boulet!* D'habitude, il n'était pas aussi long à la détente.

Ça n'aurait pas dû le contrarier, au contraire. De toute façon, ce n'était ni le bon moment ni la bonne personne pour s'adonner à ce genre de jeux. *Game over.* Retour au travail.

— Je suis désolé, j'aurais dû m'en douter. C'est clair que tu es… Enfin, n'importe quel homme serait heureux de…

Il s'interrompit en rougissant. Il vit les pupilles de la jeune femme se dilater lentement, comme lorsqu'il lui avait fait goûter ce fameux cupcake. Non, il n'avait vraiment pas besoin de ça, surtout si elle était déjà prise. Elle paraissait désormais hors de sa portée, même en tant qu'objet de fantasme. D'ailleurs, il fallait qu'il mette un terme définitif à tout ça. S'il devait fantasmer, alors ce serait uniquement sur ses personnages. Ses désirs personnels pouvaient attendre. Comme toujours.

— Je la ferme, maintenant, dit-il avec un petit sourire.

Se souviendrait-elle avoir prononcé la même phrase après son accident de tapis de course?

Elle lui adressa un léger sourire, signe qu'elle avait saisi le clin d'œil. Mais ils n'avaient pas besoin de petites blagues complices ou de regards entendus, alors qu'il avait tout un livre à écrire et d'importants choix de carrière à faire.

Tandis qu'elle, de son côté, avait un autre homme qui l'attendait.

Un silence s'installa, puis Brutus heurta le ponton, les faisant vaciller. Riley n'avait pas encore retrouvé son équilibre qu'elle s'agenouillait déjà maladroitement pour tenter de sortir de l'eau l'énorme carcasse dégoulinante de son chien, amenant Quinn à s'accroupir à ses côtés.

— Je peux l'avoir. Il va me laisser l'attraper ?

— Oui, s'il a envie de sortir. Tu prends ce côté, je prends l'autre.

Quinn attrapa le chien par le collier, passa l'autre main sous la patte avant du dogue, puis tira, pendant que Riley faisait la même chose de l'autre côté.

Brutus grogna, puis commença à se débattre une fois ses pattes avant posées sur le ponton. Enfin, dans un grand élan, il finit par grimper seul. La surprise fit basculer en arrière Quinn et Riley, qui, pour couronner le tout, furent aspergés d'une cascade d'eau salée lorsque Brutus commença à s'ébrouer avec enthousiasme.

— Brutus ! protesta Riley en se protégeant le visage. Ça suffit !

Tout en recrachant l'eau saumâtre, elle se remit tant bien que mal sur ses pieds, non sans déraper un peu. Quinn, qui venait de se relever, l'attrapa par le coude afin qu'elle recouvre son équilibre.

Ils restèrent ainsi un peu plus longtemps que nécessaire.

Lâche-la, Brannigan, se dit-il, tout en étant parfaitement conscient que cette fois-ci, elle ne cherchait pas à se dégager. *Chasse gardée*, lui rappela une petite voix. Il laissa retomber son bras, consterné de voir à quel point ce geste lui coûtait. *Du soulagement, Brannigan. C'est ce que tu es censé ressentir. Du soulagement.*

Elle fit un pas en arrière. Lorsqu'il remarqua la tache de couleur sur le dos de sa main, il l'attrapa sans réfléchir, tenant bon alors qu'elle essayait de se libérer de son emprise. Il esquissa un sourire : il s'agissait d'un énorme pansement, orné de visages de Minnie Mouse.

— Qu'est-ce qui t'est arrivé ? demanda-t-il. Tout va bien ?

Elle retira sa main et répondit avec un sourire contrit :

— Je me suis brûlée en cuisine. J'ai heurté une grille de four avec le dos de la main. Ça va, ce sont des choses qui arrivent. À certains plus souvent qu'à d'autres, ajouta-t-elle d'un ton sarcastique. (Elle prit le chien par le collier, prête à partir, mais se retourna vers Quinn.) Tu es vraiment trempé, et il t'avait déjà bien éclaboussé en tombant à l'eau. Tu ne veux pas monter à bord ? Au moins, je pourrai te prêter une serviette, et nettoyer ta chemise. Ainsi que… le short aussi, si tu veux. (Elle l'examina de haut en bas, comme si elle le voyait pour la première fois.) Il ne t'a vraiment pas raté. Je suis désolée…

— Monter à bord ? demanda Quinn, comprenant soudain ce qu'elle venait de dire.

Il avait réagi avec un temps de retard parce qu'il avait été distrait par sa chemise à elle, tout aussi trempée que la sienne. Vêtue de coton sec et couverte de terre, elle ne l'avait pas laissé indifférent… Mais ce n'était rien en comparaison du trouble qu'il ressentait désormais. Comme tous les hommes, il était sensible aux formes féminines, mais pas lorsqu'elles étaient trop généreuses, et encore moins gonflées à la silicone. Chez Riley Brown, c'était différent : tout était d'origine. Mère nature l'avait gâtée, tout simplement.

Et puis, songea Quinn, elle avait un regard qui lui était familier. Peut-être l'avait-il reconnu dès le premier instant – un regard éveillé, attentif… observateur. Il comprenait parfaitement ce qu'il y lisait, parce qu'il l'avait souvent rencontré, ces trente-cinq dernières années. Chaque fois qu'il se regardait dans un miroir, à vrai dire.

— À bord de mon bateau, précisa-t-elle d'un air amusé.

Elle se détourna aussitôt, mais il eut le temps de voir qu'elle était de nouveau sur ses gardes. Elle semblait… déçue ? Ou peut-être de nouveau embarrassée, même s'il n'arrivait pas, malgré tous ses efforts, à comprendre pourquoi.

— Tu ne savais pas que je vivais là, reprit-elle. Quand je t'ai vu sur le ponton, je me suis dit que tu étais venu me voir parce que tu avais un problème, ou parce que… (Elle écarta cette pensée d'un geste brusque de sa main libre.) Peu importe. Ça ne me regarde pas. Mais j'ai toujours des serviettes sèches, si ça peut t'aider. Et, encore une fois, Brutus et moi sommes désolés. (Elle tira sur le collier et jeta au chien un regard sévère.) Hein, mon gros ?

Brutus, tête basse, avait vraiment l'air un peu honteux.

— Excuses acceptées, dit Quinn. Et ne te tracasse pas pour le reste. Il fait chaud, la douche m'a fait du bien et j'allais rentrer, de toute façon.

La dernière chose dont il avait besoin, c'était de se retrouver avec elle dans l'espace confiné d'un bateau. Surtout qu'ils portaient tous deux des vêtements trempés, au travers desquels les formes de la jeune femme… Non, ce n'était vraiment pas une bonne idée.

Quinn tendit la main pour donner une petite tape sur la tête de Brutus, puis renonça, craignant d'exciter le chien une fois encore. Il leur fit un bref salut.

— Merci quand même.

— Bon, dit-elle tandis qu'il les contournait pour partir de son côté. Mise à part la trempette, j'étais contente de te revoir. Enfin, je suis contente de savoir que tout a bien marché pour la maison, pas de t'avoir vu parce que je croyais que…

Elle s'interrompit et il se retourna pour voir le rouge – bien vif, cette fois – gagner sa nuque. Elle sourit avec une certaine autodérision, et baissa les yeux.

— Ouais, dit-elle doucement avant de relever la tête avec son faux sourire radieux. (Il avait vu le vrai, celui qui lui faisait des fossettes.) Sois prudent sur la route.

— Je ferai attention.

Il aurait voulu qu'elle se sente plus à l'aise en sa présence. Mais ça n'avait aucune importance, puisqu'il n'allait plus la revoir. À cette pensée, il baissa les yeux, puis les releva aussitôt... Non, vraiment, il en avait assez vu. Il lui refit un signe de tête et commença à descendre la jetée. À chaque pas, ses chaussures faisaient un drôle de bruit de succion, digne d'un cartoon. Il sourit en entendant Riley ricaner derrière lui.

— Tu es sûr que tu ne veux pas d'une serviette, au moins pour protéger le siège de ta voiture ? proposa-t-elle. Tu es joliment trempé. (Lorsqu'il se retourna, elle lui offrit un vrai sourire, cette fois, bien qu'un peu sarcastique.) Je sais que tu habites à deux pas, mais j'ai vu ta voiture de location en quittant la villa, l'autre jour. Sympa, surtout les sièges en cuir cousus main.

— Tu es partie très vite. (Si elle avait été dans le même état que lui l'autre soir, elle n'aurait jamais pu repérer ce genre de broutille.) Comment tu as pu remarquer ça ?

— Je suis styliste. Je fais attention aux détails. Plus c'est petit, plus je le remarque.

— C'est un talent que je sais apprécier.

— Oui, je m'en doute, vu ton métier. Mais c'est un concept qui échappe totalement à la plupart des gens. En tout cas, je ne savais pas qu'on pouvait louer de vieilles voitures de sport dans le coin.

— On ne peut pas.

Elle écarquilla les yeux.

— C'est la tienne ? Tu as fait tout le chemin depuis… Non, je parle encore sans réfléchir, je ne sais même pas d'où tu viens. Mais vu ton accent, je pencherais pour Atlanta.

Il essaya de ne pas sourire, mais son débit de paroles, très rapide, trahissait sa tension – une tension qu'il ressentait lui aussi lorsqu'il se trouvait en face d'elle, même s'il n'avait aucune envie de creuser la question.

— Je suppose que mon accent est un peu revenu depuis que je suis de retour dans la région. D'habitude, personne ne le remarque. Mes grands-parents vivaient dans le coin, mais mon père s'est installé dans le Nord quelques années avant ma naissance. C'est là-bas que j'ai grandi, et je possède une maison pas loin de Washington, à Alexandria.

— Je connais de nom. C'est de là que vient Lani, la propriétaire de la pâtisserie. Enfin, elle est originaire de Washington. Son père était enquêteur de police là-bas, mais sa mère venait de Géorgie. Ils ont déménagé ici quand il a pris sa retraite, et c'est notre shérif, maintenant. Leyland Trusdale.

— Il n'est pas vraiment à la retraite, du coup.

— Je ne vais pas te barber avec toute l'histoire. Enfin, bref, tu as une très belle voiture. Voilà tout.

— En fait, je suis très attaché à cette île, mais l'histoire des gens qui l'habitent m'intéresse aussi. Quant à la voiture, c'est la première que j'aie jamais achetée, juste après avoir signé mon premier gros contrat d'édition.

— Ça ne fait pas si longtemps que ça, si ? Je veux dire, j'ai lu tous tes livres. Tu étais jeune quand le premier est sorti. C'était, quoi, il y a une dizaine d'années, tout au plus ?

— Presque. Neuf ans. Mais tu as raison, la voiture est un modèle des années 1980. Un de nos voisins en avait une quand j'étais petit, et j'ai toujours aimé ce style. Et puis, pour moi, c'était un symbole de réussite. Notre voisin était avocat, un vrai prototype de la bourgeoisie, et… pas nous.

Elle hocha la tête, l'air compréhensif.

— Et alors, ça t'a fait l'effet attendu quand tu as eu les clés en main ?

— Encore mieux, dit-il avec un grand sourire. Beaucoup mieux. Mais c'était à peu près tout ce que je désirais, ou du moins, c'était la seule chose que je me suis senti obligé de faire pour me prouver ma réussite.

— Et donc tu as l'impression d'avoir réussi.

— Oui. Mais surtout, j'en suis venu à aimer cette voiture.

Elle sourit.

— Tu es bien un homme, toi.

Il leva la main droite.

— Je plaide coupable.

Ils restèrent un long moment à se sourire en silence, puis Riley s'éclaircit la voix :

— Tu es sûr que tu ne veux pas de cette serviette ? Pour protéger ces sièges de cuir bien-aimés, symboles de réussite ?

Il ouvrit la bouche pour refuser parce que, même s'il aimait lui parler, c'était l'option la plus facile. Mais il fut surpris de s'entendre répondre :

— En fait, j'apprécierais vraiment, si ça ne te dérange pas. Je te la rapporterai.

À ce moment précis, il se rendit compte à quel point il était mal parti.

Riley hocha la tête et lui fit signe de la suivre. Il obéit, littéralement hypnotisé par la démarche de son corps voluptueux. Elle était vêtue de ce qui ressemblait à un bermuda pour homme dégoulinant d'eau de mer. Sa tenue aurait dû être la définition même d'un tue-l'amour, mais bizarrement, elle lui faisait l'effet inverse. Porté bas sur les hanches, son bermuda attirait l'attention sur leurs ondulations et il moulait les jolies fesses de la jeune femme. Lorsque Quinn parvint enfin à s'arracher à cette vue, ce fut pour détailler le tee-shirt couleur abricot tout trempé, puis la masse de boucles blondes humides et décoiffées qui lui tombaient jusqu'au milieu du dos et auraient rendu jalouses les sirènes du monde entier.

Il se surprit à serrer les poings, rêvant de caresser ces boucles, de les enrouler autour de ses doigts pour encourager la jeune femme à rejeter la tête en arrière et à lui offrir la peau laiteuse de son cou. Mais il ne lui appartenait pas de la toucher, ou de goûter à sa peau, ni maintenant ni plus tard. *Chasse gardée, Brannigan*. Pourquoi était-ce si difficile de contrôler ses hormones et de se rentrer ça dans le crâne ? Jamais, au grand jamais, il n'avait tenté de séduire une femme déjà prise. Qu'elle soit belle ou intelligente, ou les deux à la fois, ça n'avait aucune importance : à l'instant où il découvrait qu'une femme était engagée dans une relation avec un autre homme, il faisait machine arrière.

La femme qu'il recherchait, qu'il attendait, ne pouvait avoir qu'un seul homme en tête : lui.

Il regarda le dogue de Riley progresser d'un pas lourd à leurs côtés, toujours tenu au collier par sa maîtresse.

Quinn se dit qu'il avait lui aussi un collier autour du cou, mais qu'elle n'aurait pas eu besoin de le traîner derrière elle. Ses sentiments étaient tels qu'il aurait volontiers couru à sa suite en haletant.

Il était vraiment, vraiment mal parti.

Chapitre 5

— C'est ici, annonça Riley en s'avançant vers le bout de la jetée. *Home, sweet home*, ajouta-t-elle en désignant d'un geste un bateau de croisière de treize mètres.

— Tu vis sur une péniche ? Cool. Je ne savais même pas qu'ils acceptaient les bateaux de plaisance, ici. Je croyais qu'il n'y avait que des bâtiments commerciaux.

— C'est le cas, mais je devais payer des frais exorbitants là où mes amis l'amarraient, quelques îles plus bas. Du coup, j'ai cherché un autre endroit. Quelqu'un m'a dit que Sugarberry était plus rurale, moins touristique, et ça me convenait, surtout financièrement. C'est paisible, loin des sentiers battus, et Brutus ne dérange personne. On se sent bien, ici. Et je suis toujours suffisamment proche des belles propriétés de la côte pour pouvoir travailler dans la déco. (Elle haussa les épaules.) Alors, disons que je les ai convaincus de me laisser louer la place. Temporairement.

— Et tu es là depuis combien de temps ?

— Un peu plus d'un an, répondit-elle avec un sourire.

— C'est chouette. Tu as des amis sympas, une maison flottante… C'est plutôt une bonne affaire.

— Ouaip, confirma-t-elle en songeant à la manière dont Greg et Chuck lui avaient pour ainsi dire sauvé la vie, ou du moins permis d'échapper à son ancienne existence.

Elle lâcha le collier de Brutus et attrapa le bastingage.

— Tu peux monter à bord par ici, et faire le tour pour entrer dans la cabine.

Elle laissa Brutus passer devant et se retourna pour ramasser les sacs qu'elle avait posés par terre quand elle était partie lui courir après, avant de s'apercevoir que Quinn les avait déjà en main.

— Merci, ce n'était pas la peine.

— Ce n'était pas non plus la peine de me proposer de nettoyer mes affaires, répliqua-t-il en regardant Brutus se glisser prestement dans l'étroite allée qui passait entre le bastingage et les cabines, se diriger droit vers sa gamelle d'eau pour en boire une gorgée salutaire, puis s'écrouler en un tas informe sous l'auvent du pont arrière.

— On dirait qu'il apprécie la vie de marin, remarqua-t-il.

— Ça, c'est sûr. Je ne sais pas comment il aurait fait sur une autre sorte de bateau, mais ici, ce n'est pas très différent de la vie dans un petit appartement de Chicago. C'est même plus facile, en fait. Pour sortir, il n'a pas à se payer un voyage de vingt-deux étages dans un minuscule ascenseur.

Elle lui prit deux des sacs et fit glisser les portes coulissantes. Elle traversa un coin-repas, exigu mais bien conçu, et passa dans la petite cuisine ouverte. Elle déposa les sacs sur le petit comptoir qui délimitait une partie de l'espace, puis se retourna pour prendre les deux autres sacs et s'aperçut que Quinn se tenait juste derrière elle.

— Oh ! dit-elle en reculant légèrement – sauf qu'il n'y avait nulle part où aller. Pardon. Je ne savais pas que tu étais là. Merci, ajouta-t-elle quand il posa les sacs sur le comptoir.

— Il n'y a pas de quoi.

Il se retourna pour examiner le reste de la cabine principale, qui occupait toute la partie arrière du bateau. En plus du coin-repas et de la cuisine, il y avait un petit salon avec une chaise longue, un canapé, un bureau et un meuble télé où trônait un écran plat dernier cri.

— L'espace est bien optimisé, dit Quinn. Et c'est très clair, lumineux, avec toutes ces fenêtres et l'arrière en baie vitrée.

— Merci. C'est vrai que c'est surprenant, on ne s'attendrait pas à autant de confort. J'ai eu besoin d'un peu de temps pour m'habituer, mais je pensais que ce serait plus difficile que ça. (Certaines phases de sa période d'adaptation avaient été plus coûteuses que d'autres, mais elle avait heureusement fini par trouver ses repères et espérait en avoir terminé.) Une fois qu'on a pris ses marques, c'est plutôt une bonne chose de ne pas avoir trop de place, parce qu'on risque si vite d'être encombré, qu'on réfléchit à deux fois avant de faire des achats compulsifs.

— Je m'en doute. Joli matériel, ajouta-t-il en désignant l'écran plat.

— Oui, bon, Greg aime bien son petit confort. La parabole est fixée sur la passerelle supérieure.

— Ah, d'accord, fit Quinn d'un ton légèrement coincé, bien que toujours amical. Greg.

Comme il lui tournait le dos, Riley en profita pour laisser échapper un sourire, en se demandant si elle devait le laisser croire… ce qu'il croyait. Mais elle se sentait déjà assez mal de ne pas l'avoir démenti plus tôt. Les cachotteries, ce n'était vraiment pas son truc.

— C'est Greg qui me prête le bateau. Lui et Chuck, son partenaire, l'ont acheté il y a presque cinq ans sur un coup de tête, mais ils ne s'en sont pas servis plus de deux fois depuis. Greg adore posséder les dernières nouveautés, et Chuck lui cède tout le temps parce que, eh bien, parce qu'il en a les moyens. Ils en ont tous les deux les moyens. Ce sont les photographes culinaires les plus demandés du pays.

— Ah, répondit simplement Quinn. C'est vrai que c'est un joli jouet.

Il sortit de la cuisine pour continuer son inspection.

Il ne s'était pas assez éloigné pour laisser à Riley la place de se faufiler, mais suffisamment pour qu'elle espère avoir une chance de retrouver son équilibre. Même ses premières nuits de tempête ne l'avaient pas fait autant vaciller que la proximité de Quinn Brannigan… et ce dans sa propre cuisine.

— Je suppose que tu travaillais avec eux, à Chicago ?

— Oui. En fait, on a travaillé ensemble sur mon premier projet. Ils sont connus pour être assez… je pense que « folkloriques » est le meilleur adjectif pour les décrire. Mais, pour je ne sais quelle raison, ils m'ont tout de suite prise en amitié et sont plus ou moins devenus mes mentors. Ils m'ont aidée à traverser les premières péripéties inévitables dans le monde déchaîné de la photographie. Je leur dois une grande partie de mon succès.

— Alors tu travaillais comme photographe, là-bas ?

— Ah non, pardon. Je collaborais avec eux en tant que styliste alimentaire.

— C'est logique. Je parie que tu étais très douée.

— Je me débrouillais bien, dit-elle en se préparant à l'inévitable question sur son changement de vie radical.

Au lieu de ça, il se retourna vers elle, la coinçant de nouveau entre le comptoir et les appareils ménagers.

— Je ne sais pas comment tes amis avaient décoré le bateau, mais je peux déjà déceler ta touche personnelle.

Étonnée, elle en oublia un instant son envie soudaine de s'enfuir.

— Ah bon ? Je n'ai pas fait grand-chose.

Vu les diverses catastrophes qu'elle avait provoquées pendant son temps d'adaptation, ainsi que la nature sporadique de ses contrats de travail, elle ne pouvait pas se le permettre.

— Les coussins sur le canapé – je pense qu'ils sont à toi. Tu aimes les couleurs flamboyantes. Et il y a sur les murs le même genre de photos que dans ma villa. (Il sourit.) Ce sont les deux premiers détails qui m'ont sauté aux yeux, mais donne-moi cinq minutes, et je pourrai t'en trouver encore une bonne demi-douzaine.

— Impressionnant.

Brusquement, elle se sentit un peu moins coupable à l'idée de le laisser croire qu'elle avait déjà quelqu'un dans sa vie. Il lui donnait le sentiment d'être si importante, au centre de toutes ses attentions. Et cela de manière si honnête... En tous les cas, avec lui dans les parages, elle allait avoir besoin de toute l'aide nécessaire pour garder les pieds sur terre.

— Je, heu... je vais aller te chercher cette serviette.

Il fit un pas de côté pour lui bloquer le passage.

— Attends.

— Quoi ?

Elle ne comprenait pas pourquoi il la rendait aussi nerveuse. Elle s'était déjà convaincue que le moment qu'ils avaient partagé – toute cette scène autour du cupcake – était le produit de son imagination hyperactive, le fruit d'un délire qui s'expliquait par sa chute traumatisante.

Il sourit, et la petite étincelle de défi qu'elle décela dans son regard ajouta encore à son charme diabolique.

— J'avais raison ? demanda-t-il.

— À propos de… oh, les coussins et… oui. Oui, tu avais raison. Apparemment, tu ne blaguais pas quand tu disais avoir l'œil pour les détails.

— Non, j'étais très sérieux.

Elle était presque sûre qu'il n'y avait pas de sous-entendu dans sa voix, à cet instant. Elle n'était sous le coup d'aucun traumatisme cette fois-ci, sauf à considérer comme tel le plongeon de Brutus depuis la jetée – ce qu'elle se refusait à faire.

— Donc… des serviettes, répéta-t-elle, au bord du désespoir. Il faut juste que tu…

Quinn sortit de la cuisine et partit visiter le salon, comme si de rien n'était. *Parce qu'il ne s'est rien passé*, lui souffla une petite voix d'un ton un peu acerbe.

Elle était complètement truffe. Une truffe en manque de sexe, affolée par ses hormones et atteinte d'hallucinations. Ses soupçons se confirmèrent : tous les autres moments qu'ils avaient passés ensemble, elle les avait embellis. Mieux valait qu'elle le fasse sortir du bateau le plus vite possible.

— Je reviens, dit-elle avant de s'esquiver par le passage étroit qui descendait à sa cabine.

Il y avait une deuxième cabine en face de la sienne, plus petite, avec des lits jumeaux. En plus de ces deux espaces, un autre, situé au-dessus du pont et qu'on appelait le rouf, pouvait aussi accueillir des dormeurs – à condition qu'ils se couchent sur un matelas posé à même le sol et qu'ils n'aient pas envie de s'asseoir. Greg et Chuck n'avaient jamais invité personne sur le bateau hormis Riley, qui ne prévoyait pas d'accueillir du monde chez elle ; elle utilisait donc cet espace comme rangement.

À l'idée d'inviter quelqu'un à dormir, ses pensées se dirigèrent de nouveau vers l'homme qui se tenait dans le salon. Elle se sentait complètement ridicule de s'être laissé prendre dans le délire qu'elle s'était inventé, au point de lui mentir – par omission. Mais ça n'avait pas d'importance : même dans son meilleur jour, elle serait de toute façon bien en peine d'attirer un homme tel que Quinn, et les films qu'elle se faisait étaient si pathétiques que c'en était presque drôle.

Elle pouvait encore rejeter la faute sur les cupcakes, mais il était temps de blâmer la vraie responsable : elle-même, Riley Brown, incroyable empotée avec son corps de fermière anglaise – son héritage. Traditionnellement, les hommes comme Quinn Brannigan, robuste gentilhomme du Sud avec un lignage impeccable et bien sexy d'ancêtres irlandais, ne craquaient pas pour des paysannes.

Le lit était très haut, fixé au sol, et la marche nécessaire pour y accéder abritait des rangements qui remplaçaient pour l'essentiel la commode et le dressing d'une chambre normale. Riley ouvrit l'un des tiroirs et attrapa les deux serviettes sèches qui lui restaient, en se rappelant – pour la énième fois – qu'il était grand temps d'aller au pressing. Elle avait vite découvert que l'un des inconvénients de la vie sur un bateau, c'était les embruns salés qui imprégnaient l'air et se transformaient en véritable enfer pour les vêtements, la peau et les cheveux. Pour les cheveux et la peau, elle s'en sortait du mieux qu'elle pouvait, mais elle avait toujours un train de retard pour le linge.

Elle jeta les serviettes sur son épaule, repoussa le tiroir, puis se retourna juste à temps pour voir Quinn passer la tête dans la cabine.

Elle poussa un cri de surprise – ou, plutôt, une sorte de glapissement.

Il leva aussitôt les mains devant lui.

—Je le jure, je n'ai pas l'habitude de me glisser sournoisement derrière les gens. Je suis désolé. Je voulais juste… (Il attrapa les serviettes et les dégagea doucement de ses mains crispées.) Je voulais t'aider, pour pouvoir partir plus vite et te laisser tranquille. Surtout que tu dois vouloir te changer, toi aussi. En fait, je vais ressortir, et…

—Non, ça va, vraiment, assura-t-elle. Je comprends que tu sois pressé de partir.

L'espace libre, dans cette cabine où le lit prenait toute la place, était plus réduit que dans n'importe quel autre endroit à bord, à part peut-être la douche. À cet instant, il semblait encore cent fois plus petit. Et un million de fois plus intime.

—Il y a deux serviettes. Tu peux en prendre une pour te sécher, et l'autre pour la voiture. (Il occupait véritablement tout l'espace, dans la pièce, mais aussi dans son esprit.) Je vais, euh, je vais te laisser la place pour que tu puisses te nettoyer. (Elle passa devant lui et fit un geste en direction de la petite salle de bains.) Le lavabo est juste là, si tu en as besoin.

Greg avait insisté pour qu'elle appelle la salle de bains « la poulaine », mais elle n'avait pas pu ; le terme lui paraissait trop affecté. Elle maîtrisait les trois plus gros morceaux – carré, pont et cabine. Mais qu'on ne lui parle pas de poupe, de tribord, ni du reste. Pourquoi ne pas dire tout simplement « avant » et « arrière », « droite » et « gauche » ?

Elle fut arrêtée par la voix de Quinn alors qu'elle s'apprêtait à quitter la pièce.

— Tu n'aurais pas un tee-shirt que je pourrais t'emprunter, par hasard ? Promis, je te le rapporterai avec la serviette. (Il sourit.) Les polos absorbent bien l'eau, apparemment. Je dégouline sur ton sol. Je suis désolé.

— C'est fait pour ça, dit-elle d'un air absent, fascinée par la façon dont le tissu de son polo s'était plaqué sur son torse et ses bras.

Elle n'arrivait pas à croire qu'il avait été maigre un jour. Ses épaules et ses bras suffisaient à lui donner des bouffées de chaleur.

— Un tee-shirt, répéta-t-elle, comprenant avec un temps de retard ce qu'il venait de lui demander. Oui. Euh… Je ne sais pas.

Elle se retourna et rouvrit les tiroirs, pêchant des vêtements au hasard dans l'un, puis dans l'autre, sans pouvoir effacer de son esprit les contours de ses larges épaules et de ses biceps bien dessinés.

Rien ne convenait. Même si elle ne faisait pas vraiment un petit trente-huit, aucun de ses tee-shirts ne conviendrait à la stature de Quinn.

Sans compter qu'il serait très mignon en rose framboise ou orange acidulé… Du coin de l'œil, elle le vit examiner attentivement la cabine, comme il l'avait fait auparavant dans la partie principale du bateau. Soudain, elle se rendit compte que, si elle avait réellement eu un homme dans sa vie, comme elle le lui avait laissé croire, il se serait trouvé un ou deux grands tee-shirts bien virils à traîner quelque part, abandonnés négligemment par son partenaire la dernière fois qu'ils avaient fait l'amour en mer pendant des heures, emportés par une passion torride et débordante…

Elle commençait sérieusement à projeter ses fantasmes. Puis elle se souvint. Finalement, elle avait bien un immense tee-shirt d'homme en sa possession.

— Je dois avoir quelque chose qui pourrait t'aller. Il faut juste que j'aille dans l'autre…

Elle dut à nouveau le frôler, lui et son polo qui lui collait à la peau, pour atteindre un autre large tiroir où elle stockait ses vêtements hors-saison. Elle souleva les trois premières couches de pulls et de chemisiers à manches longues.

— Voilà, dit-elle d'un ton triomphant en extirpant un grand maillot des Chicago White Sox, propre mais très vieux et usé. Ça devrait aller, dit-elle en le secouant avant de le lui présenter.

Il n'avait pas besoin de savoir que ça lui servait de pyjama. Il n'avait qu'à penser ce qu'il voulait. Elle mettait avant tout un point d'honneur à ce qu'il la croie capable d'avoir à son bord un homme qui laisserait traîner de vieux maillots dans sa cabine.

— Merci, dit-il en prenant le tee-shirt dans sa main puissante, cette grande main qui s'était posée sur son épaule dans la cuisine de la maison, et dans l'escalier, et...

— De rien, parvint-elle à articuler, la gorge de nouveau sèche et serrée – elle se sentait tellement bête. Je vais dans la cuisine, déballer mes provisions, dit-elle en baissant légèrement la tête lorsqu'ils se croisèrent de nouveau. Pas d'urgence pour me rapporter le tee-shirt. En fait, si tu veux, tu peux juste le déposer à la boutique de Lani, en ville. Je pourrai le récupérer à la prochaine soirée du club.

— C'est vrai que ça me prendrait beaucoup plus de temps de venir jusqu'ici...

Elle perçut la note sarcastique dans sa voix et comprit qu'il n'y avait aucun message sous-entendu, seulement de l'amusement. Mais allez faire comprendre ça à son cœur qui battait comme un dératé.

Avant qu'elle ait eu le temps de réfléchir à une réponse appropriée, il dit sobrement :

— Je peux le laisser à la pâtisserie, Riley, pas de problème. Ne t'inquiète pas, je ne serais pas passé sans prévenir, de toute façon. Encore merci pour le tee-shirt. Je le laisserai chez Lani avec la serviette.

Elle se sentit très bête, à essayer de se la jouer cool alors qu'elle était seulement ridicule.

— Merci.

Elle se retourna vers la porte, pressée de fuir.

— C'est quoi, les soirées du club ? demanda-t-il.

Elle avait presque réussi à atteindre le couloir. Elle songea à faire semblant de n'avoir rien entendu, puis s'arrêta. Le bateau tangua légèrement, et elle s'accrocha à l'encadrement de la porte pour se retourner, afin de ne pas donner une nouvelle preuve de sa maladresse en se vautrant à ses pieds. Ces pieds nus sur lesquels était tombée la chemise mouillée qu'il venait de retirer.

Elle aurait dû lui tourner le dos. La décence l'exigeait, même si les hommes torse nu étaient monnaie courante à Sugarberry en cette période de l'année. Seulement… aucun des hommes de l'île ne ressemblait à ça. Aucun de ceux de Chicago non plus, d'ailleurs. Bref, elle ne se retourna pas du tout. Au contraire, elle gardait les yeux rivés sur lui. Sans cesser de se sermonner intérieurement, elle laissa son regard remonter le long de ses jambes soulignées par son short kaki mouillé, jusqu'à son torse nu, viril et musclé. Ses pectoraux étaient ornés de quelques poils noirs très sexy, qui dessinaient ensuite une flèche et disparaissaient derrière la boucle de sa ceinture. Riley faillit s'en étouffer.

Mais un tel danger n'allait pas suffire à rompre la fascination que cette vision exerçait sur elle. Quinn avait levé les bras au-dessus de la tête pour enfiler le maillot de baseball, et elle fut donc forcée d'admirer l'envoûtante puissance de ses pectoraux et de ses épaules musclées en action. Puis, comme le rideau se ferme après une représentation, le tee-shirt tomba brutalement sur son corps parfait, marquant la fin du spectacle.

Comme attirée par une force mystérieuse, elle releva les yeux et croisa le regard de Quinn. Elle crut apercevoir un reflet sombre et sauvage dans le bleu cristallin de ses iris, probablement à cause de la pénombre qui régnait dans la cabine. Sûrement, même.

— Je suis désolé, dit-il, sans paraître dérangé le moins du monde. Je croyais que tu avais le dos tourné.

— Tu m'as… posé une question.

Heureusement, elle avait déjà accepté le fait qu'ils ne jouaient pas du tout dans la même catégorie. Si jamais elle s'était autorisé de telles pensées, ce petit spectacle venait de lui garantir que jamais – jamais – elle n'oserait se mettre nue devant ce superbe spécimen de la gent masculine.

Au moins, ça c'est clair.

— Tu fais partie d'un club ? À la pâtisserie ? (Il sourit.) S'il s'agit d'une société secrète avec plein de rituels mystérieux, oublie ma question. Je me demandais juste quel genre de club peut bien se rassembler dans une pâtisserie.

Était-il vraiment en train de lui faire la conversation ?

— Euh, c'est-à-dire que… on est un groupe qui, euh… se regroupe pour… pour faire de la pâtisserie. Des cupcakes.

— Pour aider la pâtissière – Lani, c'est bien ça ? Pour l'aider à faire du stock ?

— Non. Simplement pour cuisiner. C'est comme les gens qui font des soirées poker, vous savez. Nous, on fait des soirées pâtisserie. Lani nous apprend des trucs. Elle avait une sacrée réputation de chef pâtissier à New York, et elle est mariée à…

— Baxter Dunne, je sais. (Quinn sourit devant l'air interrogateur de Riley.) Lois-la-Terreur a lâché son nom pour essayer de m'appâter avec les célébrités cachées de Sugarberry.

En entendant le surnom tant redouté qu'il continuait à employer, Riley se surprit à sourire.

— Bref, on apprend des choses, on s'amuse ensemble, on partage des potins. (Son sourire se fit plus franc.) Et on donne des tas de gâteaux au club du troisième âge et à d'autres associations plus ou moins connues, un peu partout dans la région de Savannah.

Quinn afficha une mine réjouie, et le pouls de Riley s'affola. Il était grand temps d'interrompre leur petit bavardage.

— C'est un peu comme un cercle de lecture pour pâtissiers ?

— Exactement. Et pas besoin de se barber à lire des textes qu'on n'aurait jamais… (Elle s'interrompit et secoua la tête.) *Bravo, Riley.* Je ne parlais pas de tes livres, Quinn, mais de ces bouquins lourds et prétentieux dont il faut absolument discuter dans les cercles de lecture, tout ça parce que quelqu'un, quelque part, a décrété que lire des trucs déprimants qui parlent de gens malheureux et qui se terminent mal, ça vous rend meilleur. Je n'ai jamais compris pourquoi. Moi, je rêverais d'un cercle de lecture où tout le monde lirait des romans amusants. (Elle retrouva le sourire.) Les tiens, par exemple.

Il esquissa une petite courbette.

— Merci. J'apprécie beaucoup le compliment. Et si ça peut te rassurer, je ne comprends pas non plus cette manie de lire en groupe ce type de bouquins. Enfin, je rectifie : je comprends pourquoi ils existent, mais pas pourquoi on discute aussi peu de fictions plus populaires dans les groupes de lecture. Ce n'est pas pour rien qu'on les appelle « populaires », après tout. (Sur quoi, il fit une autre courbette.) Bon, maintenant j'arrête mon prêchi-prêcha, je n'ai pas envie de t'ennuyer.

— C'est plutôt rafraîchissant, en fait. Ça me soulage de t'entendre parler comme ça. Je pensais que c'était moi qui étais creuse et superficielle. (Elle ferma les yeux d'un air mortifié.) Il faut vraiment que je me taise. Je ne voulais pas dire que tes livres étaient…

— Je sais.

Elle ouvrit les yeux en entendant sa voix se rapprocher. Il se tenait juste devant elle, dans l'encadrement de la porte. Elle ne s'était pas rendu compte qu'elle bloquait le passage.

— Merci pour le tee-shirt, dit-il pour la cinquantième fois.

Le ton était aimable, mais son regard cherchait le sien.

Pourquoi ? eut-elle envie de crier.

— Je suis désolée pour mon chien, il est un peu… exubérant.

Elle était sur le point de se noyer dans l'océan bleu turquoise de ses yeux.

— Et, s'il te plaît, dis à… peu importe qui c'est, que je le remercie aussi.

— Qui ça ?

Il désigna le maillot de baseball.

— Le propriétaire du tee-shirt.

— Oh. Oui, je… je lui dirai.

— Et est-ce que tu pourrais lui dire encore une chose de ma part ?

Riley hocha la tête, suspendue à son regard calme, à sa voix grave, à ce léger accent… et à sa façon de lui donner l'impression d'être la seule femme dans tout l'univers.

— J'espère qu'il se rend compte de la chance qu'il a de posséder quelque chose d'aussi précieux.

— Tu veux dire, le vieux maillot de baseball ? Ce n'est pas vraiment…

Quinn lui fit un grand sourire, et elle ajouta l'éblouissement à la liste de ses émotions.

— Toi, Riley, dit-il. Je parlais de toi.

— Oh. D'accord. (Elle aurait aimé dire quelque chose d'un peu moins banal, mais elle en était incapable.) Je… merci.

Il souriait toujours.

— Je devrais peut-être te laisser y aller, reprit-elle. Je crois que je vais juste prendre ta place et enlever mes vêtements mouillés… enfin, me changer.

Lorsqu'elle prononça le mot « mouillé », elle vit une étincelle passer dans son regard et retint son souffle. Elle ignorait pourquoi, mais il lui semblait qu'une sorte de tension était en train de s'installer entre eux. Ça ne pouvait quand même pas sortir de son imagination, tout ça ? Pourtant il finit par reculer, jetant la serviette sèche autour de son cou et le linge humide sur son bras, toujours avec la distinction d'un gentilhomme du Sud. Sa grand-mère aurait été tellement fière de lui.

Riley essaya de ne pas se laisser démonter.

— Je laverai et rapporterai les deux serviettes, si ça te va, dit-il.

— Ce n'est vraiment pas la peine.

Contre toute attente, elle parvint à ne pas trébucher lorsqu'elle s'effaça pour le laisser sortir de la pièce. C'était déjà une victoire.

— Ça ne me dérange pas, dit-il en passant dans le couloir.

Elle l'arrêta avec une question.

— Qu'est-ce que tu faisais dans le coin ? Sur le port, je veux dire.

Bon sang, Riley ! Il était à deux pas de quitter le bateau, de reprendre sa voiture et de s'en aller !

Il se retourna et s'arrêta sur le pas de la porte.

— J'ai passé mes étés ici quand j'étais ado, à pêcher sur le bateau de mon grand-père. C'était dans ce port qu'il amarrait son chalutier.

Elle ouvrit de grands yeux étonnés.

— Tu es originaire de Sugarberry ?

Il secoua la tête.

— Ma famille vient de Nouvelle-Angleterre, et la génération précédente est irlandaise. Mes grands-parents ont migré dans le Sud à cause de la santé fragile de ma grand-mère. Mon père est né un peu plus bas, sur la côte du golfe du Mexique. Mes grands-parents se sont installés à Sugarberry après que mon père est parti à l'université, s'est marié et a eu un fils – moi.

— Pourquoi Sugarberry ? Le golfe doit être un endroit beaucoup plus fructueux pour un pêcheur.

— Ils cherchaient un coin tranquille, avec moins de concurrence, parce que mon grand-père commençait à se faire vieux, et que la santé de ma grand-mère se dégradait. La carrière de mon père nous a fait atterrir du côté de Washington. Il y travaille toujours, d'ailleurs. Donc je suppose que je suis une sorte de bâtard, géographiquement parlant.

— Et tes grands-parents, ils ne sont plus là ?

— Ils nous ont quittés depuis longtemps. Même leur maison a disparu.

— Vu comme les ragots circulent vite sur l'île, c'est bizarre qu'on ne raconte rien sur les grands-parents du célèbre écrivain.

— Ils étaient déjà partis avant que je publie mon premier livre. Je ne pense pas que quelqu'un ait pu faire le lien, après ça.

Riley sourit.

— Tu sous-estimes sérieusement le talent des commères locales. Tes parents sont toujours à Washington ?

Il secoua la tête.

— Ma mère est morte quand j'avais treize ans, c'est à ce moment-là que j'ai commencé à passer mes étés ici. Je suis venu tous les ans jusqu'à ma troisième année de fac, où j'ai préféré faire un stage de journalisme pendant les vacances. Je pensais que c'était ma vocation, à l'époque.

— Je suis désolée pour ta mère.

— Merci. Mon père a très mal vécu sa disparition. Mais ça m'a donné la chance de passer du temps avec mes grands-parents, et je n'oublierai jamais ça.

— Il doit être fier de ton succès. Ton père, je veux dire.

Quinn sourit mais, pour la première fois, Riley remarqua qu'il dissimulait une pointe d'amertume.

— Oui, il est fier. Bon, je ne vais pas t'obliger à rester plus longtemps dans des vêtements mouillés. Tu as besoin d'aide pour décharger tout ça ? Les sacs qu'on a portés à bord ?

— Oh non, ça va. Je m'en occupe.

Elle fut surprise de constater que leur discussion l'avait détendue, et soulagée de voir qu'elle parvenait à sourire naturellement, sans avoir la gorge serrée ou le cœur qui battait la chamade.

— Ce sera moins compliqué que de t'expliquer où se rangent les affaires.

— Très bien, alors je te lâche officiellement la grappe.

Il s'apprêtait à partir, mais elle le retint une dernière fois.

— Merci, Quinn.

— De quoi ? demanda-t-il en repassant la tête par la porte ouverte.

— D'avoir parlé de toi. Je suis sûre que les gens te posent sans cesse toutes sortes de questions bizarres sur ton passé. Et je suis contente… que tu m'en aies parlé. C'est bien que tu aies eu la chance de tisser des liens avec tes grands-parents.

— Merci. Je n'aborde pas souvent le sujet, mais c'était sympa. Ça m'a même paru… normal.

— Bon. (Son sourire s'épanouit.) Je me sens moins coupable d'avoir été curieuse, alors.

— Faire la conversation avec un voisin, ce n'est pas de la curiosité.

Elle éclata de rire.

— Tu devrais peut-être bien réfléchir à ça avant de mettre les pieds au resto de Laura Jo ou au *Stewies*, le pub local.

Il sourit.

— C'est noté.

— Fais attention en descendant du bateau. Il est bien attaché, mais il tangue quand même un peu.

—Je me méfierai. (Il resta là quelques instants, sans bouger.) Au revoir, Riley.

—Au revoir, dit-elle.

Cela sonnait comme un adieu, et Riley aurait bien voulu que cette idée ne la rende pas aussi triste.

Elle l'entendit ouvrir la porte-fenêtre et prononcer quelques mots, probablement à l'intention de Brutus. Elle se dépêcha d'ôter son tee-shirt mouillé et son soutien-gorge, et attrapa un vêtement au hasard dans le tiroir ouvert. Elle fronça les sourcils en entendant qu'on gravissait les marches menant à la passerelle supérieure. Les pas étaient plus lourds que ceux de Brutus qui, de toute façon, ne savait pas grimper à l'échelle. Elle devina que Quinn, chez qui le bateau suscitait décidément la curiosité, avait probablement décidé de jeter un rapide coup d'œil en haut. Ça ne la dérangeait pas le moins du monde. Encore un truc de mec, cette obsession pour tous les moyens de transport.

Mais en sortant ses cheveux de l'encolure de son tee-shirt et en attrapant son gros peigne, elle se demanda ce que ça ferait d'entendre de nouveau les bruits de pas de quelqu'un d'autre résonner dans son espace.

Elle entra dans la cuisine juste à temps pour voir Quinn sauter sur la jetée, et le regarda s'éloigner, plongée dans toutes sortes de pensées interdites, dont ces paroles : « J'espère qu'il se rend compte de la chance qu'il a de posséder quelque chose d'aussi précieux. »

L'instant d'après, elle ouvrit la porte de derrière et faillit trébucher sur Brutus qui, assis comme un sphinx, regardait lui aussi partir son Quinn bien-aimé. Elle aurait peut-être pu s'interroger sur cet élan d'amour de Brutus, lui qui n'avait jamais, à sa connaissance, observé Jeremy de cette façon. Mais elle était occupée à rassembler son courage pour rattraper Quinn et lui poser une dernière question, qui risquait sinon de la tarauder.

— Je suis désolée, mon gros, dit-elle en grattant la tête du dogue. Quinn ! lança-t-elle avant qu'il soit trop loin. Attends. Est-ce que je peux te poser une dernière question ?

Il se retourna. S'il était surpris ou ennuyé, il le cachait bien. Son sourire était aussi naturel et aimable que d'habitude.

— Bien sûr, dit-il en haussant légèrement la voix pour être entendu malgré une soudaine bourrasque.

Riley marcha jusqu'au bastingage et le laissa s'approcher de quelques pas.

— Tu as dit que tu espérais que mon… partenaire se rendait compte de sa chance. J'ai bien compris que tu parlais de moi, mais pas ce que tu voulais dire au juste. Je suppose que tu voulais seulement être poli, mais si jamais tu le pensais… est-ce que je peux en toute maladresse te demander ce qu'il me trouve, à ton avis ?

Un lent sourire se dessina sur les lèvres de Quinn et, malgré la distance qui les séparait, elle eut la certitude que ses yeux cristallins étaient pleins de la même lueur chaleureuse.

— Il trouve en toi une femme qui peut sincèrement poser cette question… sans connaître la réponse à l'avance.

Sur ces mots, il se retourna et partit.

Brutus vint d'un pas tranquille s'asseoir à côté de Riley, et lui donna un petit coup de tête sur la hanche. Elle lui passa une main autour de l'encolure et caressa son poil toujours humide en regardant Quinn disparaître au loin.

— J'aimerais comprendre ce qu'il a voulu dire, dit-elle à son fidèle compagnon. Mais c'est peut-être aussi bien que je ne le sache pas.

Chapitre 6

Quinn la désirait tant… il avait envie de la croquer. Il avait écrit des livres sur le thème du fruit défendu, mais n'avait jamais connu lui-même la tentation. Et pourtant, il était obsédé par Riley Brown, ce qui provoquait des conséquences physiques immédiates. Il suffisait qu'il fasse un pas dans sa foutue cuisine pour être à l'étroit dans son jean. C'était à devenir dingue.

Quinn relâcha un peu la poignée de son sac en papier, et leva les yeux vers les enseignes des boutiques alignées autour de la petite place centrale de Sugarberry. En dehors du port et de *Bigger's Bait and Tackle*, sur la jetée, c'était la seule zone commerciale de la petite île. Malgré les rues bordées d'habitations qui partaient en étoile de la place centrale, et les quelques maisons éparpillées le long de la route qui faisait le tour de l'île, Sugarberry était toujours composée en grande partie de marécages, de dunes et de plages.

Les rues qui n'étaient ni pavées ni couvertes de briques, comme cela s'était fait brièvement dans un lointain passé, étaient pour la plupart constituées de sable et de terre tassés, agrémentés d'une bonne couche de coquillages écrasés pour faire bonne mesure. La ville elle-même mélangeait bizarrement le charme rural du Sud et le style de vie plus bohémien qu'on retrouve souvent dans les cultures insulaires. Sugarberry n'était reliée au continent que par un seul pont qui enjambait Ossabaw Sound, et encore s'agissait-il d'un aménagement relativement récent.

Adolescent, Quinn prenait le ferry pour rejoindre l'île, mais il n'en avait pas vu la moindre trace depuis son retour ; peut-être n'existait-il même plus. C'était compréhensible, même si Quinn, en grand sentimental, était un peu déçu.

Il avait constaté sans surprise que certaines boutiques avaient changé de propriétaire, et fut presque plus étonné d'en trouver quelques-unes encore parfaitement identiques après toutes ces années. C'était assez réconfortant de voir que la place de la ville était toujours telle que dans ses souvenirs. La pelouse au milieu, avec sa grande fontaine au centre. Ça n'avait presque pas changé.

Il repéra l'enseigne colorée et fantasque de *Cakes by the Cup*, et ralentit l'allure. Il espérait que les cupcakes ne lui feraient pas le même effet que dans l'intimité de sa maison. Il aurait peut-être dû réfléchir à deux fois avant de se décider à passer. Il était venu à Sugarberry avec un lot de problèmes à résoudre, mais Riley Brown les avait tous relégués au second plan, devenant son unique préoccupation.

Après une autre matinée stérile passée à contempler alternativement l'écran vide de son ordinateur, puis les vagues qui s'écrasaient le long des dunes derrière la maison, et enfin le maillot de baseball, il avait décidé qu'il était temps de déposer ce foutu tee-shirt et ces serviettes, et de couper le cordon une bonne fois pour toutes. Cela ne signifiait pas qu'un lien quelconque le rattachait à Riley. Il aurait pu aller déposer ses affaires n'importe quand pendant la semaine passée, et il n'y aurait plus pensé.

Les objets empruntés étaient passés du sèche-linge au dossier de sa chaise de travail. Le plus pathétique, dans tout ça, c'était que le tee-shirt n'était pas à elle, et, pire encore, appartenait probablement à un homme qui le portait pour venir passer la nuit avec elle, d'après ce qu'il avait compris. Mais ce n'était pas à ça qu'il avait songé en contemplant le vêtement.

C'était la seule chose tangible qu'il lui restait d'elle. Comment allait-il encore ressentir sa présence, sans aucun objet pour l'incarner ? Il ne s'expliquait pas comment elle avait pu marquer à ce point un espace qu'ils avaient partagé pendant moins d'une heure, mais il sentait constamment sa présence. Dans la véranda, dans la cuisine, dans l'entrée, dans le coin-repas… dans la douche. Et il ne voulait plus de ça. Il espérait qu'en se débarrassant des serviettes et du maillot, il pourrait enfin tourner la page et se consacrer à des problèmes plus importants.

— Très bien, marmonna-t-il.

Il fit tourner le sac dans ses mains, le regard toujours rivé sur l'enseigne, mais il n'entra pas. Pas encore.

— Courage.

Si encore il n'y avait eu que ces joues rougissantes saupoudrées de taches de rousseur, ou cette bouche aux lèvres pulpeuses et aussi attirantes qu'un fruit mûr et appétissant, ou ces boucles dorées de sirène où l'on avait envie de passer les doigts, ou encore les courbes naturelles et voluptueuses de ce corps fait pour qu'un homme s'y perde, y trouve du plaisir et en donne en retour… Elle était un mélange de fraîche innocence et de pure sensualité, dans une enveloppe charnelle tout à fait inattendue.

Et pourtant, ce n'était pas uniquement cela qui le faisait bouillonner comme un ado de quinze ans. C'était cette évidente spontanéité, en contraste avec la pudeur qui la faisait sans cesse rougir, ou bien encore la vulnérabilité clairement inscrite dans ses grands yeux marron, perceptible malgré son humour ironique et souvent acerbe. Elle parlait avec confiance de son travail, mais se dénigrait constamment. Et puis, il y avait son ouverture d'esprit naturelle, l'entrain dont elle faisait preuve, la curiosité indiscrète qui l'avait poussée à le questionner sans hésiter sur lui et sa famille. Et cette façon paradoxale de parcourir le monde comme une femme investie d'une mission, alors qu'elle était une gaffeuse impénitente. Elle acceptait ses défauts avec humour, ce qui lui donnait une dignité toute particulière et la rendait incroyablement attirante.

Elle était unique et fascinante, et il voulait mieux la connaître, la regarder se mouvoir, découvrir ses opinions sur tous les sujets possibles et imaginables, en débattre, rire avec elle, embrasser ses inévitables bobos… puis lui faire l'amour, sauvagement, passionnément, et se délecter de tout ce qu'elle pourrait lui offrir en retour.

Ses mains se crispèrent douloureusement sur la poignée du sac. Il se força à relâcher sa prise, ainsi que la tension dans son cou et dans ses épaules. Et aussi dans son esprit, surtout.

Elle était entrée dans son univers moins de dix jours auparavant, et n'avait croisé son chemin que deux fois… alors comment avait-il bien pu en arriver là ? Peut-être était-il tellement préoccupé par la direction à donner à son livre qu'il projetait sur elle toutes les émotions brutes qu'il n'arrivait pas à contenir ? Ou peut-être l'utilisait-il comme une distraction, pour ne pas avoir à songer au gros problème qui l'avait fait revenir à Sugarberry ?

Non, il n'y croyait pas. Au fond, il ne voulait pas de distraction. Il souhaitait mettre les choses au clair, prendre une décision sérieuse et difficile. Il n'avait pas le temps de se créer de nouveaux problèmes.

Quelle que soit la raison de sa fascination pour Riley, il ne pouvait pas se permettre d'y accorder trop d'importance. Il lui fallait se sortir de ce petit égarement passager et revenir à son but initial.

Lorsqu'il ouvrit la porte de la pâtisserie, la chaleur étouffante de la mi-journée fit place à une atmosphère plus fraîche, où flottaient la senteur riche de gâteaux en train de cuire, la nuance plus amère du chocolat fondu, et divers autres arômes inconnus dont la combinaison le fit saliver. Ses sens se trouvèrent assaillis et presque saturés par l'abondance des délices, et il ne put s'empêcher de s'arrêter pour humer l'air.

— Bonjour, jeune homme. Je peux faire quelque chose pour vous ? Notre offre fruitée du jour, c'est le cupcake façon crème glacée – un gâteau imbibé de mandarine, fourré au cheesecake, avec une mousse à l'orange en guise de glaçage. Notre offre gourmande est un cupcake au chocolat, à la citrouille et au gingembre, infusé à la truffe, avec glaçage au mascarpone et au fromage frais.

Quinn n'avait pas tout de suite remarqué qu'il y avait quelqu'un dans la boutique et fut donc légèrement pris au dépourvu par cette entrée en matière amicale.

— Les deux me paraissent irrésistibles, dit-il, parcourant du regard les hauts présentoirs, avant de découvrir un comptoir beaucoup plus bas.

Là, dissimulée derrière une caisse enregistreuse venue du siècle dernier, il finit par apercevoir une toute petite femme, menue comme un oiseau. Ses cheveux d'un blond presque blanc, dont les boucles parfaitement rondes trahissaient un entretien maniaque, étaient savamment relevés en choucroute. Par-dessus un chemisier assez classique, elle portait un tablier figurant un poney blanc potelé avec une crinière et une queue d'un violet électrique. Elle arborait également un collier de perles et les boucles d'oreilles assorties, qui semblaient extrêmement lourdes sur ses lobes fragiles. Sous le charme, bien qu'un peu abasourdi, Quinn sourit.

— C'est vous qui êtes irrésistible, jeune homme, dit-elle en le regardant de haut en bas. Puis-je vous suggérer d'en goûter un de chaque ? Nous avons aussi notre carte habituelle, à vous faire gémir de plaisir. Puis-je vous faire une boîte ? (Une étincelle joyeuse s'alluma dans son regard bleu lorsque Quinn s'approcha du comptoir.) Ça alors ! Je n'en reviens pas ! Comme tu as grandi. Tu es bien le petit-fils de Gavin Brannigan ?

Quinn sourit. Cette vieille dame n'avait pas fini de le surprendre. Il ne se souvenait pas de la dernière fois où on l'avait reconnu comme un Brannigan avant tout.

— Je crois que c'est la chose la plus gentille qu'on m'ait dite depuis longtemps, lui dit-il sincèrement. Oui, je suis Quinn, le petit-fils de Gavin. C'est un plaisir d'être de retour ici.

— Je me souviens de toi, tu venais l'été pour pêcher avec ton grand-père. On ne te voyait pas beaucoup en ville quand tu étais là, ajouta-t-elle avec une nuance de reproche dans la voix, comme si, après tant d'années, cela demeurait un affront personnel.

Connaissant la susceptibilité de mise dans ces régions du Sud, surtout dans les petites villes, cette hypothèse ne lui semblait pas complètement absurde.

— Mon grand-père me faisait travailler du lever au coucher du soleil. Et les rares fois où on n'allait pas pêcher, grand-mère avait une liste longue comme le bras de tâches ménagères auxquelles je devais participer. (Il sourit.) J'aurais préféré aller goûter les bonbons à un sou des bocaux de la confiserie, mais je n'ai jamais eu le temps.

Le sourire qu'elle lui lança lui fit comprendre qu'il était pardonné, et qu'il l'avait probablement toujours été. Il soupçonnait la minuscule petite vieille de s'amuser à feindre l'agressivité. Bien sûr, s'il atteignait son âge, il espérait bien pouvoir lui aussi jouer à ce petit jeu, de temps en temps.

— Il était si fier de toi. Il parlait de toi tout le temps. Si je me souviens bien, tu étais champion d'athlétisme, ou quelque chose comme ça. (Elle le dévisagea de nouveau, et son regard, si pétillant jusque-là, se fit légèrement aguicheur.) Je dois dire que tu t'es étoffé et que tu as bien grandi, depuis le temps.

— Oui, madame, dit-il, toujours souriant.

Vu le peu de temps qu'il avait eu pour faire connaissance avec les habitants de l'île, il n'aurait pas cru que quelqu'un se souviendrait de lui.

— Oui, je suppose que j'ai un peu grandi, reprit-il. Vous, par contre, vous n'avez pas changé, vous êtes toujours aussi charmante. Madame… Liles, c'est bien ça ?

Il fit un pas en arrière, fier et soulagé d'avoir pu retrouver ce nom parmi les souvenirs, aussi brumeux que précieux, de ses étés à Sugarberry.

— Je me souviens que vous veniez au port acheter du poisson pour le souper de votre mari.

La vieille dame rayonna, et la chaleur de son regard apporta à ses joues fardées un peu de couleur naturelle.

— Quel charmeur ! Je t'en prie, tu peux m'appeler Alva.

— Merci, mademoiselle Alva, c'est un honneur.

Il avait toujours considéré qu'il avait été élevé comme un gentilhomme, mais c'était amusant – et un peu émouvant – de retrouver aussi rapidement les règles de l'étiquette sudiste que sa grand-mère avait eu tant de mal à lui inculquer.

— Et comment va M. Liles ?

— Oh, mon Harold nous a quittés il y a un bon moment.

Elle évoqua son défunt mari sans se départir de son sourire, qui se teinta néanmoins d'une immense tendresse. Quinn sentit son cœur se serrer, comme lorsqu'il repensait à l'affection que ses grands-parents se vouaient l'un à l'autre.

— On a eu une bonne vie ensemble, dit-elle d'une voix un peu lointaine. Il me manque toujours, ce vieux schnock.

Le sourire de Quinn s'adoucit.

— Je suis navré d'apprendre cette nouvelle, et je suis sûr que vous avez passé de grands moments ensemble.

— Tu sais, dit-elle, les yeux de nouveau pleins d'étincelles, on parlait justement de toi la semaine dernière, pendant la session de pâtisserie et potins.

Quinn avait commencé à passer en revue les cupcakes, tous plus incroyables les uns que les autres, alignés sur les comptoirs. Pourtant, à ces mots, il reporta son attention sur Alva.

— La session de… Je vous demande pardon, de quoi ?

— Tous les lundis soir, après la fermeture, nous autres, les filles, avec Franco, bien sûr, on se rassemble pour faire des pâtisseries et raconter des…

— D'accord, l'interrompit-il en ne tentant même pas de dissimuler un sourire. Je crois que j'ai compris le principe.

— Maintenant, ce qui se dit au Cupcake Club est censé rester au Cupcake Club. (Elle baissa la voix et se pencha par-dessus le comptoir d'un air conspirateur.) Mais je ne crois pas que ce soit vraiment trahir un secret, si je te dis que tu as été le principal sujet de conversation de ces deux dernières semaines. (Elle se redressa, se tapota les cheveux et lissa sa jupe, comme si de rien n'était.) Et maintenant, te voilà dans notre petite boutique ! J'ai comme l'impression que tu vas continuer à faire l'actualité.

Un peu déconcerté, Quinn se rendit compte qu'il affichait un sourire sans doute un peu niais.

— Je ne vois pas trop ce que vous pouvez avoir d'intéressant à raconter à mon sujet, mais j'apprécie que vous m'ayez prévenu.

— Oh, ne sois pas modeste. Tu as le talent, la renommée et tu es devenu un très joli garçon.

— Je, euh… merci.

Il se retint courageusement de rire. Il se souvenait vaguement qu'Alva Liles avait déjà une réputation un peu sulfureuse lorsqu'il était adolescent. Il n'avait pas prêté beaucoup d'attention aux commérages, et sa grand-mère n'était pas non plus du genre à se repaître des potins. Mais, apparemment, rien n'avait changé.

— J'apprécierais que vous plaidiez en ma faveur. En fait, c'est un peu pour ça que je suis passé, aujourd'hui.

Elle parut un peu déçue.

— Pas pour acheter des cupcakes ? Tu devrais vraiment essayer, au moins ceux à la crème au beurre et au chocolat. Mais, si tu veux mon avis, les Red Velvet surpassent tout le reste. La recette de Lani est la plus moelleuse que j'ai jamais goûtée. Avec un bon verre de lait glacé, on s'envole directement au paradis.

Ne pas penser à des cupcakes qui vous emmènent au paradis, s'ordonna-t-il. Les mots « paradis » et « cupcake » dans la même phrase le faisaient automatiquement penser à Riley, à un certain coin-repas et aux nombreuses douches qui avaient suivi.

— En fait… (Il poursuivit courageusement la conversation.) J'ai déjà eu la chance de goûter aux incroyables cupcakes de Mme Dunne, il y a quelques jours. C'est vrai qu'ils sont paradisiaques, mais je suis passé aujourd'hui pour déposer des affaires qui appartiennent à Riley. À Mlle Brown, corrigea-t-il. Elle a dit que je pouvais vous les laisser. J'espère que ça ne vous dérange pas.

Il souleva le sac en papier.

D'un air songeur, Alva considéra le sac puis dévisagea Quinn, ce qui finit par le mettre mal à l'aise.

— Sinon, je peux… revenir une autre fois. Peut-être quand Mme Dunne sera là ?

— Oh, Lani est ici. Elle est en cuisine. Et personne ne l'appelle Mme Dunne, même si c'est passionnant, son mariage avec Baxter, et tout ça. C'est un chef pâtissier célèbre, lui aussi, tu sais. Tout le monde ne parle plus que de ça depuis des mois. On pensait qu'on allait s'habituer à tout ce remue-ménage, avec lui qui vit ici et qui filme ses émissions juste derrière, à Savannah, mais ensuite il a sorti son livre de recettes le mois dernier, et ça a encore attiré l'attention. On reçoit des appels pour des commandes par correspondance, tu te rends compte ? De tout le pays. À mon avis, c'est surtout parce qu'au-delà de leur talent, ils forment un couple tellement mignon. (Elle posa une main sur son cœur et soupira.) On est si fiers de les avoir, tous les deux.

— Ça, je n'en doute pas.

Elle montra fièrement du doigt les étagères alignées derrière le comptoir.

— On vend des exemplaires signés du livre de recettes, si ça t'intéresse.

Derrière la fierté sincère de la vieille dame, Quinn décela une petite lueur vénale qui lui donna à penser qu'elle devait être l'une des vendeuses les plus douées de la boutique.

Elle l'examina de nouveau des pieds à la tête.

— Bien sûr, maintenant que tu es là, on a un nouveau sujet de conversation.

— Je vous assure qu'il n'y aura pas grand-chose à dire. Je suis venu pour travailler au calme sur mon prochain roman.

— En tout cas, nous sommes très heureux que tu sois de retour. Tu es un Brannigan, donc tu es ici chez toi. Tes grands-parents manquent à tout le monde, sur l'île. Annie faisait le meilleur crumble de la ville pour le festival d'automne, et on pouvait toujours compter sur Gavin pour participer au grand banquet de poisson frit du 4 juillet. Et sa belle voix de baryton faisait aussi merveille dans notre chorale de Noël. Tu chantes, toi ?

— J'ai bien peur que non.

Quinn ignorait que son grand-père avait chanté dans une chorale, mais il l'imaginait très bien. Il prit conscience que les anciens de Sugarberry devaient probablement avoir beaucoup d'histoires à lui raconter sur ses grands-parents, des anecdotes qui viendraient s'ajouter à ses propres souvenirs. Il était emballé à l'idée de consacrer un peu de temps à ça.

— Bien sûr, tu aurais pu revenir plus tôt, poursuivit Alva. On aurait veillé au respect de ta vie privée.

— Vous savez quoi ? Vous avez tout à fait raison. Je n'ai que des bons souvenirs, ici.

— Eh bien, maintenant que tu as cette maison de luxe et tout ça, te voilà comblé. (Elle se pencha en avant et baissa la voix.) Tu n'as pas l'intention d'organiser une fête délirante pour célébrités snobs, n'est-ce pas ?

Il posa une main sur la sienne.

— Je peux vous garantir que ce n'est pas dans mes intentions.

Elle eut l'air soulagée… et un peu déçue.

Le sourire de Quinn s'effaça.

— Quant à la maison, elle est très jolie en effet, mais je me serais plus senti chez moi dans la maison de mon grand-père, si elle avait toujours existé.

— Oui, c'est vraiment dommage que la tempête l'ait démolie. Mais Ted Rivers, qui a racheté le terrain, en a fait quelque chose de très bien. N'hésite pas à passer le saluer, ça lui ferait plaisir de te faire visiter. Bien sûr, on n'aura pas fini d'en entendre parler, mais ça pourrait te faire du bien de revoir l'ancienne maison de ta famille.

Quinn sourit.

— Je suis déjà passé devant, mais sans oser rentrer. Je ne voulais pas déranger. Mais j'y retournerai peut-être. Merci.

— On est tous très contents de t'avoir ici, dit-elle en lui tapotant la main, et je suis heureuse d'avoir été celle qui t'a souhaité la bienvenue chez toi.

L'étincelle joyeuse réapparut dans son regard : cela ressemblait à une lueur d'innocence… mais lui provoquait d'étranges démangeaisons dans la nuque.

— Donc je peux vous laisser ceci ? demanda-t-il en lui tendant le sac.

— Bien sûr. Si Riley t'a demandé de nous le laisser, tu peux être sûr qu'on fera en sorte qu'elle le récupère. (Alva prit le sac et le posa devant elle, sur le comptoir.) Évidemment, ajouta-t-elle avec une candeur tellement feinte que Quinn sentit instantanément son cou le démanger, si tu restes ici encore quelques minutes, tu pourras le lui donner en main propre.

— Oh, dit-il, essayant sans succès de trouver l'attitude appropriée.

Tandis que son cœur faisait un bond à l'annonce de cette nouvelle, la très longue liste des raisons pour lesquelles il ne pouvait pas attendre Riley se remit à défiler dans sa tête.

— Je ne voudrais pas vous embêter, ni Riley, donc si vous lui donnez…

— C'est absurde, dit Alva d'un ton sans appel.

Quinn comprit alors que les étincelles de son regard annonçaient un danger imminent.

Les yeux d'Alva étaient un vrai feu d'artificc, ct il croyait entendre les rouages de son cerveau tourner à plein régime sous son impeccable choucroute.

— Mais j'y pense, dit-elle d'un air rayonnant, tu pourrais nous donner un coup de main en attendant. Lani est en train de tester une nouvelle recette et, comme elle a toujours besoin de nouveaux avis, je suis sûre qu'elle aimerait beaucoup avoir ton opinion. Si tu t'y prends bien, on pourra peut-être même donner ton nom au gâteau. La nouvelle célébrité de l'île ! Ou devrais-je dire : l'une des nouvelles ? Peut-être que toi et Baxter, vous allez lancer une mode. J'espère que ça ne va pas multiplier les rénovations luxueuses. Ne le prends pas mal, mais on préfère que les choses restent simples, ici.

— Pas de problème. J'ai toujours aimé la simplicité. Écoutez, vous passerez le bonjour à Lani, s'il vous plaît, car je dois vraiment…

— Attends, ne bouge pas, je reviens. Lani ! lança-t-elle en s'approchant de la porte battante qui menait à l'arrière-boutique. Tu ne devineras jamais qui est venu nous rendre visite. Viens donc dire bonjour, si tu peux.

En souriant, Quinn secoua la tête. Il valait mieux qu'il n'oublie pas à quel point cette petite dame était têtue. Puisqu'il ne pouvait plus s'échapper sans paraître impoli, il en profita pour examiner la boutique un peu plus en détail, en espérant de tout cœur qu'il parviendrait à sortir avant l'apparition de Riley. Passer du temps en sa compagnie, c'était risquer d'accumuler des images qui allaient ressurgir au moment où il le désirait le moins. Danger imminent, en effet.

Il s'arracha à la contemplation des boîtes de pâtisseries. Hors de question qu'il s'expose à une tentation supplémentaire en ce moment. Son attention fut attirée par les photographies encadrées qui s'alignaient sur le mur, de chaque côté de la porte de la boutique. L'une d'entre elles était un cliché en noir et blanc de la pâtisserie à une autre époque. D'après la voiture garée devant, il devait dater de la fin des années 1930 ou du début des années 1940. Juste en dessous se trouvait une photographie lumineuse, qui respirait la joie, du jour de l'ouverture de la boutique. Une femme radieuse, qu'il supposa être Leilani Dunne, se tenait sur le seuil, bras dessus, bras dessous avec un homme plus âgé vêtu d'un uniforme de shérif. Grâce aux informations de Riley, il comprit qu'il s'agissait du père de Leilani – Leyland, ou quelque chose comme ça.

Le sourire aux lèvres, il examina plusieurs photos, prises à différentes époques autour de la place de la ville. Les images les plus anciennes dataient toutes dc la mêmc période, c'est-à-dire bien avant que ses grands-parents mettent les pieds sur l'île. Il songea que, malgré les avancées du progrès et la prospérité qu'avait connue Sugarberry avec le temps, la ville n'avait pas perdu de son charme. La vie s'y écoulait lentement, comme autrefois, et les insulaires constituaient une communauté soudée bien qu'accueillante avec les nouveaux arrivants. Ils avaient su préserver une économie modeste mais autonome, qui n'était pas dépendante du tourisme, contrairement à la plupart des autres îles plus peuplées de l'archipel.

Quinn avait remarqué les affichettes indiquant l'accès au Wifi dans la vitrine du restaurant de Laura Jo, ainsi que les flyers *Go green !* invitant les insulaires à participer à la réunion d'information sur le plan de préservation environnementale de l'île. Il avait aussi vu des affiches annonçant le festival du mois d'octobre, qui proposait une grande variété de courses nautiques et de concours ouverts à tous, ainsi qu'une compétition de mangeurs de tartes. Tout ceci indiquait une communauté ouverte au progrès mais néanmoins attachée à ses coutumes traditionnelles, pour ne pas dire vieillottes, typiques du Sud des États-Unis.

Quinn passa à l'autre série de clichés, disposés en mosaïque de l'autre côté, coincés dans l'espace étroit entre la porte et la grande vitrine. Certains étaient en couleur, d'autres en noir et blanc, mais tous semblaient récents. Il s'agissait de photos prises à divers endroits de l'île, en dehors de la place centrale. Il reconnut des vues du port, mais la plupart représentaient des dunes, du sable, des plages ou des marécages. Certaines étaient plus petites, placées dans des renfoncements afin d'apporter une petite touche décorative. Quinn avait trouvé des photographies similaires dans sa villa, quoiqu'un peu plus grandes peut-être, et Riley en possédait également quelques-unes sur sa péniche. Il s'agissait probablement de l'œuvre d'un artiste local.

Il glissa les mains dans ses poches arrière en se balançant légèrement sur les talons, séduit par la beauté naturelle des images. Le photographe était parvenu à capturer la sérénité et le caractère sauvage des paysages. Il pouvait presque entendre les vagues, sentir la brise qui faisait frémir les herbes sur les dunes, humer l'odeur salée de l'air…

Tandis que les photos de la ville avaient immortalisé les gens, leur communauté, celles-ci avaient capturé toute la singularité de Sugarberry. Elle avait beau être une simple petite ville du Sud parmi d'autres, c'était aussi une communauté insulaire, avec des éléments distinctifs qui faisaient sa spécificité.

— Elles sont belles, n'est-ce pas ?

Quinn regarda par-dessus son épaule pour découvrir une jolie brune qui se tenait derrière lui… affublée d'un tablier *Alice au pays des merveilles*. En souriant, il se retourna.

— Magnifiques, en effet. Bonjour, vous devez être Leilani Dunne. Vos cupcakes sont extraordinaires. Quinn Brannigan, se présenta-t-il en lui tendant la main.

— Merci ! (Sa poignée de main fut brève, mais ferme.) Oui, monsieur Brannigan, je sais qui vous êtes. Mais je dois dire, sans remettre en cause la qualité des photos sur vos livres, que vous êtes bien plus… charismatique, en personne.

Il la gratifia d'un grand sourire et la remercia, avant de faire un signe de tête en direction de son tablier.

— J'ai aussi remarqué celui d'Alva. J'aime bien la fantaisie, ça correspond parfaitement à l'endroit.

Rayonnante, la jeune femme rougit légèrement.

— Merci. Je collectionne les tabliers depuis que je suis toute petite. C'est amusant d'avoir un endroit où je peux tous les exhiber.

Elle souleva un plateau où étaient disposés des morceaux de gâteau qui dégoulinaient de caramel fondu.

— Je travaille sur de nouvelles recettes pour le festival d'automne. Voici mes cupcakes façon pain d'épice aux pommes avec un cœur de caramel. Ça vous dirait de me donner votre avis ?

— C'est déjà un régal pour les yeux, mais je me ferai un plaisir d'y goûter.

Il prit un pic en bois, le planta dans un des cubes et mit son autre main en coupe en dessous, au cas où le caramel coulerait.

— C'est encore un peu chaud, mais vous pouvez y aller, dit Lani.

Il obéit et ferma aussitôt les yeux tandis que des saveurs de pomme, de cannelle, de noix de muscade et de caramel crémeux se mêlaient sur sa langue. Il grogna de plaisir.

Lani s'esclaffa.

— D'accord, je crois que j'ai votre approbation. Je vais mettre celui-là sur la liste des recettes à commercialiser impérativement.

Quinn ne put qu'acquiescer en silence.

Lani commença à s'éloigner, mais Quinn eut le temps de s'emparer d'un autre morceau. En riant, elle s'en alla poser le plateau sur le comptoir.

— Est-ce que par hasard vous savez qui a pris ces photos de la plage ? demanda-t-il, après avoir médité un instant sur l'incroyable sensation procurée par une simple bouchée de gâteau. Je crois que j'en ai quelques-unes du même artiste dans ma villa.

— Je connais le photographe, dit Lani en soulevant le sac posé à côté de la caisse enregistreuse.

— Tant mieux. J'aimerais beaucoup acheter quelques épreuves. (Il désigna le sac.) C'est pour

Riley. Enfin, pour Mlle Brown. Des serviettes et un tee-shirt que je lui ai empruntés après une petite valse avec Brutus sur le port. Tout est propre.

Lani s'esclaffa.

— On a entendu parler de cette histoire. Brutus est vraiment une grosse brute pleine d'amour.

— Il paraît, dit Quinn avec un petit sourire. Pourriez-vous faire en sorte qu'elle récupère ses affaires ? Elle a dit que je pouvais les déposer ici. J'espère que ça ne vous dérange pas.

— Au contraire, ça me fait plaisir, mais vous pouvez aussi bien les lui rendre vous-même.

— Oh, ce n'est pas…

Lani fit un signe en direction de l'entrée de la boutique.

— Elle arrive.

Quinn, qui se tenait toujours devant la porte, jeta un regard par-dessus son épaule et vit Riley passer devant la vitrine.

— Très bien.

— Et vous pourrez aussi lui parler des photos.

Il se retourna vers Lani.

— Elle aussi connaît le photographe ?

Lani sourit en ouvrant d'un coup de hanche la porte battante de la cuisine.

— C'est elle, le photographe.

Chapitre 7

Riley poussa la porte de la boutique et fit son entrée au moment même où Lani retournait dans la cuisine.

— Hé, appela-t-elle, et Lani s'arrêta dans l'encadrement de la porte. Je suis là. J'ai dû passer par-devant. Le camion de Shearin bloque encore l'allée, derrière.

— Je sais, dit Lani en souriant. Alva est sortie lui parler.

Riley lui rendit son sourire.

— Vraiment ? dit-elle avec un intérêt accru. Elle a enlevé son tablier, cette fois-ci ?

Lani hocha la tête.

— Et elle s'est remis un coup de rouge à lèvres.

— Ah, c'est bien elle, toujours prête à se sacrifier pour le groupe. C'est admirable. Pauvre homme, il ne se doute pas de ce qui l'attend.

— Pauvre Sam, oui. Ça fait des années qu'il essaie de convaincre Alva de lui préparer un de ses petits plats maison, mais elle n'est tout simplement pas intéressée.

— Elle m'a dit qu'après Harold, elle ne pourrait jamais plus aimer un autre homme, dit Riley avec un soupir.

— Je sais, répondit Lani. Tu as déjà vu une photo d'Harold ?

Riley hocha la tête, et elles éclatèrent de rire.

— Mais c'est mignon, dit Riley.

— Enfin, si elle arrive à persuader Sam de ne plus garer son camion en diagonale dans l'allée à chaque livraison, c'est moi qui lui ferai un bon petit plat.

Riley haussa les sourcils.

— Malheureusement, je crois qu'il n'a d'yeux que pour Alva.

La remarque provoqua de nouveau l'hilarité de Lani.

— Elle a beau dire, je ne suis pas sûre que ça la dérange autant qu'elle voudrait le faire croire. Hé, est-ce que tu pourrais retourner la pancarte pour moi ? Mais ne verrouille pas la porte, on ne sait jamais. Franco n'est pas encore arrivé, et Charlotte a appelé pour dire qu'elle passerait ce soir.

— C'est vrai ? Ils sont revenus ?

Carlo avait emmené Charlotte à New York, afin qu'elle rencontre son immense belle-famille portoricaine.

— C'est génial ! Elle a dit comment ça s'est passé, les présentations ? Est-ce qu'ils vont aller à New Delhi pour rencontrer sa famille à elle ?

— Elle n'a pas eu le temps d'en parler, mais elle avait l'air contente. Elle va tout nous raconter ce soir. Enfin, si on arrive à lui tirer les vers du nez.

— Compte sur moi pour essayer, dit Riley en riant.

Elle posa sa boîte à ustensiles et son sac fourre-tout molletonné sur le comptoir, puis se pencha pour humer avec délices le plateau de gâteaux à déguster.

— Qu'est-ce que c'est ?

— Oh, ça. J'avais oublié que je les avais laissés là. Pain d'épice-pommes-caramel, annonça-t-elle avec un sourire un peu énigmatique. Vous allez tous y goûter ce soir. Je les ai apportés dans la boutique pour avoir l'opinion d'un nouveau client.

— Ah bon. Quelqu'un que je connais ? demanda Riley, que le sourire étrange de Lani rendait un peu perplexe.

Lani leva les yeux vers un point situé derrière Riley.

— Je crois que vous vous êtes déjà rencontrés une fois ou deux, dit-elle avant de passer dans la cuisine. N'oublie pas de retourner la pancarte ! Ne te laisse pas distraire, cria-t-elle tandis que la porte se refermait sur elle.

Riley fronça les sourcils, un peu déconcertée. Puis elle mit dans sa bouche un des échantillons de cupcake et gémit de bonheur, oubliant aussitôt tout le reste. Debout devant le comptoir, elle resta ainsi à se délecter de la moindre saveur, puis, après avoir poussé un soupir de plaisir, elle saisit ses affaires.

— Ah oui, la pancarte.

Elle se tourna vers la porte, mais fit un bond en arrière et s'arrêta net.

Quinn la salua gentiment.

— On dirait que ta mission sur terre, c'est de me donner des crises cardiaques à répétition, lâcha Riley en laissant retomber la main qu'elle avait par réflexe posée sur sa poitrine, à la façon d'une héroïne un peu godiche de roman sentimental.

— Je ne voulais pas vous interrompre, c'est tout. On dirait que vous avez une soirée intéressante en perspective. Je n'avais pas compris que c'était l'heure de la fermeture. Je ne vais pas vous déranger plus longtemps.

Il n'y avait pas la moindre trace de sarcasme dans sa voix, elle conserva donc un ton poli et désinvolte.

— On ferme plus tôt le lundi, à 18 heures. D'habitude, c'est le jour où on a le moins de clients.

— « On » ? Tu donnes un coup de main à Lani ?

— Non, je suis juste... c'est comme la famille, ici. En quelque sorte.

— D'accord, dit-il en souriant. Alors ce soir, c'est potins et pâtisseries.

Riley leva les yeux au ciel, mais ne put s'empêcher de rire.

— Je vois que tu as rencontré Alva. Elle aide à la boutique, de temps en temps.

— C'est un choix judicieux, elle est bonne vendeuse. Je ne connais pas les autres membres du club, mais on dirait que vous formez un sacré groupe. Ça a l'air marrant.

Riley haussa un sourcil.

— Ça l'est, en tout cas si on aime la pâtisserie. Je te vois mal étaler du glaçage sur des petits gâteaux, mais…

— Mes talents sont nombreux et variés. Mais tu as raison, la seule chose que j'aie jamais faite en cuisine, ce sont des biscuits avec ma grand-mère, il y a des lustres. Mais je ne suis pas sûr qu'avoir été désigné d'office découpeur de biscuits soit une réelle qualification. En plus, je devais me mettre debout sur un tabouret.

Le sourire de Riley se fit plus chaleureux, mais elle était résolue à ne pas se radoucir. Il était urgent qu'elle cesse de penser à lui tout le temps, qu'il arrête d'être aussi charmant et inoubliable. Elle n'avait vraiment pas besoin d'autres instants mémorables en sa compagnie, surtout juste avant le Cupcake Club. Il fallait qu'il s'en aille avant que Franco, à qui rien n'échappait jamais, débarque.

— Je trouve ça plutôt mignon. Je suis sûre qu'elle a beaucoup apprécié le coup de main.

— Oh oui, on avait passé un très bon moment. En fait, quand je suis entré ici et que j'ai senti toutes ces odeurs délicieuses, ça a fait remonter toutes sortes de souvenirs de la cuisine de ma grand-mère.

— Les odeurs, ça évoque toujours beaucoup de choses.

— Oui, c'est certain, confirma-t-il, tandis que ses yeux bleus cristallins s'assombrissaient peu à peu.

Riley sentit comme un fourmillement sous sa peau, mais pas parce qu'elle rougissait. C'était plutôt comme si elle avait brusquement développé une conscience accrue de tout ce qui l'entourait. La dernière conversation qu'ils avaient eue avant de se quitter résonna dans son esprit. *Une femme qui doit demander ce qu'elle vaut... sans déjà connaître la réponse.* Ou quelque chose comme ça.

— Comment tu as connu Lani ? demanda-t-il.

— Pourquoi ?

Il lui lança un sourire désarmant.

— Simplement pour faire la conversation. Je suis écrivain. Je veux tout savoir, sur les gens notamment. J'ai aimé les histoires que tu m'as racontées sur tes nouveaux amis.

Encore une autre raison pour qu'il s'en aille.

— Je, enfin... il n'y a pas grand-chose à raconter, en fait. Je suis arrivée à Sugarberry, et j'ai commencé à faire le tour de la place centrale en m'arrêtant devant chaque boutique. (Elle passa à côté de lui pour aller retourner la pancarte.) Quand j'étais styliste chez *Foodie* – le magazine culinaire où je travaillais à Chicago – j'avais entendu parler de la pâtisserie de Lani, et de toute cette histoire avec Baxter qui a fait déplacer son émission ici pour lui faire la cour et... (Et elle avait trouvé ça ridiculement romantique, mais elle préférait garder ça pour elle.) Alors j'ai décidé d'entrer. Comme on travaillait alors dans la même branche, j'ai voulu la rencontrer. Elle était en cuisine, donc j'ai un peu fouiné en attendant, et je crois que je me suis retrouvée à réarranger deux ou trois choses… un petit peu.

Quinn haussa un sourcil.

— Réarranger quoi ? Les étalages ?

— L'agencement de la vitrine était raté. Les étalages étaient bien, mais on pouvait faire mieux, et les étagères derrière la caisse n'étaient pas vraiment mises en valeur. (Riley sourit et haussa les épaules.) Je ne peux pas m'en empêcher. Je suis styliste. C'est comme ça que mon esprit fonctionne. Bref, j'étais un peu en train de déplacer des bibelots dans la grande vitrine, rien de bien méchant, seulement… quelques petits ajustements, en attendant qu'elle arrive.

— Et elle t'a prise la main dans le sac. Ou, en l'occurrence, la main dans les gâteaux.

Riley rit et sentit sa garde s'effondrer aussi vite que des cupcakes tombant d'un plateau de cristal à trois étages.

— Plutôt les doigts pleins de glaçage. J'avais, comme qui dirait, fait tomber un petit écriteau qui a un peu accroché la nappe de la vitrine et…

Quinn leva la main.

— Je crois que je visualise bien la scène.

Riley rougit, mais elle ne se sentait plus aussi gênée. Il avait pu faire l'expérience de sa maladresse, et semblait la trouver amusante, ou du moins pas rebutante. Elle éclata de rire, soulagée de constater qu'elle parvenait enfin à assumer ses défauts devant lui, et il rit avec elle. Alors, comme elle commençait à vraiment se détendre, leurs regards se croisèrent, comme toujours quand ils étaient ensemble et... *Bon sang!* Elle était de nouveau sous le charme de cet instant de communion.

Du moins, c'était comme ça qu'elle le percevait. Mais elle aurait parié que lui aussi. Le bleu de ses yeux se fit plus profond, et elle vit ses pupilles se dilater. Elle sentit sa gorge devenir sèche, ses paumes moites. Leur rire s'éteignit, mais ils restèrent là, à se regarder avec des sourires bêtes, ce qui, mystérieusement, donna encore plus d'intensité à cet instant-là qu'à tous ceux qui avaient précédé. Peut-être parce qu'ils partageaient une histoire, maintenant qu'ils se connaissaient mieux et s'appréciaient davantage...

— Bref, essaya-t-elle d'articuler courageusement, malgré la soudaine sécheresse de sa gorge, je me suis excusée pour le carnage, j'ai expliqué ce que j'étais en train de faire, et j'ai ajouté quelques suggestions. On s'est mises à parler de mon milieu professionnel, et on s'est rendu compte qu'on connaissait les mêmes personnes. (Elle haussa les épaules.) Il se trouve que c'était un lundi : la boutique aurait dû être fermée, mais Lani avait oublié de retourner le panneau. C'est pour ça qu'elle était restée dans la cuisine aussi longtemps. Des membres du club ont commencé à arriver, et elle m'a présentée. Ensuite, je ne sais pas comment j'ai atterri dans la cuisine...

— Mais tu t'es retrouvée à faire des pâtisseries, acheva Quinn.

— Exactement. Et depuis, je fais partie du groupe.

— J'imagine que ça doit te rappeler ton ancien travail. D'ailleurs, pourquoi est-ce que tu as changé ? Et déménagé ?

Ayant baissé la garde, Riley n'était pas prête à ce qu'il lui pose la question. Son embarras dut se lire sur son visage, car Quinn leva une main pour l'empêcher de répondre.

— Ça ne me regarde pas. Même les écrivains n'ont pas besoin de tout savoir. Je ne voulais pas être indiscret.

— Donnant-donnant, dit Riley. Je t'ai posé des questions sur ta famille et son histoire à Sugarberry.

Elle esquissa un léger sourire… mais ne répondit pas à la question.

— Et maintenant, décorer des résidences, ça te plaît ? Des petits plats aux grandes villas… sacré changement d'échelle. Plus grande scène, plus gros challenge. Plus gros salaire ? (Il soutint son regard un instant, puis laissa échapper un rire bref et sarcastique.) Je recommence.

Elle ne put s'empêcher de rire à son tour.

— Tu es incapable de t'arrêter, c'est ça ? Tu es plus curieux qu'une fouine.

— Je sais, dit-il avec un sourire. D'habitude, je pose les questions de manière moins impulsive, mais ton travail, à Chicago, ou ici… je trouve ça fascinant. On a tous les deux des métiers créatifs, mais totalement différents au niveau des matériaux qu'on emploie et de la façon dont on construit nos scènes. (Il haussa les épaules.) C'est intéressant, et ça me donne envie d'en savoir plus.

— Eh bien, je suis flattée, dit-elle.

Pourtant elle changea volontairement de sujet :

— Lani m'a dit que tu étais un nouveau client. Tu es passé acheter quelques cupcakes ? On devient facilement accro.

Il hésita avant de répondre.

— En fait, je passais seulement déposer tes serviettes et ton tee-shirt. (Il désigna le sac en papier, toujours posé à côté de la caisse.) Fraîchement nettoyés, comme neufs.

— Oh, merci. Même si je ne suis pas sûre qu'on puisse encore faire quoi que ce soit pour ce vieux maillot.

Son petit mensonge la titillait depuis plusieurs jours, aussi elle ajouta :

— Je le porte depuis le lycée. Mais j'apprécie l'effort, dit-elle avec un sourire.

Le sourire de Quinn réapparut sur ses lèvres, lui aussi. Celui qui lui dessinait de petites rides autour de ses yeux, et les emplissait d'une chaleur franche.

— Le lycée, hein ?

— En fait, c'était le maillot de Tommy Flanagan, précisa-t-elle avec un sourire sarcastique. Je ne restitue pas aussi vite que toi les affaires que j'emprunte.

— Un petit ami de lycée ?

Riley éclata de rire.

— Seulement dans mes rêves de gamine désespérée. Tommy était quarterback de l'équipe de football, responsable du groupe de débat et délégué de classe, tout-en-un.

— Bref, un type insupportable.

Riley sourit.

— Difficile de le détester. C'était le genre de gars que tout le monde adorait. Mais en ce qui concerne les filles, il était plutôt porté sur les pom-pom-girls… et je n'étais pas trop son genre.

— Alors comment tu as fini avec son maillot ?

Elle prit un air contrit, et ses joues rosirent légèrement.

— Disons que les moments les moins gracieux dont tu as été le témoin privilégié ont leurs racines très loin dans mon enfance. Au lycée, j'étais complètement demeurée. Ce jour-là, j'ai fait une tentative ridicule pour l'impressionner avec mes talents absolument fictifs en endurance, mais le déclenchement du système d'irrigation de la piste m'a vite refroidie.

— Aïe. Je suis désolé. Mais je suis sûr que tu avais l'air absolument charmante, dégoulinant ainsi d'eau et de bêtise au milieu du stade.

Elle éclata de rire.

— Je ne sais pas si Tommy a vu les choses comme ça, mais il s'est comporté en gentleman. Mon survêtement était blanc. Opaque quand il était sec, plus tellement une fois mouillé. On voyait les petits canards jaunes de ma culotte et de mon soutien-gorge assorti.

Quinn ferma les yeux et secoua la tête, se retenant difficilement de rire.

— Vas-y, ne te gêne pas pour moi, dit-elle. Je veux dire, une fille de seize ans qui s'affiche en sous-vêtements à petits canards n'a que ce qu'elle mérite.

Elle fit une pause, puis ajouta :

— C'était tellement sexy !

Il ouvrit un œil, croisa son regard, et ils éclatèrent de rire.

— Je suis désolé, parvint-il enfin à articuler, en essuyant ses larmes. C'est juste… ce n'est pas très sympa de ma part. Je suis sûr que tu étais adorable avec tes petits canards.

Le fou rire les reprit.

— C'est triste à dire, mais ces canards, ça me résumait complètement, confirma-t-elle en essayant de reprendre son souffle.

— Eh bien, si ça peut te rassurer, dit-il alors qu'ils s'efforçaient de se calmer, moi aussi je me suis lancé dans des tentatives athlétiques hasardeuses pour impressionner quelqu'un. Je crois t'avoir dit que j'étais plutôt maigre, à l'école. J'adorais le sport, mais j'étais trop mince pour le football, et pas assez grand pour le basket. Le baseball n'était pas non plus mon truc, alors je me suis mis à l'athlétisme. Mais j'ai chuté lors du championnat régional, durant ma première année dans l'équipe. Je voulais impressionner Amy Sue Henderson, la championne de demi-fond de l'équipe rivale, avec mes talents fous de sauteur à la perche.

Riley mit une main devant la bouche pour s'empêcher de rire.

— Et alors ? le pressa-t-elle.

— Tu sais qu'il faut courir le long de la piste, planter la perche dans la fosse, et se projeter au-dessus de la barre pour retomber sur le gros tapis de l'autre côté ?

Riley ne put que hocher la tête, des larmes de rire perlant déjà au coin de ses yeux.

— Eh bien, j'ai commencé à courir, et j'ai commis l'erreur fatale de tourner la tête, entre deux enjambées, pour vérifier qu'elle me regardait. Ses beaux yeux verts m'ont égaré et j'ai perdu le compte. J'ai planté la perche dans la piste, j'ai complètement raté la fosse, mais j'ai quand même essayé de sauter...

Riley était déjà hilare.

— La perche s'est cassée en deux et j'ai atterri dans la fosse cul par-dessus tête, complètement anéanti.

— Et tu ne t'es pas blessé ?

— C'est surtout pour mon ego et ma confiance en moi que ç'a été douloureux. J'ai cru que je n'allais jamais m'en remettre.

— Et Amy Sue, qu'est-ce qu'elle a fait ?

— Disons qu'elle n'était pas aussi bien élevée que ton Flanagan. Elle et ses coéquipières étaient mortes de rire.

— Quelle pétasse, murmura Riley.

Quinn sourit.

— Ce fut cruel, mais j'en ai tiré une leçon, ce jour-là.

— Laquelle ?

— Qu'il faut éviter d'aller trop vite, et toujours faire attention à l'endroit où on plante son grand bâton, par exemple ?

Riley faillit s'étouffer.

— Je n'arrive pas à croire que tu aies dit ça.

— Désolé, dit-il en riant avec elle, les yeux brillants de malice. En fait, j'ai appris à être plus réaliste dans mes aspirations, aussi bien sur la piste que dans la vie. Et à rester concentré sur le plus important.

— Et tu as pu revenir dans la compétition ?

— J'ai participé tant bien que mal aux trois épreuves où j'étais inscrit. Je ne me souviens plus de tous les détails. Malheureusement, pas de fin hollywoodienne où je domine toute la compétition et rapporte à la maison toutes les médailles. Mais l'année suivante, j'avais gagné en poids et en taille. J'avais travaillé très dur, et je me suis plutôt bien débrouillé.

— Du décathlon, tu m'as dit. C'est impressionnant.

Il haussa les épaules avec un sourire dont la touchante modestie lui sembla bien dangereuse pour son petit cœur.

— J'en ai fait en terminale. J'essayais peut-être juste de faire mes preuves auprès de toutes les Amy Sue du monde.

— C'est peut-être ce qu'on fait toujours, d'une certaine façon, conclut Riley, qui comprenait ce sentiment.

Il redevint un peu plus sérieux et leurs yeux se rencontrèrent de nouveau mais, pour une fois, il ne la cloua pas sur place avec son regard pénétrant.

Elle lui en fut d'autant plus reconnaissante qu'il ne pouvait savoir combien le fiasco avec Jeremy avait fait remonter à la surface tout ce manque d'assurance qui, même si elle y travaillait, demeurait un sujet sensible.

Quinn se retourna et fit un signe de tête en direction des photos encadrées sur le mur.

— Lani m'a dit qu'elles étaient de toi.

— Oui, répondit-elle, heureuse de changer de sujet.

— Elles sont vraiment bonnes. Je suppose que celles qui sont dans la villa et dans la péniche sont aussi de toi ? J'aurais dû m'en douter.

Elle haussa les épaules.

— Je ne vois pas comment tu aurais pu le savoir.

— C'est David qui s'est occupé de tous les papiers pour garder les meubles et la déco, mais j'ai quand même parcouru l'inventaire pour m'assurer qu'on n'avait rien oublié. Je ne t'ai pas vue dans la liste en tant que loueuse ou acheteuse.

— La plupart des maisons dont je m'occupe sont sur l'archipel, donc j'utilise parfois mes photos pour la déco.

— Alors il y a des photos prises sur les autres îles ?

Elle jeta un coup d'œil aux images choisies par Lani pour sa pâtisserie. L'une d'elles représentait une des tables de pique-nique situées dans les dunes près de chez Lani. Ce lieu avait joué un rôle important dans son histoire avec Baxter, du temps où il la courtisait. Comme elle en avait parlé une fois au Cupcake Club, Riley était partie en exploration, avait trouvé l'endroit et l'avait photographié pour l'offrir à Lani lors de leur premier anniversaire de mariage. Ils avaient encadré chez eux un autre tirage en mat de la même prise de vue, mais dans un format plus grand.

— J'en ai quelques-unes, mais celles-ci ont toutes été prises à Sugarberry.

Elle se rappela ces moments passés à se promener au hasard avec son appareil-photo, Brutus lui ouvrant la voie. Cela la fit sourire. Elle avait des albums entiers de photos de son chien en train de trouver ses repères sur l'île, tout comme elle.

— C'est notamment en la photographiant que je suis tombée amoureuse de l'île, murmura-t-elle, avant de se rendre compte qu'elle avait prononcé ces mots à haute voix.

— Je comprends pourquoi, dit-il en se plaçant à côté d'elle.

Elle avait toujours les yeux posés sur les clichés, mais beaucoup d'autres images se bousculaient dans son esprit. Aucune n'était encadrée ni exposée sur un mur.

— Je n'avais pas l'intention de te priver de tes œuvres, dit-il. Je suppose que, normalement, tu récupères tes photos après la visite de la maison. Si tu veux que je te les rapporte, pas de problème. (Il se tourna vers elle.) Mais je préférerais les conserver, au moins quelques-unes. Je demanderai à David de s'occuper de la compensation…

— Elles peuvent toutes rester, pas besoin de compensation.

Pourquoi fallait-il que chaque mot, chaque regard, l'affecte à ce point ?

— Mais si jamais tu en as besoin pour le travail…

— Pas de souci, assura-t-elle. J'en ai plein, et j'en prends toujours plus.

— Merci, ça me fait plaisir. Ces photos jouent beaucoup dans mon impression que la villa est… l'endroit qu'il me faut. (Il laissa échapper un rire bref.) Ça, c'est de la description !

Elle lui sourit. Elle voyait parfaitement ce qu'il voulait dire.

— Je suis ravie que tu les aimes.

— Est-ce que Lani vend tes photos ? Si oui, je…

Riley secoua la tête.

— Je les lui ai offertes parce qu'elle n'arrêtait pas de me harceler après en avoir vu quelques-unes dans ma péniche. Elle m'a proposé plusieurs fois d'en mettre en vente dans sa boutique, avec une commission. Mais je ne sais pas si ça a du sens, de vendre mes travaux. Je prends des photos quand j'ai envie de capturer ce que je vois. Si je pense qu'elles parleront à quelqu'un d'autre, je les lui offre. C'est toute la satisfaction que j'en tire et dont j'ai besoin. C'est un hobby, un plaisir personnel. Je ne veux pas que ça devienne un métier.

— En tout cas, pour un hobby, c'est magnifique. Si jamais tu changes d'avis, mon offre tient toujours.

— Merci, je m'en souviendrai.

— Et les photos plus anciennes ? demanda-t-il en s'approchant des images en noir et blanc suspendues de l'autre côté de la porte. Il y en a aussi quelques-unes dans ma villa.

— Lani est tombée dessus en vidant la boutique, juste après l'avoir achetée. Elle était restée à l'abandon un certain temps, et il y avait des tas de cartons qui traînaient.

— Jolie trouvaille. J'aime bien les contrastes historiques. Ancien et récent, passé et présent. Et les photos anciennes qui se trouvent dans la villa, elles viennent aussi d'ici ?

— Non. Cette maison est restée vide pendant un long moment. L'ancien propriétaire l'utilisait comme résidence secondaire, il y a plusieurs dizaines d'années de cela. Il a été malade pendant très longtemps, et la maison n'a pas été entretenue. À sa mort, il y a quelques mois, son exécuteur testamentaire l'a mise sur le marché. Deux investisseurs ont fini par l'acheter pour la rénover et la moderniser ; ils en ont vraiment fait quelque chose d'intéressant, comme tu as pu le voir. Elle sort du lot, surtout ici, à Sugarberry. Les photos qui sont chez toi étaient déjà sur les murs, ou dans des cartons que les nouveaux propriétaires n'ont pas jetés, heureusement. Je les ai dénichées dans une des chambres de l'étage, et j'ai décidé de m'en servir. Elles vont avec la maison.

— Ça c'est sûr, elles vont très bien avec, confirma-t-il, même s'il avait bien compris que les photos étaient comprises dans le contrat de location. Elles sont complémentaires des tiennes. Leur auteur et toi avez des points de vue très similaires. C'est assez intéressant, quand on y réfléchit. Deux personnes qui ne se sont jamais croisées, qui ont vécu à des époques différentes, mais qui sont toutes deux inspirées par les mêmes endroits, chacune les capturant sous un certain angle…

Elle sourit et se surprit à lui donner un coup de coude.

— Quel écrivain tu fais !

— Conteur, rectifia-t-il. Et oui, je ne peux pas m'en empêcher. Je suppose que c'est comme ça que je vois le monde et que je le décris. Je pense à l'histoire qui se cache derrière, ou qui pourrait s'y cacher si c'était moi qui la racontais.

— Est-ce que tu as toujours su que tu étais conteur ?

— Eh bien… j'ai mis pas mal de temps à trouver ma vocation mais, avec du recul, je me rends compte qu'il y a eu des indices tout du long. Et toi, tu as toujours eu ce sens du cadre et du décor ? Que ce soit en les observant derrière l'objectif, ou en les disposant devant ?

Elle sourit.

— Toute petite, je m'amusais à ordonner mes peluches, ou à disposer ma dînette pour un petit goûter, alors… oui, on peut dire ça.

Il lui adressa un grand sourire.

— Et tu t'es tout de suite dirigée vers cette carrière ?

— Oui, George le petit curieux.

Il s'esclaffa.

— Une fouine, et maintenant un singe de dessin animé… Je suis un bestiaire à moi tout seul ! Mais j'en ai assez de m'excuser. La curiosité, c'est plus fort que moi, quand le sujet m'intéresse.

— Tu t'intéresses à la décoration d'intérieur ?

— Non, dit-il en la regardant dans les yeux. À la décoratrice.

Elle n'était pas prête à ça. L'intensité de son regard était telle qu'elle resta sans voix.

— *Bonsoir, mes petites pâtissières*[*] ! cria Franco en entrant dans la boutique. Oh ! (Il faillit leur rentrer dedans et s'arrêta net.) Je ne vous avais pas vus. (Il dévisagea Quinn ostensiblement.) Monsieur Brannigan, je présume ?

Quinn garda les yeux rivés sur Riley encore une fraction de seconde, puis se tourna vers Franco.

— Je vous en prie, appelez-moi Quinn.

— Franco, répondit celui-ci en lui tendant sa grande main, que Quinn serra rapidement.

Le regard de Franco alla de l'un à l'autre, et Riley lut dans son attitude un mélange d'inquiétude et de malice.

— Lani est en cuisine et Alva est à côté, dit-elle. (Elle lui adressa un clin d'œil, essayant de détourner l'attention.) Elle s'occupe de Sam. Et Charlotte est revenue ! Elle sera là ce soir.

Franco applaudit.

— Un menu bien épicé en perspective, dit-il sans quitter Riley des yeux. Tu comptes te joindre à nous ?

— Oui, oui. Quinn – monsieur Brannigan – était juste passé me déposer quelques affaires.

— Ah, le fameux tee-shirt, dit Franco, posant sur Quinn un regard visiblement curieux. Je vois.

— Je t'ai fait perdre assez de temps, dit Quinn à Riley, avant de se tourner vers Franco. C'était un plaisir de vous rencontrer. Merci pour cette conversation qui a nourri la fouine et le singe curieux, ajouta-t-il à l'intention de Riley. Ils ont beaucoup apprécié.

Elle ne put s'empêcher de sourire, même avec Franco qui ne ratait pas une miette du spectacle.

— Ils ne m'ont pas vraiment laissé le choix.

— On a toujours le choix, dit Quinn, qui esquissa une légère courbette avant de sortir.

Immédiatement, Riley leva une main devant le beau visage de Franco.

— Pas de commentaire. Je n'en ai pas envie. Compris ?

Elle le dévisagea, s'attendant à une moue boudeuse ou à un sourire diabolique. Mais son expression était absolument indéchiffrable. Cela ne lui ressemblait pas du tout, et elle ne savait pas trop ce qu'elle devait en penser.

— D'accord.

Il posa la main dans son dos et la guida vers le comptoir, où elle avait posé ses ustensiles de cuisine.

— C'est tout ? s'étonna Riley. Tu te sens bien ?

— Ça faisait longtemps que je ne m'étais pas senti aussi bien, dit-il avant de la surprendre en lui déposant un baiser sur le front. Mais souviens-toi que je serai toujours là si tu as besoin de moi.

Ce fut à son tour de le surprendre, en se retournant spontanément pour le serrer fort dans ses bras.

— Je sais que tu seras là. (Elle leva les yeux vers lui et sourit.) J'ai beaucoup de chance de t'avoir.

Il se baissa pour l'embrasser sur le nez.

— Tu n'as pas idée à quel point, chérie.

Ils éclatèrent de rire et entrèrent dans la cuisine.

Chapitre 8

— J'ai bientôt terminé, mentit Quinn.

Il coinça le téléphone sur son épaule pour changer de vitesse et faire entrer sa Porsche Carrera dans l'étroit parking situé derrière le restaurant de Laura Jo. Avant de sortir de la voiture, il voulait d'abord terminer sa conversation avec son éditrice.

Il faisait déjà lourd et, même si on était enfin en septembre, il savait que la journée serait une vraie fournaise. Pour l'instant, une petite brise matinale entrait par les fenêtres ouvertes de l'auto, portant avec elle les succulentes odeurs de bacon frit et de café fraîchement torréfié qui s'échappaient par la porte grillagée de la cuisine du restaurant. Quinn en avait l'eau à la bouche.

Il avait pris l'habitude de s'offrir un petit déjeuner chaud, quelques matinées par semaine. Ces délicieux fumets, qui n'étaient rien en comparaison du festin qu'ils annonçaient, lui donnaient une raison supplémentaire de terminer son appel au plus vite.

— Bien, très bien ! Alors… est-ce que tu peux me donner une date ? S'il te plaît, supplia Claire. Pour que je puisse jeter quelque chose en pâture aux requins qui m'encerclent.

— Je m'en doute, et je suis désolé. Vraiment. Mais ce n'est pas comme si on était en retard sur le planning.

— Je sais, je sais. Mais d'habitude, on a déjà une date de publication, à ce stade. Tu ne peux même pas me donner une toute petite piste ?

Quinn soupira. Il avait prévu qu'on lui mettrait la pression tôt ou tard, mais pas que la grande offensive serait lancée aussi vite. Il aurait dû s'y attendre : avec la concurrence des multiples gadgets du monde moderne, et une variété toujours croissante de formats de publication, toutes les maisons d'édition de New York étaient sous pression et faisaient des pieds et des mains pour s'assurer de la viabilité de leurs listes de publications à venir. Or, en tant qu'auteur-phare dans son secteur, Quinn était tout en haut de cette liste. L'annonce d'un nouveau livre suffirait à calmer les requins pour un petit moment, de l'éditeur aux distributeurs, jusqu'au maillon le plus important de la chaîne : le lecteur.

Et personne n'avait plus envie que lui de satisfaire ce dernier.

— Claire, dès que je serai en mesure de donner une date, tu seras la première informée. Tu me connais : je ne suis jamais en retard, et je ne te laisserai pas tomber. Alors dis simplement à tout le monde de se calmer. Ils auront un nouveau Brannigan pour le programme de l'an prochain. Je n'avancerai pas plus vite en ayant trop de pression sur le dos.

— Bien sûr, mais tu sais bien que je ne te dérange que si je n'ai pas le choix, dit-elle, désormais toute contrite.

— Oui, et je suis ravi qu'on soit d'accord. J'ai hâte d'avoir tout le temps qu'il faut pour écrire tranquillement, ajouta-t-il d'un ton appuyé.

— Bien sûr, acquiesça-t-elle, même s'il était clair pour tous les deux que ce temps était à présent officiellement limité. Et sinon, tu te plais en Géorgie ? lui demanda-t-elle, ce qui était un moyen détourné de s'enquérir des effets de l'exil sur son inspiration.

— Super. Mieux que ce que j'aurais cru.

— Bien, très bien ! dit-elle, visiblement emballée par la nouvelle.

Il savait qu'elle allait saisir la balle au bond. « Il est en veine ! » allait-elle leur dire.

— C'est toujours un plaisir de te parler, Claire, dit-il, voyant là l'occasion de la quitter sur une note enthousiaste. Je te rappellerai.

Elle était censée comprendre que c'était lui, et non elle, qui prendrait l'initiative de leurs échanges téléphoniques, mais ils savaient l'un comme l'autre qu'elle n'en tiendrait pas compte.

— C'est bien d'avoir de tes nouvelles, Quinn, dit-elle avec une touche d'affection sincère dans la voix, à présent qu'elle avait rempli ses obligations professionnelles. Tu sais, si tu veux m'envoyer des extraits, pour que je mette en place une stratégie de marketing…

Il leva les yeux au ciel, mais il souriait. Claire ne changerait jamais. Elle n'en avait jamais tout à fait fini avec son métier. Il ne l'en blâmait pas. C'était grâce à sa ténacité de pit-bull déguisé en aimable petit caniche qu'elle était devenue une brillante éditrice, et lui-même en profitait quand elle se battait en interne pour lui grappiller le moindre pctit avantage de promotion ou de placement.

— Tu sais bien que je ne travaille pas comme ça, dit-il avec chaleur. J'écris dans tous les sens jusqu'à ce que le livre soit terminé. Ça n'a pas changé.

Elle s'esclaffa.

— Ça ne coûte rien d'essayer. Et puis, tu sais bien qu'au fond, je ne suis qu'une fan qui a hâte de voir ce que tu nous prépares.

Si tu savais…, se dit-il, sentant son estomac se nouer.

Le pire, c'était qu'il était conscient qu'elle disait la vérité. En plus d'être très avisée en matière de marketing, de placements et d'affaires en général, elle était intimement attachée à son travail. Elle n'acceptait pas seulement ses livres parce qu'ils se vendaient bien, mais aussi par coup de cœur. Elle faisait partie de son lectorat-cible.

C'était cette complémentarité qui faisait d'eux une bonne équipe. Il appréciait sa contribution sur tous les sujets, mais en particulier pour les histoires – bien plus qu'elle ne pouvait l'imaginer. Et pourtant, les règles du jeu ne facilitaient pas la communication. Ces derniers mois, il avait été fortement tenté d'attraper son téléphone pour lui demander son avis à propos de la nouvelle direction que prenait son travail en cours. Pas pour obtenir sa bénédiction ni pour anticiper la crise de panique qu'une telle révélation pourrait provoquer, mais pour parler du roman lui-même. Bien plus que d'une analyse de marché, c'était de ce type d'échange dont il avait besoin pour prendre une décision.

Le problème, c'était qu'elle jouait dans les deux camps. Il ne pouvait pas évoquer son idée sans annoncer la nouvelle à toute la maison d'édition, ni lui demander de ne rien révéler jusqu'à ce qu'il ait décidé de faire une annonce publique. Or il n'y était pas prêt pour le moment. C'était aussi la raison pour laquelle il n'en avait pas parlé à d'autres écrivains. Il avait beau pouvoir compter sur leur confiance, les enjeux allaient au-delà d'une simple discussion sur l'écriture. Le fait qu'un auteur ayant autant de succès dans un genre envisage de retourner sa veste constituait un scoop bien trop croustillant pour demeurer longtemps secret, surtout au vu de la concurrence acharnée qui faisait rage.

S'il se décidait à passer à autre chose, il aurait besoin de contrôler au maximum le moment de la grande révélation. Il devrait en informer Claire immédiatement. Ce serait du suicide de rendre le manuscrit à Claire en la mettant devant le fait accompli. Mais il avait besoin d'être parfaitement sûr de sa décision avant de lui en parler, histoire de pouvoir défendre le livre avec autant d'enthousiasme que possible et de s'assurer que le roman serait bien reçu.

—On se reparlera bientôt, conclut Claire.

Une fois encore, il se mordit la langue, et ne mentionna pas le trouble dans lequel il était plongé.

—Je sais, dit-il simplement, acceptant l'inévitable. Prends soin de toi.

Il raccrocha, et son sourire s'évanouit. Il soupira, enleva ses lunettes de soleil et les suspendit au rétroviseur. Les dragons avaient officiellement commencé à cracher des flammes.

En descendant de voiture, il s'efforça d'oublier ses contrariétés et se concentra sur les plaisirs qui l'attendaient : les œufs au bacon de Laura Jo, le meilleur café du monde, les sourires amicaux et l'accueil chaleureux des gens du coin.

Il s'était d'abord demandé s'il ne faisait pas une erreur, et si traîner sur l'île ne finirait pas par lui apporter plus de distractions qu'il n'en avait besoin. Grâce à un petit article paru dans le journal local, qui annonçait son installation dans l'ancienne maison des Turner et mentionnait les liens familiaux qui le rattachaient à l'île, tout le monde savait qui il était, même ceux qui n'avaient jamais entendu parler de lui trois ou quatre semaines auparavant.

C'était précisément grâce à ces liens, pourtant ténus, avec Sugarberry que les autochtones l'avaient instantanément accepté comme l'un des leurs. Il avait été bien accueilli et, à part un signe de tête et un salut amical, la plupart des gens le laissaient tranquille. Il appréciait la chose plus qu'il n'aurait pu l'imaginer. Les habitants de l'île étaient très fiers de son succès – un garçon du coin qui a réussi –, et cela aurait pu devenir un peu lourd, mais il le ressentait comme un soutien agréable et chaleureux.

Il n'avait pas mesuré à quel point il s'était senti seul et en manque d'affection, ces dernières années. Il se considérait comme quelqu'un de sociable et d'impliqué, participant à des œuvres de charité, ou jouant au golf avec d'autres auteurs quand il en trouvait le temps. Il était en contact permanent avec David et Finch, voyageait souvent pour visiter les endroits qu'il décrivait dans ses romans, et était amené pour ses recherches à rencontrer des personnes de toutes sortes et de tous milieux. Si on lui avait posé la question, il aurait affirmé mener une vie bien remplie, riche, intéressante.

Pourtant, en l'espace d'un mois à peine, l'île dans son ensemble était devenue aussi confortable à ses yeux que la villa qu'il avait adoptée dès l'instant où il y était entré. Il se sentait chez lui et aurait aimé que ça soit vraiment le cas. Même s'il s'apprêtait à prendre une décision monumentale, il n'avait pas le souvenir d'avoir éprouvé un lien pareil avec un lieu. Il avait l'impression d'avoir pris racine, les orteils dans le sable, la brise marine sur la peau, entouré du soutien tranquille et loyal que tout le monde lui offrait si généreusement. Dans ces conditions, il aurait dû être libre de réfléchir, penser, inventer des histoires… si seulement il était parvenu à déterminer quelle histoire il allait raconter.

Il n'était pas bloqué. Au contraire : son problème, c'était qu'il hésitait entre deux versions. D'abord, celle qu'il savait pouvoir écrire pour l'avoir déjà couchée sur le papier une bonne dizaine de fois, et qui était sans conteste une idée solide, passionnante. Ça donnerait un bon roman, qui se vendrait sans souci.

Et puis il y avait l'autre version, bien plus séduisante, semblable à un chemin sombre qu'il emprunterait sans aucune expérience, aucune certitude sur laquelle se reposer. Cette histoire faisait continuellement irruption dans son esprit et le charmait comme le chant d'une sirène. Elle promettait des sueurs froides, de l'amusement et une excitation grisante, même s'il savait qu'il y avait plus d'une chance sur deux pour que sa carrière parte en flammes.

La question s'imposait : devait-il risquer de se brûler les ailes en essayant de dompter le feu et d'en faire un brasier lent et régulier, grisant et excitant, qui pourrait le nourrir pour de nombreuses années à venir ?

— J'aimerais tellement savoir, murmura-t-il en gravissant les quelques marches qui menaient à la porte de derrière du restaurant.

Il avait besoin de fuir les quatre murs de sa maison… et l'écran de son ordinateur. *Écris ce que tu sais écrire… rends tout le monde heureux… n'abandonne pas une recette qui marche* : voilà ce qui résonnait dans sa tête lorsqu'il s'asseyait pour travailler. Et, très souvent depuis quelque temps, ces mots le poussaient à s'échapper de l'autre côté des dunes, sur la plage.

Mais même courir sur le sable ou nager dans les vagues jusqu'à épuisement ne l'aidait pas à réduire les voix au silence… ni à céder à leur appel. Il savait que le processus de création était imprévisible, aussi gardait-il l'espoir, chaque fois qu'il descendait sur la plage, que la révélation viendrait, qu'il suffirait d'un signe pour qu'il tourne le dos au séduisant chant des sirènes qui le tourmentait, et reste fidèle à cette recette qu'il avait mis tant de temps à élaborer. Il avait déjà gagné la confiance de son agent, de son éditeur et, surtout, de ses lecteurs. Allait-il les laisser tomber, comme un sale type qui trompe sa femme ?

Mais il y avait un problème bien plus important. Ces longues courses censées lui clarifier l'esprit produisaient l'effet inverse.

Dès qu'il trouvait le bon rythme, ses pensées divaguaient, et les dialogues de ses personnages laissaient la place aux échos d'autres conversations – bien réelles celles-là –, de rires partagés et d'idées échangées… puis une image venait peu à peu danser devant ses yeux : celle d'une paire de fossettes dévastatrices et d'une bouche dont il avait passé beaucoup trop de temps à rêver sans même l'avoir goûtée.

Ce qui aurait dû être un saut rapide et sans conséquences à la pâtisserie la semaine précédente n'avait été ni rapide ni dépourvu de conséquences. Chaque fois qu'il rencontrait Riley, il en apprenait un peu plus à son sujet, et la tentation grandissait. Il avait d'abord essayé de se convaincre qu'il se servait de cette attirance pour se distraire du choix cornélien. Mais il avait suffisamment écrit pour reconnaître une diversion, et Riley Brown appartenait à une autre catégorie. Il ne pouvait imaginer l'oublier un jour.

Quinn ouvrit la porte de la cuisine et salua Laura Jo et ses cuistots d'un bref signe de tête. Ils étaient tous très occupés à préparer et dresser des assiettes, qu'ils glissaient par le passe-plat entre la cuisine et la salle. La première fois que Quinn était venu, il était entré par la cuisine par erreur, pensant qu'il s'agissait simplement de la porte de derrière, puisque c'était là que se trouvait le parking. Mais il avait appris par la suite que la plupart des gens vivaient ou travaillaient à proximité, et venaient donc à pied. Quant aux touristes occasionnels et aux promeneurs, ils se garaient devant, le long du trottoir. Si bien qu'en général, les seules voitures présentes dans le parking appartenaient à Laura Jo et à son équipe.

Laura Jo avait pensé que Quinn se glissait par la cuisine pour passer incognito, ce qui avait bien fait rire Quinn. Malgré ses chiffres de ventes et son portrait souriant étalé sur les jaquettes de ses livres dans le monde entier, il était comme tous les autres auteurs de best-sellers : un nom connu mais sans visage.

Au mieux, des gens le regardaient parfois avec l'air de se demander où ils l'avaient déjà vu. Il avait trouvé ça très drôle quand Laura Jo l'avait discrètement placé au fond du restaurant, juste à côté de la porte de la cuisine, avant de lui glisser en douce toutes sortes de petites bouchées à grignoter. Il avait apprécié sa délicatesse, même si, en temps normal, ça n'aurait pas été nécessaire. Mais Sugarberry était un vrai village, où tout se savait ; aussi avait-il accepté l'intimité qu'on lui offrait, cette chance de pouvoir songer à son histoire sans être interrompu.

Malheureusement, à Sugarberry, nul ne pouvait prétendre à un peu de tranquillité, quel que soit l'endroit. D'un autre côté, puisqu'il avait été adopté si rapidement et avec autant de chaleur par les habitants, au lieu de trouver leurs sourires et leurs joyeux saluts intrusifs et étouffants, il les appréciait.

Partout où il mettait les pieds, tout le monde levait sa tasse ou lui lançait une salutation amicale. Certains jours, les gens venaient lui parler, d'autres fois ils le laissaient à ses méditations, mais il était toujours accueilli avec joie et simplicité. Et au lieu de rester plongé dans ses pensées ou d'observer la scène en silence, il se surprenait à participer activement aux conversations qui démarraient autour de lui, comme la plupart des habitués du restaurant. Chacun parlait à tout le monde, et tantôt les conversations s'entremêlaient, tantôt elles reprenaient chacune de leur côté. Il appréciait beaucoup de donner et de recevoir, de se retrouver ainsi impliqué auprès de gens dont il découvrait la vie au fur et à mesure.

Pour perpétuer l'amusante complicité qu'il partageait avec Laura Jo, il avait continué à entrer par-derrière... et à prendre la table du fond, près de la porte de la cuisine, surtout parce que Laura Jo lui offrait chaque fois ses délicieuses petites bouchées.

Il entra dans le restaurant ce matin-là et fut accueilli par un concert de salutations, des hochements de tête et des levers de tasses. Il lança un sourire à la ronde, ainsi qu'un petit signe, et s'installa à sa table, où était déjà posée une copie du *Daily Islander*, même s'il était à peine 9 heures du matin. Il avait découvert que les insulaires se levaient tôt, et il savait qu'il était au moins la cinquième personne à s'asseoir à cette table ce matin-là. Il aimait faire la grasse matinée, c'était même l'une des choses qu'il préférait dans son métier d'écrivain, mais il avait quelque peu perdu cette habitude depuis son arrivée à Sugarberry. Il commençait à se lever peu de temps après le soleil.

Il n'avait jamais fait autant d'exercice lorsqu'il vivait en ville, et il appréciait cette nouvelle activité. Il redécouvrait les joies d'un train de vie plus paisible... et pouvait s'accorder l'immense plaisir de s'attarder devant un bon repas ou autour d'une bonne tasse de café. Il se renfonça confortablement dans son siège, et la tension accumulée dans sa nuque et dans ses épaules se relâcha peu à peu. Puis il prit le journal et se souvint avec un grand sourire qu'on était jeudi.

Le jour où paraissait la rubrique d'Alva.

Laura Jo apparut avec une tasse de café frais agrémenté d'un sucre et de deux doses de crème.

— Merci, dit-il en se demandant comment il avait un jour pu aimer le café noir et amer, alors qu'il ne le buvait plus désormais que richement accompagné. Ce bacon sent incroyablement bon.

— Tant mieux. Je vous en apporte quelques tranches, avec un œuf sur le plat et deux tranches de pain grillé.

Quinn ferma les yeux, anticipant déjà son plaisir.

— Je vous remercie de tout mon cœur et de toute mon âme, même si mes artères protestent.

— Allons donc ! Un beau garçon comme vous ! Seul mon Johnny vous valait bien. Paix à son âme.

— Bien sûr, sourit Quinn. Merci beaucoup.

Elle servait plus ou moins le même type de flatterie chaque fois qu'il venait, et il était presque sûr qu'elle en faisait autant avec tous les autres clients, avec la même sincérité. C'était ce qui faisait son charme, et qui ne manquait jamais de le faire rougir.

— Je reviens, dit-elle avec un clin d'œil.

Il lui fit un signe de tête en souriant, prit une nouvelle petite gorgée de son café sucré et crémeux, et ouvrit le journal à la page de la rubrique d'Alva. C'était censé être une rubrique de conseils, mais son utilité réelle était… difficile à définir. Les gens envoyaient des courriers pour demander conseil, mais ça ne semblait être qu'une excuse fumeuse pour colporter des ragots sur tous les habitants de l'île. Alva ne nommait jamais personne, mais tous les habitants de Sugarberry – la totalité du lectorat du journal, donc – savaient bien sûr précisément à qui elle faisait référence. Elle liait en effet chaque « conseil » à une anecdote haute en couleur, relatant ce que telle personne de sa connaissance avait fait à telle autre. Il en sortait rarement un portrait flatteur, mais le ton, toujours amusant, évitait de rendre la potion trop amère – sauf peut-être pour la personne réprimandée pour sa mauvaise conduite. Mais comme cela semblait en général assez mérité… Quinn ne s'en voulait pas trop de s'en amuser.

Il se demandait si les gens qui envoyaient leur courrier s'imaginaient vraiment qu'ils allaient conserver l'anonymat, et il avait donc quelques soupçons quant à la véracité de ces lettres… Mais, en tant que conteur-né, il avait grandement apprécié les quelques rubriques qu'il avait lues jusqu'à présent, et attendait désormais avec une impatience amusée de découvrir une nouvelle série d'anecdotes cocasses en prenant son petit déjeuner.

Laura Jo sortit de la cuisine un instant plus tard et glissa devant lui une assiette fumante. C'était un assortiment de plats typiques de la cuisine du Sud, qu'il adorait. En plus de son œuf au bacon grillé, il avait dans son assiette des pommes de terre sautées, un petit bol de gruau de maïs et un biscuit au babeurre friable et fondant à la fois. Le tout était accompagné de petits pots : l'un de beurre de pommes, l'autre d'une sauce au jus de saucisse ; enfin, Laura Jo lui versa une deuxième tasse de café pour remplacer celle qu'il avait déjà vidée. Il tenait là sa propre définition du « grand au-delà » dont parlait son grand-père. Il risquait d'ailleurs d'y monter plus vite que prévu s'il continuait à manger comme ça, se dit-il avec un petit rire… avant d'attaquer son repas.

Lorsque Laura Jo s'arrêta à sa table pour remplir de nouveau sa tasse de café, Quinn la regarda droit dans les yeux, qu'elle avait gris et pétillants.

— Voulez-vous m'épouser ?

— Eh bien, maintenant que mon cher Johnny nous a quittés… je suis libre, répondit-elle du tac au tac. Bien sûr, je m'attends à ce que vous m'enleviez loin d'ici.

Il lui jeta un regard faussement horrifié.

— Pourquoi ferais-je une chose pareille ?

Elle se pencha et s'appuya sur la table, la faisant ployer légèrement, tout en tenant adroitement son plateau dans l'autre main.

— Si j'arrive à préparer les plats que vous dévorez dans une minable petite cuisine où, pour que la moitié du matériel fonctionne, il faut hurler dessus, ou distribuer des coups de pied et des coups de poing, imaginez ce que je pourrais vous mitonner avec ce réfrigérateur Viking flambant neuf qui trône dans votre cuisine, paraît-il. (Elle papillonna des cils en se redressant.) On n'aura qu'à dire que c'est votre dot.

Quinn éclata de rire et lui fit un baisemain.

— Prenez-moi, je suis tout à vous !

Elle se libéra la main et lui donna une tape avec son torchon, mais il eut le temps de voir qu'elle avait rougi.

— Chenapan !

— Alléchante séductrice !

Elle rit, en lui donnant cette fois-ci un coup de torchon sur la jambe.

— Ce n'est pas parce que vous êtes doué avec les mots que ça vous donne le droit de me faire du plat, dit-elle avant de repartir vers sa cuisine.

— Heureusement que Johnny n'est pas dans les parages, ou je devrais lui dire de surveiller ses arrières, cria-t-il tandis que la porte se refermait derrière elle.

Le sourire aux lèvres, il poursuivit son petit déjeuner avec une énergie retrouvée. Il mangeait comme un affamé, mais il savait que c'était l'indécision dont il était la proie, et non la faim, qui rendait la bonne chère si réconfortante.

Il entama la lecture du sermon d'Alva qui, s'appuyant sur l'anecdote d'un certain vendeur d'articles de pêche qui aurait mieux fait de garder ses appâts dans la glace, expliquait combien il était néfaste de convoiter la femme de son prochain… Immédiatement, les pensées de Quinn dérivèrent. L'image de Riley Brown s'imposa à son esprit : il imagina ses lèvres pulpeuses, à peine entrouvertes, son chemisier dégrafé, et un glaçage au chocolat étalé sur ses…

— Eh bien, regardez-moi qui vient là, à peine sorti du lit, dévorer sa part comme un grand gaillard.

Tiré de sa petite rêverie coupable, Quinn sursauta, heurta la table et faillit renverser son café. Il se dépêcha de tout remettre en place et leva les yeux pour tomber nez à nez avec la minuscule Alva Liles, qui lui souriait.

— Bonjour, Alva. Qu'est-ce qui vous amène, en cette belle matinée ?

Mal à l'aise, Quinn remua sur son siège, heureux que la nappe lui retombe sur les genoux. Il était persuadé que ses pensées se lisaient sur son visage comme une enseigne au néon. Mais Alva faisait cet effet-là à tout le monde.

Malgré ses quatre-vingt-trois ans bien sonnés, rien n'échappait à ses yeux de faucon : elle repéra immédiatement la page à laquelle il avait replié le journal.

— Tu lis ma rubrique de la semaine ? demanda-t-elle, rayonnante.

— Oui, je la lis toujours, dit-il, ravi de pouvoir se concentrer sur autre chose que Riley.

Comme si Alva avait lu dans ses pensées – plus il la connaissait, plus il était persuadé qu'elle avait des pouvoirs d'extraterrestre –, elle s'assit en face de lui.

— Est-ce que je peux te poser une question indiscrète ? lâcha-t-elle. Tu as le droit de me dire que je suis une vieille casse-pieds qui devrait se mêler de ses affaires, je ne serai pas vexée.

Quinn, qui n'imaginait pas qu'on ose faire ce genre de remarque à Alva, se contenta de hocher la tête. Il se préparait au pire.

— Je me demandais si tu étais… engagé dans une relation. Avec une femme, je veux dire. (Elle lui posa sur le bras sa toute petite main aux veines bleues et l'agrippa avec une force surprenante.) Je ne veux pas de détails, tu sais, seulement un « oui » ou un « non ». Est-ce que tu es libre ?

Instantanément, Quinn pensa à Riley. Il en fut surpris. Mû par la panique plus que par la réflexion, il adressa à Alva un grand sourire et posa sa main sur la sienne.

— Allons, Alva, est-ce que vous me demandez ce que je pense que vous me demandez ?

Elle lui donna une tape, comme Laura Jo l'avait fait, et il vit son visage s'empourprer à peu près de la même manière. Il trouvait charmant que la minuscule octogénaire rougisse à la moindre occasion.

— Voyons, monsieur Brannigan, pour quelle sorte de femme me prenez-vous ? (Elle lui adressa un sourire, avec dans les yeux cette étincelle diabolique.) Tout bien réfléchi, sois à la hauteur du gentleman que je connais, et ne réponds pas à ma question.

Il s'esclaffa et vit les yeux d'Alva scintiller.

— Alors ? le pressa-t-elle.

— Est-ce que ça va finir dans votre rubrique ?

— Ça dépend. Est-ce que tu me demandes un conseil ? (Elle se pencha vers lui.) Tu as peut-être besoin de quelques recommandations pour approcher une certaine personne qui t'a tapé dans l'œil ?

Il crut distinguer un peu de rouerie dans son regard faussement bienveillant. Des sirènes d'alarme se mirent à résonner dans sa tête, mais il parvint toutefois à sourire.

— D'habitude, je me débrouille plutôt bien tout seul.

Alva libéra sa main et remercia Laura Jo pour la tasse de café qu'elle avait glissée devant elle avant de disparaître de nouveau avec un plateau plein.

— Donc je suppose qu'il ne me reste qu'une question : qu'est-ce que tu attends ?

Cela amusa et attendrit Quinn. Il savait qu'au-delà de son côté calculateur et de son goût pour les commérages, son intérêt était sincère. Peut-être moins pour lui que pour sa copine du Cupcake Club.

— Ce n'est pas vraiment que j'attends, je suis simplement respectueux, se défendit-il.

Il ne prit même pas la peine de s'assurer qu'ils parlaient bien de Riley. Alva n'était pas une imbécile et, hormis Laura Jo et elle-même, Riley était la seule habitante de l'île avec qui il avait passé un peu de temps.

— Je vois que ta mère t'a inculqué de bonnes valeurs de gentleman sudiste…

— C'est surtout ma grand-mère. Ma mère est morte quand j'étais jeune, et grand-mère a repris le flambeau. (Il sourit.) Et c'était un sacré challenge.

Mais j'aime à croire qu'elles seraient fières de ce que je suis devenu.

— J'en suis persuadée, dit Alva avec un sourire chaleureux. Mais je ne suis pas sûre d'avoir bien compris ce que tu penses respecter.

Quinn n'en revenait pas de s'être laissé prendre dans cette conversation. D'habitude, c'était toujours lui qui posait les questions, qui cherchait les informations. Il n'était jamais celui qu'on interrogeait.

— Eh bien, je ne voudrais pas dire de bêtises, mais en supposant qu'on parle de Mlle Brown, je respecte le fait qu'elle soit actuellement engagée ailleurs.

Les sourcils délicatement dessinés d'Alva – des œuvres d'art à part entière – se froncèrent légèrement, mais ses magnifiques boucles argentées ne frémirent même pas.

— Quel engagement ?

Ce fut au tour de Quinn de froncer les sourcils. Aucune relation ne restait secrète à Sugarberry – surtout aux yeux de celle qui se tenait en face de lui. Mais Riley travaillait souvent sur les autres îles, il était donc possible qu'elle ait réussi à protéger sa vie privée en la menant à distance. Et puis, elle venait de la ville et n'était peut-être pas à l'aise à l'idée de vivre son histoire d'amour dans un bocal à poisson.

Dans ce cas, il n'avait vraiment pas envie de passer pour celui qui l'avait dénoncée auprès de ses amis. Il lança à Alva un sourire un peu déconcerté.

— C'était peut-être une façon de me dire qu'elle n'était pas intéressée. S'il vous plaît, ne lui en parlez pas. J'apprécie qu'elle ait essayé de me repousser avec délicatesse.

À sa grande consternation, Alva gardait les yeux plissés, et la lueur calculatrice brillait plus vive que jamais dans son regard.

Génial ! Quelle bourde avait-il encore faite ?

Chapitre 9

Riley laissa tomber son sac d'ustensiles et ses provisions sur le plan de travail à côté de Charlotte, et la serra dans ses bras.

— Si ça peut te consoler, les mecs sont débiles.

— Hé, oh ! protesta Franco, installé à la table juste derrière elles.

Riley regarda par-dessus son épaule et mima un baiser.

— Pas toi, mon chou, susurra-t-elle. Tu ne seras jamais comme les autres.

— Je te prends au mot, dit-il de sa voix de Rambo du Bronx, avant d'exécuter une révérence parfaite et de revenir à sa table en tourbillonnant. Continuez, *mes petites amies*[*].

Charlotte leva les yeux au ciel mais adressa à Riley un petit sourire.

— Pourquoi faut-il que tout soit toujours aussi compliqué ?

— Parce que ton fiancé est portoricain et que tu viens de New Delhi. Alors, même si vous êtes un parfait exemple de *melting-pot* réussi, vos parents sont de cultures et de générations différentes.

Ne t'inquiète pas, je suis sûre que la famille de Carlo t'aime beaucoup.

— En tant que partenaire en affaires et potentiel tremplin pour la carrière de leur fils, oui. Mais en tant qu'épouse ? Ne sois pas naïve, Riley, dit-elle en lui posant la main sur le bras. On savait qu'on avançait en terrain miné. De ce point de vue, on peut considérer que la visite à sa famille s'est super bien passée. Je crois que c'est pour ça que j'ai été aussi surprise d'apprendre qu'ils ne voulaient pas rencontrer mes parents quand ils viendront le mois prochain. Je pensais que j'étais acceptée dans le cercle familial mais, en fait, ils me prennent seulement pour la mignonne petite copine du moment.

Riley fronça les sourcils et leva la main de Charlotte, qui portait un anneau de platine serti d'un magnifique diamant.

— Mais ils savent que vous êtes fiancés. C'est bien la bague de sa grand-mère ? Je suis sûre que ça ne leur a pas échappé.

Charlotte baissa les yeux et essaya de se dégager, mais Riley raffermit sa prise.

— Ne me dis pas que tu as enlevé la bague quand tu es allée rencontrer sa famille !

— D'accord, je ne te le dirai pas. On voulait d'abord tâter le terrain, voir ce qu'ils pensaient de moi. On avait l'intention d'organiser un petit dîner pour leur annoncer officiellement la nouvelle.

— Mais tes parents sont au courant, quand même ?

Charlotte lui jeta un regard noir.

— Pourquoi crois-tu qu'ils viennent jusqu'ici ? Ils ne sont pas venus quand j'ai eu mon diplôme de l'école de cuisine, ni pour aucun des prix que j'ai reçus. Mais quand je leur apprends que je suis fiancée, d'un seul coup, ils réservent un billet d'avion. Franchement, je ne pensais même pas que ça les intéresserait.

— Vraiment ?

Charlotte pressa la main de Riley avant de la lâcher.

— Ça fait longtemps qu'on ne forme plus une vraie famille. Je ne vois pas pourquoi ils se mettent tout d'un coup à faire dans le traditionnel. Peut-être qu'ils veulent des petits-enfants, je ne sais pas. Mais ça ne va rien changer entre Carlo et moi, même s'ils sont ignobles avec lui. Et ils le seront, crois-moi. Au moins, je le défendrai, si on doit en arriver là. On ne leur demande pas de faire quoi que ce soit pour le mariage, ni pour le reste, d'ailleurs. On n'attend rien non plus de la famille de Carlo. On ne dépend de personne, que ce soit d'un côté ou de l'autre. J'espère seulement…

— … qu'il aura autant envie que toi de monter au front ?

Charlotte hocha la tête.

— Je sais que ce n'est pas juste. Il est très proche de sa famille – même s'ils sont cinq millions. C'est pour ça que je l'ai laissé gérer la situation à sa façon. Mais maintenant…

— Maintenant, tu voudrais qu'il prenne ta défense.

— Qu'il me soutienne, au moins. Il… il parle beaucoup. Pas de nous, mais des différents moyens de m'intégrer en douceur. Il ne veut surtout pas de conflit, mais je sais que c'est inévitable.

— Tu ne crois quand même pas qu'il pourrait te quitter à cause de la pression de sa famille ?

Charlotte fit « non » de la tête, mais ses yeux disaient le contraire.

— Je ne crois pas. Ou plutôt, je ne le croyais pas. Tout se passait tellement bien, c'était un vrai conte de fées. Enfin, ça nous a quand même demandé beaucoup d'efforts, à tous les deux : on travaille ensemble, on vit ensemble… ça peut poser des tas de problèmes, mais c'est le genre d'ennuis auxquels on a envie de s'attaquer, de faire face, parce que la récompense vaut bien dix fois les efforts qu'on a faits. Cent fois. Une infinité. On sait tous les deux qu'on tient quelque chose de spécial. On a déjà eu suffisamment de relations, on a assez souffert et assez aimé pour savoir que ce genre de relation n'arrive qu'une seule fois dans une vie. On ne va pas tout gâcher. Tu vois ce que je veux dire ?

— Oh oui, je vois très bien, répondit Riley sans réfléchir, émue par l'aveu de Charlotte.

Charlotte lui prit les mains.

— J'en étais sûre. Tu veux bien me raconter ?

— Tu veux bien nous raconter ? intervint Franco, sans même essayer de faire croire qu'il n'avait pas tout écouté.

— Qu'est-ce qui est arrivé à ton conte de fées, Riley ? demanda Charlotte. C'est récent, n'est-ce pas ? C'est pour ça que tu es venue à Sugarberry ?

Riley se ressaisit rapidement, serra brièvement les mains de Charlotte et les relâcha. Elle se retourna pour jouer avec ses ustensiles, mais sans prêter une réelle attention à ce qu'elle faisait.

— Vous êtes vraiment bien partis, Charlotte. Vous avez beaucoup de chance, Carlo et toi, et en plus, vous en avez tous les deux conscience. (Riley lui jeta un bref regard.) Accroche-toi à ton bonheur, fais tout ce que tu peux pour le préserver. Ne le tiens pas pour acquis. Je sais que ce n'est pas facile en ce moment, mais tu dois lui parler, en toute franchise. Dis-lui ce que tu ressens. N'attends pas qu'il le devine, et ne te défile pas.

Franco contourna la table et attira doucement Riley contre lui, passant un bras musclé autour de ses épaules.

— Tu devrais suivre tes propres conseils, *ma belle**.

Riley pouffa, mais son rire sonna comme un sanglot.

— Ne t'inquiète pas, si jamais j'ai encore une chance, je saurai la saisir.

Il la força à le regarder en face, et Charlotte se joignit à leur petit cercle.

— Tu l'as, ta chance. La règle ne s'applique pas qu'avec ton partenaire, ça compte aussi pour les amis. Après tout, l'amour et l'amitié exigent tous deux confiance et engagement.

Riley cligna des yeux pour refouler ses larmes.

— Tu as raison. Ne croyez pas que je ne vous aime pas, tous les deux. Je sais que je suis nouvelle dans votre groupe, que vous vous connaissez depuis longtemps avec Lani, mais…

— Ce n'est pas une question de temps, dit Franco. Les chemins se rencontrent, certains ne font que se croiser et d'autres s'unissent pour former une longue route. Et la nôtre nous mènera très loin.

— Merci, dit Riley, profondément sincère. Vous n'imaginez pas ce que votre amitié signifie pour moi.

— Tu as des amis à Chicago, dit Charlotte. Est-ce que tu leur as seulement parlé ?

Elle regarda Charlotte, puis Franco, et baissa les yeux vers ses mains.

— Oui. Un petit peu. Mais… ce n'est pas comme l'amitié que vous partagez tous les trois, avec Lani. C'est compliqué.

Riley leur avait appris, longtemps auparavant, qu'elle avait perdu ses deux parents. Elle n'avait jamais vraiment connu son père, mort à la guerre alors qu'elle avait à peine quelques mois. Quant à sa mère, militaire elle aussi, elle était décédée des suites d'une pneumonie quand Riley était à l'université. Quand cette dernière était petite, sa mère s'absentait fréquemment, et la fillette se faisait alors héberger par une famille ou une autre, au gré des bases militaires. Elle n'avait pas eu une enfance traditionnelle, et la vie de nomade qu'elle avait toujours menée lui avait appris très tôt l'indépendance, ce qu'elle n'avait jamais regretté.

En revanche, elle n'avait jamais vraiment appris à se poser quelque part, et encore moins à construire des amitiés durables. Elle n'avait pas de famille proche, seulement quelques cousins éparpillés aux quatre coins du monde, qu'elle n'avait rencontrés que deux ou trois fois.

À son tour, Charlotte passa son bras autour des épaules de Riley.

— Et moi qui passe mon temps à vous assommer avec mon bonheur, et à pleurnicher pour des riens l'instant d'après. Vous devez me trouver ridicule.

— Non, je pense que tu es très amoureuse et que tu veux que ça dure toujours, ce en quoi tu as bien raison. (Riley la regarda dans les yeux.) Et tu vas y arriver. Comme Lani et Baxter. Vous êtes doués pour ça.

Franco lui adressa un sourire approbateur, mais il avait l'air triste.

— Tout le monde n'a pas la chance de réaliser son rêve, dit-il, faisant allusion à la pénible conclusion de son histoire avec Brenton.

— Exactement, appuya Riley, qui espérait toujours s'en sortir sans avoir à raconter le calvaire humiliant que Jeremy lui avait fait endurer.

Mais Charlotte tira un tabouret, et Franco en apporta deux autres.

— Assieds-toi, lui dit-il. Personne ne va arriver avant au moins une heure. Alva aide Lani à préparer le buffet pour la collecte de fonds du Kiwanis Club, et Dree ne peut pas venir aujourd'hui.

— Je sais, elle m'a dit que c'était encore le bordel dans l'emploi du temps de son semestre. Je suis tellement fière d'elle, ajouta Riley avec un sourire. C'est sa dernière année.

— Nous aussi, on est fiers d'elle, dit Charlotte en lui caressant le bras. Tu sais, tu n'es pas obligée de nous raconter, si tu n'en as pas envie.

Franco la fit taire d'un « chut » sévère, puis posa sur Riley un regard plein d'encouragement sincère.

— Tu te sentiras mieux après. Tu te souviens comme ça a été long de me faire cracher toute l'histoire…

Charlotte pouffa.

— C'est vrai. Je crois que ça nous a pris, oh, au moins soixante secondes après que tu es entré en trombe par la porte de derrière. (Puis, prise de remords, elle lui caressa le bras.) Et c'était horrible. On était toutes désolées pour toi, tu le sais bien.

En effet, la douleur de Franco était terrible, et personne ne l'avait mieux compris que Riley.

Franco avait quitté New York pour venir s'installer à Savannah avec son nouveau partenaire, Brenton, qui assistait Baxter pour son émission. Franco considérait Brenton comme l'amour de sa vie et, à les voir ensemble, n'importe qui aurait cru que ses sentiments étaient partagés – jusqu'à ce fameux soir, dix mois auparavant. Franco avait voulu faire une surprise à Brenton pour fêter l'anniversaire de leur installation ensemble, et l'avait surpris dans la cuisine de l'émission, en train d'embrasser quelqu'un d'autre – une assistante, en plus.

Son univers s'était effondré, et tout le Cupcake Club en avait souffert avec lui.

— Je sais que vous avez compati, et ça m'a beaucoup aidé. Crois-moi, Riley, ne sous-estime jamais le pouvoir du dédain et de la haine collective envers celui qui t'a blessé. Ça fait beaucoup plus de bien que de rester seul à s'apitoyer sur son sort.

— Je sais, mais c'est juste que je ne veux plus m'étendre sur le sujet. Je veux aller de l'avant. Ça ne va pas m'aider, de tout ressasser. Une séance de médisance de groupe va juste me donner l'impression d'être… mesquine.

— Tu as trouvé ça mesquin, de souhaiter le pire à Brenton ? (Franco avait craché son nom comme une pilule amère.) Ou pire, pathétique ?

— Non, non, pas du tout. Mais ça venait juste de t'arriver. C'est normal, quand tu viens d'être blessé. Mais moi, ça fait presque deux ans. Je n'aurais aucune excuse.

— Ça dépend, intervint Charlotte. Qu'est-ce qu'il t'a fait ?

— Pourquoi est-ce que tu crois forcément que c'est lui qui m'a fait quelque chose ?

Charlotte et Franco jetèrent à Riley un regard sévère, puis Charlotte ajouta :

— Tu ne mets pas deux ans à t'en remettre quand c'est toi qui as largué l'autre.

— Je l'avais peut-être mérité, fit remarquer Riley.

Au lieu de la sermonner, Franco lui caressa les cheveux.

— Oh, *ma belle**, c'est vraiment ce que tu penses ?

Le geste de réconfort avait été si franc, si instinctif, que Riley sentit les larmes lui monter aux yeux.

— *Le bâtard**, siffla Franco, avec juste ce qu'il fallait de dégout mêlé d'accent français pour qu'elle s'étouffe de rire au lieu d'éclater en sanglots.

— Ouais… ça lui va comme un gant, approuva-t-elle. Mais c'est tellement plus beau quand c'est toi qui le dis.

Il l'étreignit de nouveau, puis leva le poing.

— *Solidarité** *!* Tu vois ? Je te l'avais bien dit, ça fait du bien de médire entre amis.

— Tu as envie de nous raconter ce qui s'est passé ? lui demanda Charlotte.

Riley soupira. Finalement, la perspective de vider son sac ne l'effrayait plus vraiment. Franco avait peut-être raison. Quand on sait que les gens à qui on raconte ses malheurs nous soutiendront quoi qu'il arrive, ça devient presque un soulagement. Déterminée à ne pas se remettre à pleurnicher, elle prit une grande inspiration, se redressa et leur sourit.

— Vous savez, si j'avais passé plus de temps à cultiver des amitiés, et pas seulement des relations de travail, les choses ne se seraient sûrement pas passées comme ça. Mais je n'avais pas le temps de me faire de vrais amis. J'étais trop obsédée par le bonheur que me procurait ma relation avec mon fiancé.

— Je te comprends, dit Charlotte avec un sourire ironique. Je sais que ça m'aide de vous avoir tous à mes côtés, ça me permet de garder les pieds sur terre. Pourtant, je n'ai jamais été du genre à planer, au contraire, j'ai toujours eu la tête sur les épaules. Si on m'avait dit que je me retrouverais une bague au doigt, à me battre comme une folle pour que nos deux familles nous acceptent et que ce mariage soit une réussite, moi, la cynique que j'étais…

Franco gloussa, et Charlotte lui envoya un petit coup de coude dans les côtes.

— La cynique que j'étais, et que je ne suis plus, aurait bien rigolé. En fait, heureusement que j'ai rencontré Carlo au moment où Lani et Baxter se rendaient compte de ce qu'il y avait entre eux, parce que sinon, je ne crois pas que j'aurais pu être l'amie dont elle avait besoin.

Charlotte fit une grimace à Franco, qui lui déposa un baiser sonore sur la joue, lui arrachant un vrai sourire. Puis elle se tourna vers Riley, ses yeux sombres toujours pleins d'une affection sincère.

— Je n'ai pas honte de dire que j'ai besoin de toi, alors, s'il te plaît, laisse-nous t'aider. Même si ça fait longtemps, il y a des eaux qui paraissent toujours troubles et profondes tant qu'on ne les a pas traversées.

— Peut-être, dit Riley, encouragée par la loyauté indéfectible qu'elle lisait sur leur visage. D'accord, soupira-t-elle. Il s'appelle Jeremy. C'est un journaliste, très bon dans son domaine. Il a une formation de chef cuisinier, donc il s'est spécialisé dans la gastronomie. On travaillait tous les deux pour *Foodie*. Ça a été un vrai coup de foudre. On était tellement inséparables que c'en était écœurant. Quand on était éloignés pour le travail, chaque jour ressemblait à une semaine passée dans le désert. Oui, notre bonheur était écœurant à ce point-là. Je savais que j'étais de loin la fille la plus heureuse au monde. Il me donnait l'impression d'être la seule femme qui existait dans sa vie. (*Je ne vais pas avoir l'air nostalgique, bordel!*) C'est bizarre. Ce n'est pas lui qui me manque, c'est le fait d'être amoureuse, et de savoir que c'est réciproque. Alors, quand je suis avec vous tous, et même quand j'écoute les histoires d'Alva avec Harold… voilà ce que j'aimerais toujours avoir, ce sentiment d'être connecté à quelqu'un d'autre d'une façon particulière, qui n'a rien à voir avec les liens amicaux ou familiaux, même quand ils sont forts. Jeremy ne me manque pas, ce qui me manque, c'est d'avoir à mes côtés une personne spéciale qui représenterait tout pour moi. Un amant. Un partenaire.

Sorti de nulle part, le beau visage souriant de Quinn lui revint à l'esprit. Déconcertée, elle cligna des yeux pour chasser cette image et rester concentrée sur son histoire. Puisqu'il ne ferait de toute façon jamais partie de sa vie réelle, elle n'allait pas en faire un fantasme. Ce n'était pas sain de rêvasser à ce qui aurait pu arriver avec ce cupcake, dans le coin-repas… si seulement elle n'avait pas été toute suante et écorchée, avec des feuilles dans les cheveux. Ou bien sur le bateau… quand, trempés tous les deux, ils dégageaient une odeur de chien mouillé.

Qu'elle arrive à fantasmer sur ce genre de scène, c'était sûrement mauvais signe.

—Riley ? s'inquiéta Charlotte en posant une main sur son genou. Si c'est trop difficile…

—Quoi ? fit Riley, tirée de sa rêverie. Non, ce n'est pas ça. Je repensais à ce que j'ai dit. La sensation d'être amoureuse me manque.

—Je comprends, dit Franco, la voix empreinte d'une réelle tristesse.

Riley posa la tête sur son épaule.

—Je sais. Et c'est vraiment dur quand on nous l'arrache. Surtout quand on n'a rien vu venir.

—Oh, dit Charlotte à voix basse. Je suis vraiment désolée.

—Je l'étais aussi, répondit simplement Riley.

Elle regarda Franco, qui hocha la tête. La durée de sa relation avec Brenton n'était pas comparable au temps qu'elle avait passé avec Jeremy… mais ça n'avait aucune importance, s'il en était lui aussi arrivé au stade où on a suffisamment confiance en l'homme qu'on aime pour penser qu'il saura prendre soin de cette relation privilégiée. Qu'il la traitera avec la dignité et le respect qu'elle mérite, jusqu'au bout.

—Je m'en serais remise plus facilement si nos sentiments s'étaient essoufflés, ou s'il y avait eu entre nous des difficultés insurmontables, ou encore des problèmes chez l'un ou l'autre. Mais quand quelqu'un a envie de s'en aller, il y a des façons correctes de mettre fin à une relation, et d'autres qu'il vaut mieux éviter.

—Allons, allons, la rassura Franco, laissant percer un peu de colère sous la tristesse.

— Tu savais qu'il… qu'il voulait te quitter ? demanda Charlotte.

— Je n'en avais aucune idée. Avec le recul, je me rends compte que notre relation n'était pas forcément aussi parfaite que je l'imaginais. Mais on ne se disputait pas, on n'avait pas d'inquiétudes particulières. On était heureux et tranquilles comme un vieux couple. Aucun de nos amis du travail, avec qui nous passions plusieurs heures par jour, n'avait remarqué que quelque chose clochait. Personne ne se doutait de rien, et surtout pas moi.

— Quand tu aimes quelqu'un et que tu es aimé en retour, tu t'attends à ce que l'autre respecte votre relation, dit Franco, se faisant l'écho de ses pensées. Tu deviens facile à duper, parce que ça ne te vient même pas à l'esprit de te méfier.

— Exactement, répondit Riley. Je suppose que j'étais facile à tromper… mais comment peut-on regarder son meilleur ami dans les yeux et le prendre à ce point pour un imbécile ? Et en toute conscience, en plus ? Je ne comprendrai jamais ça.

— Moi non plus, dit Charlotte. Je n'ai jamais été trahie parce que, jusqu'à Carlo, je ne me suis jamais autorisée à être vulnérable. Mais j'ai souvent été témoin de ce genre de chose. Ça paraît difficile de rompre franchement quand on ne veut pas de scène ni de drame, mais l'autre solution est tellement… lâche.

— C'est celle qu'il a choisie, dit Riley. Comme ça, non seulement tu es sonnée de découvrir que la personne que tu aimes, que tu idolâtres, n'avait aucune estime pour toi ni pour ton amour, mais en plus, tu dois accepter que c'était en fait un salaud qui t'a menti et trompée. En une seconde, Jeremy a réduit à néant tout ce qui m'avait fait tomber amoureuse de lui – et ça n'a fait qu'ajouter à l'humiliation. En plus d'être triste et horrifiée par l'idée que j'avais aimé un homme capable de ça, j'ai fini par mesurer ma stupidité. Comment avais-je pu fermer les yeux sur sa vraie nature ?

— On ne peut jamais savoir, la consola Charlotte. Chacun continue à évoluer. J'en suis la preuve vivante. Avant, j'étais toujours attirée par des hommes qui n'allaient jamais m'aimer en retour. Une sorte de sabotage amoureux. Heureusement on mûrit et, avec un peu de chance, on s'en sort bien. Je crois que c'est ce que j'ai fait. Mais parfois, on ne change pas pour le mieux. La vie amène de nouvelles expériences, et au fil des événements, les gens deviennent progressivement différents de ce qu'ils étaient. (Charlotte pressa le bras de Riley avant de poursuivre.) Mais c'est ça, le truc, Riley. Tu t'en es sortie, et tu peux de nouveau te regarder dans le miroir en sachant qui tu es réellement : une femme capable d'aimer de tout son cœur, de se donner entièrement à une personne et de chérir ce lien. Jeremy aussi se regardera dans la glace un jour, et il verra l'homme qu'il est devenu.

— S'il est un jour capable d'honnêteté envers lui-même.

— Tu ne peux pas savoir ce qui l'attend. Je crois au karma. Mais même s'il refuse d'assumer ses actes, vois les choses comme ça : au moins, tu n'es plus responsable de lui, et tu n'as plus à lui rendre de comptes. Te voilà libérée de son égoïsme, de sa lâcheté, de son manque de considération. Ce n'est pas ta faute si ce pauvre type a mal tourné. Peu importe les courants qui nous poussent, chacun est libre de choisir la manière de surmonter les épreuves. Lui a choisi de franchir les siennes comme ça, et heureusement tu l'as su avant que quelque chose d'important, comme le mariage, la maladie… ou des enfants, arrive. Il méritait de te perdre, et toi de trouver quelqu'un qui fera n'importe quoi pour te garder.

— Je t'aime, lâcha Franco en serrant Charlotte dans ses bras. C'était magnifique, tellement plein de sagesse. Je m'en souviendrai toujours, j'espère.

— C'est simplement la façon dont je vois les choses à présent. Je n'aurais pas pu dire ça il y a deux ans. C'est dire à quel point j'ai mûri, constata Charlotte, les larmes aux yeux.

— Merci, renifla Riley, ne cherchant même pas à retenir les siennes. Je… ça m'a bien aidée, moi aussi. Vraiment, conclut-elle en riant entre deux sanglots.

— Tant mieux, dit Charlotte avec un sourire. Vous savez quoi ? Mettre des mots sur tout ça m'a été d'un grand réconfort, à moi aussi. Maintenant, je sais ce que je veux avec Carlo, et ce que signifient tous les « petits riens », comme vous dites… Ça vaut la peine de se battre. Alors merci à vous aussi.

Ils échangèrent des sourires pendant un moment, puis Franco les attira contre lui.

— Câlin collectif!

Ils s'étreignirent en riant et oublièrent les larmes. Puis Franco les fit rasseoir sur leur tabouret, croisa les jambes et les bras, et se tourna brusquement vers Riley.

— OK, la séquence émotion est terminée. Maintenant, c'est l'heure des langues de vipère. Qu'est-ce qu'il t'a fait, ce sale rat ? Et où est-ce qu'on peut aller le choper ?

Chapitre 10

Riley et Charlotte éclatèrent de rire.

— Redis-le, implora Riley. Tu sais.

— *Le bâtard*[*] ! répéta Franco.

Riley sourit.

— Je sais que c'est mesquin, mais je ne m'en lasserai jamais.

— Je vais demander à Dree de nous en faire des tee-shirts, dit Franco.

Le rire de Riley se transforma en grognement.

— Je n'imagine même pas ce qu'elle en ferait. Un « *bâtard* » gothique ! (Elle brandit le poing.) Hé, en fait si, finalement ça pourrait marcher. Quelques jolis petits crânes, un peu de sang...

Charlotte frissonna, mais tous étaient hilares.

— Bon, intervint Franco, tu as assez fait l'autruche. Tu as déjà parcouru la moitié du chemin, alors maintenant tu déballes le reste du linge sale, et on en aura terminé.

— C'était la nounou, lâcha Riley d'un ton abrupt. (Bizarrement, on pouvait déceler dans sa voix des nuances de tristesse et de colère, mais surtout de l'écœurement.) On était ensemble depuis sept ans… et il m'a plaquée pour se taper la nounou.

— Sept ans ? Ça fait long, *mon amie**. Je suis désolé.

— Ouaip. Les plus belles années de ma vie d'adulte, jusqu'à maintenant.

— On va devoir ajouter quelques insultes à ces tee-shirts, dit Franco, arrachant un sourire à Riley, qui lui envoya un nouveau coup de coude.

— Tu sais que tu en as envie.

— Oh que oui. *Le connard**, siffla-t-il dans un grognement.

— Oh, j'aime bien celle-là aussi.

— Attends une minute, intervint Charlotte d'un air effaré. Tu as bien dit « la nounou » ? Vous aviez… il avait des enfants ?

— Non, Dieu merci. Je n'imagine même pas la catastrophe s'il avait entraîné des enfants dans toute cette histoire. Moi-même, alors que j'étais adulte et vaccinée, ça m'a dévastée. Non, c'était la nounou pour chien, la dog-sitter de Brutus. (Elle sourit.) Je me souviens encore du jour où j'ai eu Brutus. Je savais que Jeremy allait me tuer quand je le ramènerais de la fourrière. C'était un peu un maniaque du ménage. Jeremy, pas Brutus.

— Brutus venait de la fourrière ? s'étonna Franco.

— Ça t'étonne ?

— Bon, c'est vrai que dit comme ça…

— Une famille l'a adopté quand il était encore un adorable chiot, et puis quand il est devenu une espèce de mammouth incontrôlable, ils l'ont mis à la fourrière.

— Et qu'est-ce que tu faisais là-bas ? Vous vouliez un chien, tous les deux ? Tu avais l'air d'avoir un sacré emploi du temps quand tu étais styliste...

— Non, on n'en avait même pas évoqué la possibilité. On avait parlé mariage, on était fiancés, et...

— Vous étiez fiancés ? demanda Charlotte. C'est de pire en pire.

— Je sais. On est sortis ensemble pendant deux ans, puis on a pris un appartement et on s'est fiancés dix-huit mois plus tard, mais on n'arrivait pas à fixer une date à cause de nos emplois du temps. Mais pour moi, ça n'avait pas d'importance. Je n'ai jamais été du genre à rêver du grand jour.

— Moi non plus, dit Charlotte. Sûrement parce que ma mère n'arrêtait pas d'en parler. J'ai été promise dès la naissance à un garçon de très bonne famille, et ce grand jour, comme tu dis, devait être le but ultime de ma vie. Je ne rêvais que d'une chose : y échapper.

— J'ai toujours rêvé du mien, soupira Franco d'un air nostalgique.

Riley et Charlotte sourirent, mais Charlotte lui prit les mains et les serra fort.

— Si ça peut te consoler, tu peux organiser le mien. Mais tu devras affronter deux familles déterminées à tout faire pour que ça n'arrive jamais. On devrait peut-être s'enfuir à Vegas, finalement. (Le regard de Charlotte brilla un instant, mais ce fut bref.) Sa famille ne me le pardonnerait jamais. Il n'a que des sœurs, cinq en tout.

— Argh ! grimaça Riley, compréhensive. En tout cas, pour Jeremy et moi, il n'y avait personne pour nous mettre la pression, ni d'un côté ni de l'autre. On avait une vie ensemble. J'étais à ma place, avec l'homme que j'aimais. Je n'avais pas de famille pour me pousser à fixer une date, et ses parents à lui passaient leur temps à se chamailler alors qu'ils étaient divorcés depuis plus de vingt ans. (Elle haussa les épaules.) On savait tous les deux qu'on voulait des enfants, à un moment donné, dans un futur éloigné, donc je me disais qu'on se marierait à ce moment-là. À l'époque, on adorait notre travail et la vie qu'on menait, alors... avoir des enfants n'était pas une priorité. On était d'accord là-dessus. Mais je savais qu'il avait eu des chiens quand il était petit, et j'en avais toujours voulu un, donc je crois que j'avais toujours visualisé notre avenir avec un chien. J'imaginais sans doute que ça convenait aussi à Jeremy.

— Mais il ne s'agissait pas d'un futur hypothétique, dit Franco.

— Oui, c'est vrai. Certains jours, l'avenir cesse d'être aussi distant, et j'en étais là. Il faut bien que ça arrive à un moment, non ?

Charlotte haussa les sourcils.

— Et tu as simplement... débarqué à la maison avec ce gigantesque chien ?

— Non, non. Je n'aurais pas fait ça. Ça allait être un changement monumental, donc j'en ai d'abord parlé à Jeremy. Je ne lui demandais presque jamais rien, vraiment, donc il aurait eu du mal à me refuser ça, et puis je n'aurais pas insisté s'il s'était farouchement opposé au projet. C'était surtout la logistique qui semblait l'inquiéter, alors quand j'ai dit que je m'occuperais de tout, il a eu l'air plutôt emballé. Moi aussi, j'étais incapable de lui résister, une vraie guimauve, et il en a souvent profité.

— Vous étiez vraiment écœurants, tous les deux, dit Charlotte.

— À l'époque, oui. Mais tu peux parler, répliqua Riley.

— Et ensuite ? la pressa Charlotte. Est-ce qu'il a eu le coup de foudre pour Brutus, comme toi ?

— Mais d'abord, qu'est-ce que tu faisais à la fourrière ? insista Franco.

— C'était pour Mme Stroeheimer, notre voisine. Son chat passait son temps à s'échapper, à s'attirer des ennuis, et il finissait souvent à la fourrière. Ils le connaissaient tous là-bas, alors ils appelaient Mme Stroeheimer, et je faisais le taxi pour qu'elle aille le récupérer.

— Mais pourquoi elle ne l'a pas fait opérer pour qu'il arrête de se battre et de… jouer les matous ? demanda Charlotte.

— Les femmes cherchent toujours à nous couper les…, grommela Franco.

— Si ça peut vous empêcher d'aller draguer des minettes, dit Charlotte en le regardant droit dans les yeux, c'est peut-être une solution.

Franco réfléchit un instant, puis hocha la tête.

— Tu as sûrement raison.

— Oh, ce vieux Pare-choc était castré, mais il aimait la bagarre. La plupart du temps, il se battait pour de la nourriture trouvée dans des poubelles. Il avait une sorte de complexe du chat-roi, parce que sa maîtresse lui donnait toujours la part du lion. Enfin bref. D'habitude, quand on allait le libérer, j'attendais dans la voiture. Mais ce jour-là, elle ne se sentait pas très bien, elle s'était plainte d'étourdissements, alors je l'ai accompagnée à l'intérieur.

— Et ce fut un grand instant d'émotion.

Franco leva les bras en fredonnant un air, puis posa son menton entre ses mains.

— Non, pas vraiment. À la seconde où j'ai passé la porte, j'ai compris que c'était une erreur. Personne n'aime la misère, mais moi, ça me rend carrément malade. Je savais bien que je ne pouvais pas tous les sauver, et qu'il y avait plein d'autres animaux dans la même situation. Mais je pouvais au moins en arracher un à son sort.

— Et il y avait ton rêve d'enfant, ajouta Charlotte.

— Exactement.

— Mais il n'y avait pas de chien plus petit à la fourrière ? demanda Franco. Tu vivais bien en ville ?

Riley hocha la tête.

— Et dans un appartement minuscule. Oui, il y avait des dizaines d'autres chiens, et tous étaient plus petits que Brutus, évidemment.

— Évidemment, reprirent en chœur Charlotte et Franco.

Ni l'un ni l'autre n'aimaient particulièrement les chiens, mais tous deux avaient fini par se laisser séduire par Brutus.

— Il était là, couché dans un enclos, tout au fond, la tête posée sur les pattes. Il n'essayait même pas d'attirer mon attention. Il avait l'air résigné et tellement… abattu. La fourrière était en plein centre-ville : qui aurait voulu d'un molosse de cette taille ?

— Oh là là, soupira Franco.

— Tu comprends ? Je n'étais pas venue pour en adopter un, mais je dois admettre qu'à ce moment-là, l'idée a commencé à faire son chemin. Je savais que, quand viendrait ce jour lointain et hypothétique où je prendrais un chien, j'opterais pour l'adoption. Alors, quand ils ont amené Pare-choc, j'ai posé des questions sur Brutus. Je m'inquiétais pour lui. Il n'avait même plus la volonté de se battre. Je m'attendais sans doute à une réaction un peu similaire de la part de la femme qui travaillait là, mais son visage s'est immédiatement éclairé quand je lui ai parlé de Brutus, et elle n'a pas arrêté de me dire que c'était une crème, qu'il était charmant, que tout le monde adorait ce doux géant.

— Une hypocrite naît chaque minute dans le monde, dit Franco en secouant la tête. Elle pensait surtout à ses stocks de nourriture pour chien.

— Arrête, dit Riley. Tu le connais. Tu sais qu'il est exactement comme ça.

Charlotte et Franco échangèrent un regard, puis hochèrent la tête.

— Bien sûr, dit Charlotte avec le ton qu'on emploierait pour apaiser la mère d'un enfant turbulent.

Riley les regarda bien en face.

— Et puis je suis tombée sur la pancarte : dans ce foyer, les animaux étaient euthanasiés au bout de soixante jours. (Elle leur jeta un regard solennel.) Et sur la cage de Brutus, il était indiqué qu'il était là depuis presque deux mois.

Charlotte et Franco cessèrent de sourire.

Riley hocha la tête.

— Je sais. Malgré ça, je n'avais pas d'idée arrêtée en quittant le refuge. Quand Jeremy est rentré, je lui ai bien sûr raconté que j'avais emmené la voisine là-bas, et…

— Tu as ramené Brutus à la maison le lendemain.

— Je lui ai d'abord obtenu un sursis, le temps de remplir les formalités préalables. On l'a ramené à la maison dix jours plus tard, après avoir subi une inspection de l'appartement et un entretien.

— Sérieusement ? demanda Franco. Je pensais qu'ils se seraient empressés de le traîner dans ta voiture avant que tu changes d'avis.

— C'est la loi. Bref, j'étais sûre qu'on allait être recalés à cause de l'appartement, mais il se trouve que les dogues ne sont pas très portés sur l'exercice. Ils aiment les petites promenades, à la rigueur courir après une balle au parc, mais pas plus. Donc on a été acceptés.

— Et qui a engagé la dog-sitter ? Toi ou lui ? demanda Charlotte.

— Moi, soupira Riley. C'est à peine croyable, hein ? Mais Jeremy n'avait pas le temps de s'en occuper, et il me faisait confiance.

— Ça c'est sûr, il a eu confiance en tes choix, murmura Franco.

— Pour tout dire, je n'avais même pas imaginé que leurs chemins puissent se croiser. Moi je n'avais qu'une peur : qu'elle n'arrive pas à maîtriser Brutus.

— Tu l'appréciais ? demanda Charlotte, la bouche pincée comme si elle venait de mordre dans un citron.

— Bien sûr… autant qu'on peut aimer une femme qui a toujours la pêche, pas un gramme de cellulite, une chevelure aussi soyeuse que dans les pubs pour shampoing, un sourire dentifrice et un accent lituanien que j'avais du mal à comprendre, mais que Jeremy trouvait mystérieux et sexy, comme je l'ai appris par la suite. Je sais que c'est mauvais pour mon karma mais, avant même toute cette histoire, je me suis amusée à l'imaginer vieillir comme Magda Pachulis, une autre voisine. Sur les photos de jeunesse que Magda m'avait montrées, elle aussi était très séduisante. Mais à soixante-quinze ans, plus tellement. Entre-temps, une grosse verrue poilue lui avait poussé juste là. (Elle désigna le côté de son menton.) Est-ce que c'est mesquin de ma part d'imaginer Camalia avec une grosse verrue poilue ? À vingt-trois ans ?

— Ça n'a rien de mesquin, assura Charlotte. Bon sang, elle n'avait que vingt-trois ans ?

— *Le bâtard*[*], siffla Franco une nouvelle fois.

— Aujourd'hui elle a vingt-trois ans, rectifia Riley. Mais à l'époque, vingt et un. Finalement, c'est peut-être moi qui ai provoqué tout ça, avec mes mauvaises pensées. Je me suis fait rattraper par mon karma.

— Tu ne le penses pas sérieusement ? dit Franco.

— Non, admit-elle, mais ça m'a traversé l'esprit ce jour-là. C'était au réveillon du nouvel an...

— Sérieux ? demanda Charlotte.

— Aussi sérieux qu'un infarctus. Et c'est bien ce que j'ai failli faire. J'avais prévu de me rendre à la séance de massage que Jeremy m'avait offerte pour Noël. Mais l'institut avait pris du retard et on avait une grosse soirée au travail, avec plein de grands pontes. C'était super important, alors j'ai préféré éviter d'arriver toute molle et relaxée. J'ai déplacé le rendez-vous, en me disant que ça me ferait du bien après les fêtes.

— Tu n'es pas en train de nous dire qu'il t'a offert une journée de spa le jour du nouvel an, juste pour en profiter avec...

Riley hocha la tête.

— Si, vous avez bien entendu.

— Et tu as annulé le massage, soupira Franco en lui caressant le bras. (Ils voyaient le désastre se profiler à l'horizon.) Tu n'étais pas préparée.

Elle secoua la tête.

— Non. Je me suis même arrêtée en chemin pour acheter de la lingerie, histoire de lui faire une surprise.

— Je suis tellement désolée pour toi, dit Charlotte.

— Moi aussi, dit Riley. Ils étaient nus sur la table de ma salle à manger, avec Brutus qui regardait. Elle, je lui enviais sa plastique parfaite. On avait même blagué à ce sujet, comme le font les couples. Elle était tellement jeune, elle avait plus de dix ans de moins que nous. Il en parlait comme d'une enfant.

— Parce qu'elle en était une.

— Je sais. Et il était fou amoureux de moi, en plus.

— La tentation était peut-être trop forte. Tu l'as dit toi-même, les mecs sont des idiots, suggéra Charlotte.

— Ça aurait peut-être été plus facile de lui pardonner ça, je suppose. Mais le pire, c'est qu'ils n'ont même pas remarqué ma présence tellement ils étaient… enthousiastes.

— Oh non, dit Charlotte.

— Je lui ai jeté mon sac *Victoria's Secret* en pleine face, à cette chienne. Ça lui a coupé la joue. Elle n'aura peut-être pas de verrue, mais sûrement une petite cicatrice en souvenir de moi.

— Je crois que je ne me serais pas contenté de lui lancer un sac, dit Franco.

— Ils ont eu peur, évidemment, dit Riley avec un profond soupir, se préparant à revivre la scène une fois encore. Jeremy était moins désolé de m'avoir trompée que de s'être fait prendre. Il a eu le culot de la couvrir, en s'inquiétant pour sa pudeur. Sur ma table, dans ma salle à manger… (Sa voix se brisa, puis elle se ressaisit.) Ils se sont rhabillés. Jeremy était désolé que je découvre ça comme ça. Quand je lui ai demandé depuis combien de temps ça durait, il n'a rien répondu, mais il lui a passé un bras autour des épaules – à elle, pas à moi. Pas une seule fois il ne m'a touchée, il n'a même pas essayé…

Elle s'interrompit. Revivre cet instant ne la mettait pas en colère, ça lui brisait le cœur de nouveau. En un instant, sa vie entière, tout ce en quoi elle avait cru… tout s'était effondré.

— Il m'a avoué qu'il l'aimait, reprit-elle, et qu'il essayait de m'en parler depuis un an. En un an, il n'a même pas été foutu de trouver le bon moment pour me dire : « Au fait, je me tape Camalia un peu partout dans notre appartement. Bonne année ! » (Elle étouffa le sanglot qui lui montait à la gorge, agacée de se laisser chambouler une nouvelle fois.) Et en plus, ils voulaient garder Brutus !

— Oh, ma chérie, dit Franco en s'avançant pour lui faire un gros câlin. Ne t'inquiète pas, je vais aller le tuer.

— J'ai menacé Jeremy de lui couper les couilles et de les donner en pâture à Pare-choc s'il touchait à un poil de Brutus, dit Riley d'une voix étouffée par la veste de Franco.

Charlotte lui passa la main dans le dos.

— Je t'aurais aidée à le plaquer au sol si j'avais été là.

Riley éclata d'un rire mêlé de larmes et se libéra de l'étreinte de Franco.

— Ma colère n'a pas duré très longtemps, du moins à ce moment-là. J'ai mis du temps à m'en remettre. J'étais complètement dévastée. Je n'avais jamais su ce que ça signifiait d'avoir le cœur brisé, cette sensation de vide béant qui vous serre constamment la poitrine. J'avais envie de rebondir, ou, au moins, de me laisser aller à la colère. (Elle émit un son à mi-chemin entre le reniflement et le grognement.) J'ai utilisé tous mes arrêts maladie, tous mes jours de congé, parce que je ne supportais pas l'idée de le croiser au travail.

— Oh, mon Dieu. Vous deviez toujours travailler ensemble.

— Je ne savais pas quoi faire. Mais je devais y retourner, ou bien j'allais me faire virer d'un travail que j'aimais.

— Mais tu as quand même fini par quitter Chicago, dit Charlotte.

Riley hocha la tête.

— J'ai tenu cinq mois, trois jours et une heure, et j'en suis fière. Mais même moi, je n'ai pas pu en supporter plus. C'est impossible de souffrir autant pour une carrière, même quand on a travaillé dur pour y arriver et qu'on adore ce qu'on fait. Même si je ne méritais pas de perdre, tout le monde a ses limites. Parfois, il faut simplement accepter la défaite.

Elle s'affala sur son tabouret et reprit :

— La première fois que je suis revenue travailler, j'avais peur de ne pas tenir toute la journée sans tomber en miettes, de perdre tous mes moyens quand je le croiserais – ça s'était produit seulement deux semaines avant, et j'avais toujours les nerfs à vif. J'étais un désastre ambulant. Je n'étais pas en état de travailler, mais je ne pouvais pas non plus rester chez moi, à m'imaginer apporter ma table de salle à manger devant chez Jeremy et Camalia pour y mettre le feu. Ce n'était probablement pas très sain.

Riley se redressa et prit une grande inspiration pour se calmer.

— Ce que je ne savais pas, c'était que Jeremy n'avait pas perdu son temps. En mon absence, il avait réussi à faire engager Camalia.

Franco et Charlotte s'étouffèrent.

— Apparemment, Mlle Parfaite-Guillerette avait obtenu son diplôme de journalisme juste avant Noël. Elle allait bosser avec nous, dans notre département. Pas un collègue n'avait pensé à m'appeler pour me prévenir – bon, de toute façon je n'aurais pas décroché. Quand je suis arrivée, ils étaient tous là, autour de la table de réunion, à boire du café. Ils riaient. Moi je n'étais qu'une pathétique coquille vide… et eux ils étaient là, heureux, et ils riaient, avec mes amis. Nos amis. Ou, du moins, nos collègues. Comment osaient-ils ? Vous voyez ce que je veux dire ? (Elle ricana, pleine d'amertume.) Ils ont arrêté de se marrer en m'apercevant sur le pas de la porte, et tout le monde s'est tourné vers moi. Je ne sais pas ce qui a été le pire, l'expression désolée de mes collègues ou l'air de profonde pitié de Jeremy et Camalia. Parler d'humiliation serait un bel euphémisme pour décrire ce que j'ai ressenti.

— Et il est toujours en un seul morceau ? demanda Franco. Parce que je pourrais lui refaire le portrait, si tu veux.

— Je ne me souviens pas précisément des quelques minutes qui ont suivi, mais tout le monde s'est avancé vers moi, comme pour, je ne sais pas… peut-être me serrer dans leurs bras en ajoutant qu'ils étaient désolés. Il y en a un – Ted, de l'infographie – qui s'est excusé sans conviction, en disant qu'il pensait que j'étais au courant. Je crois que j'ai ri, et puis je me suis enfuie.

— Mais tu es revenue, dit Charlotte. Mon Dieu, comment tu as fait ?

— Je ne sais pas vraiment. J'étais un vrai zombie, mais j'avais l'impression que je n'avais pas le choix, qu'avancer dans l'adversité allait m'aider à devenir plus grande, meilleure. Sauf que je me trompais. En fait, c'est probablement la chose la plus malsaine que je me sois jamais infligée. C'était comme de travailler dans un environnement hautement toxique. Je ne faisais confiance à personne…

— Bien sûr, puisqu'ils t'avaient tous trahie.

— Qu'est-ce qui s'est passé pour que tu te décides à partir ?

— Oh. Je suis tombée sur le faire-part. Quelqu'un l'avait oublié sur la table de conférence. À moins qu'ils n'aient fait exprès. Je ne sais pas, et je m'en fous.

— Le faire-part de quoi ? demanda Charlotte.

— Du mariage de Jeremy et Camalia.

— Au bout de cinq mois ?

— Non, rappelez-vous, pour eux, ça durait plutôt depuis un an et demi.

— Quand même. Tu avais été fiancée bien plus longtemps que ça.

— Je suppose que l'avenir n'était pas aussi lointain pour eux. Peu importe. Les regards de pitié que j'avais reçus jusque-là, ce n'était rien par rapport à ce que j'ai subi après ça. Je vous épargne les discussions interminables à propos de robes de mariée, de pièce montée, de photographe et de buffet… (Elle poussa un soupir dégoûté.) C'en était trop. Je me suis demandé un instant quelle serait la suite : il était hors de question que je continue comme ça. Je suis allée droit dans mon bureau, j'ai jeté le faire-part dans la déchiqueteuse, empaqueté toutes mes affaires, et je suis partie sans dire au revoir à personne.

— On peut difficilement te le reprocher, dit Franco. Et ensuite ?

— J'ai envoyé ma démission par mail. Ils n'ont même pas essayé de me convaincre de rester : ils m'ont proposé de me donner de bonnes références, alors je leur ai dit d'aller se faire foutre. J'étais leur meilleure styliste. Ils auraient au moins pu faire semblant de vouloir que je reste, même si je sais que j'aurais refusé. Mais non, ils ont choisi Jeremy. (Elle secoua la tête.) Je me suis sentie doublement rejetée. Je sais que ça a l'air vraiment… pathétique.

Riley haussa les épaules, puis les laissa retomber.

— Je suis restée toute une journée à l'appartement, mais je m'étais suffisamment complu dans mon malheur, et même moi, j'avais atteint les limites du pathétique. J'ai pris quelques affaires, j'ai mis Brutus dans la voiture, et on est partis vers l'Est. J'avais deux amis, Chuck et Greg, qui avaient été mes mentors à mes débuts. Je savais qu'ils pourraient m'aider à retrouver ma voie. À l'époque, ils vivaient dans les Hamptons, alors je les ai appelés et ils m'ont invitée à venir et à rester aussi longtemps que je le voudrais. Ils possédaient une péniche qu'ils avaient achetée pour faire des promenades en mer, mais dont ils ne s'étaient encore jamais servis. Je ne sais plus qui a lancé l'idée que je pourrais m'y installer, mais c'était à la fin d'une soirée bien arrosée, en tout cas. Bref, le bateau était amarré à Jekyll, où vivait un oncle de Chuck. Je n'avais pas les moyens de louer un emplacement là, alors j'ai fait déplacer la péniche jusqu'ici en me disant que j'allais rester jusqu'à ce que je sache où aller. (Elle sourit, ravalant son amertume.) Et je suis toujours là.

— Nous, on t'a choisie, toi, dit Franco. Je suis heureux que tu sois là.

— Moi aussi, appuya Charlotte.

Riley prit une profonde inspiration et souffla lentement. Ça faisait du bien. Elle se sentait plus légère.

— Bon, alors ça vous suffit ? Le chapitre est clos ?

— Bien sûr, *mon amie*[*], dit Franco. Sauf si tu as envie d'aller lui casser la gueule. Dans ce cas-là, on va tous t'aider, avec beaucoup d'enthousiasme.

Elle leur adressa un grand sourire.

— Merci. Et merci de m'avoir tiré les vers du nez. Évidemment, je n'aime pas trop en parler, ni même y penser, mais ça fait du bien de vider son sac. Je suis vraiment heureuse, ici. Moi aussi, je vous ai choisis.

— Chicago te manquc ? demanda Charlotte.

— Parfois. Mais je préfère largement la vie sur l'île. J'y suis tranquille et, surtout, j'ai l'impression que cet endroit me correspond. Je crois que je ne me rendais pas compte à quel point la ville ne m'allait pas : j'y étais venue pour le travail et j'étais restée pour Jeremy. J'adorais bosser pour un magazine, c'est très bohême, mais je n'ai jamais vraiment été à l'aise avec les grands chefs, et tout ce qui porte costume et cravate. Ici, on m'accepte comme je suis. Et c'est sans doute en étant enfin moi-même que j'ai découvert ce qui manquait à ma vie d'avant. (Elle leur sourit.) L'amitié, la vraie.

Charlotte hocha la tête.

— Je suis contente que tu l'aies compris. On a toujours été là pour toi, tu sais.

— Je n'en doute pas. J'aurais dû me confier plus tôt, mais…

— Non, ça ne regarde que toi, l'interrompit Charlotte. Mais je suis heureuse que tu te sois sentie assez en confiance pour nous en parler. Du coup, c'est beaucoup plus facile de te faire des confidences.

— Même si on n'a jamais eu de difficultés à raconter notre vie, ajouta Franco d'un ton pince-sans-rire.

— On se connaît depuis très longtemps, alors on a l'habitude, dit Charlotte en donnant un coup de coude à Franco. Et ça te manque, le stylisme culinaire ?

Riley hocha la tête.

— Beaucoup, en fait. C'était ma vocation, mon univers. Jeremy et moi étions de fins gourmets, et ça me manque sans doute un peu de tester les restaurants, les nouveaux chefs, les nouveaux plats. Chez *Foodie*, il y avait toujours des événements, des festivités. Je ne regrette pas tellement les mondanités ou les jeux de pouvoir, mais la gastronomie. Je crois que c'est pour ça que j'aime autant être avec vous.

— Tu devrais passer un peu plus souvent à Savannah, et pas uniquement pour faire les boutiques, lui conseilla Charlotte. Carlo est un cuisinier incroyable et, à nous deux, on a déjà rencontré beaucoup de chefs et de professionnels de la cuisine. Tu serais vraiment surprise du niveau de sophistication de leurs plats. On sort tout le temps et on fait exactement ce que tu as dit : on goûte, on découvre de nouvelles choses, on prend de l'inspiration. Ce serait chouette que tu te joignes à nous.

— Merci, dit Riley, séduite par cette idée mais pas très sûre d'avoir envie de tenir la chandelle à un couple complètement gaga.

— Je m'inviterai aussi, dit Franco, toujours aussi perspicace. Comme ça, on sera deux couples.

— Marché conclu.

En se livrant ainsi, Riley n'avait pas l'impression d'avoir donné une part de soi, mais de recevoir au contraire un beau cadeau. Elle savait que cet échange de confidences venait de sceller leur amitié.

La prochaine étape consisterait sans doute à déterminer ce qu'elle voulait faire de ses autres relations. Bien sûr, le sourire séduisant de Quinn s'imposa à elle mais, cette fois, elle ne lutta pas pour le balayer de son esprit.

Était-il temps de se remettre en chasse ? Elle sourit en se promettant de se reposer la question plus tard. La journée avait été suffisamment riche en émotions.

— Bon, et si on se mettait à nos cupcakes ? proposa-t-elle. J'ai envie de préparer quelque chose de complètement décadent.

Tandis qu'ils reprenaient les vieilles habitudes qu'ils avaient établies durant ces mois à cuisiner ensemble, elle se rendit compte qu'elle était heureuse. Et surtout, pour la première fois depuis très, très longtemps, elle se sentait pleine d'espoir.

Elle ignorait ce que serait la prochaine étape, mais elle était persuadée que l'espoir en était un ingrédient essentiel. Pour le moment, cela lui suffisait.

Chapitre 11

Hannah entendit quelqu'un entrer dans l'écurie et leva les yeux de la jument qu'elle était en train de panser. Elle caressa l'encolure de la bête, plus pour reprendre ses esprits que pour calmer l'animal inquiet. Elle aurait dû être plus étonnée de le revoir, mais peut-être avait-elle toujours su, au fond, qu'ils se retrouveraient. Elle se retourna face à l'intrus.

— Qu'est-ce que tu fais là ?

Malgré cet accueil plus que glacial, il ne manifesta aucune contrariété. Elle n'en fut pas surprise.

— Pour tout dire, je n'en sais rien.

— Alors tu devrais peut-être repartir, et revenir quand tu sauras.

Il haussa un sourcil.

— C'est une invitation ?

Elle prit le temps de le dévisager attentivement. Ça faisait, quoi, cinq ans ? Six, peut-être ? Vingt ans auraient aussi bien pu s'écouler, étant donné tout ce qui s'était passé dans leurs vies depuis leur dernière rencontre.

Mais le cœur de la jeune femme battait aussi vite que si cela avait eu lieu la veille.
Elle sentit que la franchise était la meilleure tactique face à cette situation – et face à lui.
— Je ne sais pas si c'est une invitation, répondit-elle. Qu'est-ce qui t'a poussé à venir jusqu'ici ? On a rouvert un vieux dossier ?
Elle ne prit même pas la peine de lui demander comment il avait retrouvé sa trace. Il avait été le meilleur inspecteur que la police de Denver ait jamais eu. Le Colorado était vaste, il était facile d'y disparaître, et c'était précisément ce qu'elle avait fait après avoir quitté son bureau de médecin légiste, plus de cinq ans auparavant. Mais lorsque Joe St Cloud voulait débusquer quelqu'un, il échouait rarement.
— Je ne fais plus partie de la police.
— Je sais, rétorqua-t-elle, amusée de le voir de nouveau hausser un sourcil.
Elle avait réussi à le surprendre. Très bien.
Il s'avança vers elle, et elle dut faire un effort pour ne pas reculer. Elle aurait été plus avisée de contenir ses sentiments, aussi – comme au temps de leur collaboration.
— Il y a des choses dont on peut s'éloigner sans un regret.
Il s'arrêta à quelques centimètres d'elle, rivant sur elle son regard bleu et perçant, qui avait la faculté de délier les langues des tueurs les plus endurcis.

— Et il y en a d'autres… pour lesquelles ce n'est pas aussi facile, conclut-il.

Quinn referma son ordinateur d'un coup sec. *Et merde !* Il s'était juré qu'il arrêterait de donner une voix à Joe et à Hannah avant d'avoir réglé son problème, et il venait exactement de faire l'inverse. Il s'éloigna de son bureau. Courir, voilà ce dont il avait besoin.

Parce qu'aujourd'hui, c'était le jour « J », celui du jugement. Il ne pouvait pas le repousser éternellement.

Déjà habillé en short et en tee-shirt, il traversa le jardin et franchit la ligne de dunes. Il se débarrassa de ses tongs d'un coup de pied et les dissimula sous les branches d'un palmier nain pour qu'elles ne s'envolent pas. Il ne quitterait pas la plage tant qu'il n'aurait pas imaginé les vies et l'éventuelle histoire d'amour de l'inspecteur Joe St Cloud – peut-être retraité de la brigade criminelle – et de Hannah Lake, experte médico-légale devenue propriétaire de ranch – peut-être à plein temps.

Cela faisait trente-six jours que Quinn était arrivé à Sugarberry, et le mois d'octobre approchait à grands pas. Il avait pris des tonnes de notes et imaginé les deux versions de son histoire, espérant – c'était capital – que l'une d'elles prenne le dessus pour de bon. Le problème… c'était que les deux étaient valables. S'il avait procédé comme d'habitude, il se serait plongé dans la relation entre l'enquêteur criminel et l'experte médico-légale, les aurait lancés sur la piste d'une nouvelle série de meurtres bien sanglants… et les aurait laissés évacuer la tension et l'angoisse lors de torrides scènes d'amour. Il appréciait énormément ces personnages, et ils étaient partis pour beaucoup s'aimer l'un l'autre, aussi.

C'était pour ça que l'autre idée avait commencé à s'insinuer dans son esprit. Il aurait déjà dû être plongé jusqu'au cou dans la cervelle et les morceaux de cadavres, multipliant avec joie les difficultés rencontrées par ses personnages dans l'élucidation des meurtres. Il avait même commencé à écrire les premiers chapitres, plus d'une fois.

Mais des bribes de conversations toutes différentes ne cessaient de résonner dans son esprit, de celles qui marquent la construction progressive d'une relation. Certaines images, certaines idées le tentaient. Sa fascination pour les deux personnages qu'il avait créés grandissait par à-coups, mais en prenant des chemins nouveaux. D'habitude, il y avait bien un arrière-plan à ces personnages, une histoire qui expliquait leur situation au début de l'intrigue. Mais désormais cette vie d'avant le roman l'attirait de plus en plus, si bien qu'il ne pouvait s'empêcher d'y revenir… et de s'y attarder.

Plus il songeait à ce que ses personnages pourraient s'offrir mutuellement, plus leur histoire le séduisait. Mais cela intéresserait-il quelqu'un d'autre ? Il n'en avait tout simplement aucune idée.

Quinn commença à longer le bord de l'eau, appréciant la sensation du sable froid et humide. Les nuits étaient plus fraîches, à présent, mais les journées étaient toujours torrides. Il aimait se rafraîchir en courant pieds nus le matin sur le sable qui, quelques heures plus tard, aurait tant chauffé qu'il deviendrait impraticable sans chaussures.

La marée descendait tandis que le soleil se levait lentement au-dessus de l'horizon. C'était un nouveau jour. Le jour « J ». Ses deux personnages ne pourraient rien lui apprendre ou lui dire de plus. Il devait choisir. Placerait-il les meurtres au centre de l'intrigue, et ferait-il de leur histoire commune un sujet révolu ? Ou bien ces meurtres allaient-ils appartenir au passé, tandis que l'évolution de leur relation constituerait le cœur du roman ?

Il courait à une allure particulièrement soutenue, quand une masse sortie de nulle part le heurta violemment par la droite et le projeta dans l'eau. Il parvint à retrouver son équilibre assez rapidement pour éviter d'y plonger tête la première, mais pas assez pour esquiver la vague qui vint se briser sur lui. Ce ne fut qu'après s'être secoué les cheveux et essuyé le visage qu'il aperçut Riley, à une dizaine de mètres de là, qui courait dans sa direction.

Ou plutôt, dans celle du chien : assis au bord de l'eau, Brutus le regardait en bavant sur l'énorme morceau de bois qu'il serrait entre ses puissantes mâchoires.

— Je suis vraiment désolée, cria Riley, hors d'haleine.

Elle s'arrêta devant lui et essaya de dire autre chose. Mais elle renonça et se pencha en avant pour reprendre son souffle, les mains posées sur les cuisses.

— C'est un sketch à répétition entre Brutus, l'eau et moi, dit Quinn en sortant sans se presser des vaguelettes qui s'enroulaient autour de ses mollets.

À peine eut-il retrouvé la terre ferme que Brutus lui lâchait son bâton sur le pied en lui lançant un regard plein d'espoir, la langue pendante.

Avec une grimace, Quinn se pencha pour ramasser le morceau de bois qui lui écrasait les orteils, et se retourna avec l'intention de le lancer dans les vagues. Mais Riley lui attrapa le bras au dernier moment.

— Non, attends ! Ne le lance pas dans l'eau ! s'écria-t-elle d'une voix qui avait retrouvé presque toute sa vigueur.

Quinn se tourna vers elle. Quand il l'avait reconnue, son cœur avait littéralement bondi dans sa poitrine. Il se sentit stupide. Et pris de vertige.

Elle avait les joues rouges, le regard étincelant, et ses boucles blondes formaient une joyeuse auréole autour de sa tête. Il voyait ses lèvres bouger mais ne l'entendait pas ; il essayait de se raisonner, de se retenir de la soulever dans ses bras pour la serrer contre son corps trempé en l'embrassant jusqu'à lui couper le souffle.

— Il a peur de l'eau, était-elle en train de dire quand il parvint enfin à se ressaisir.

— Quoi ? Ce n'est pas lui qui est allé faire trempette, la dernière fois ?

— Oui, mais ce n'était pas de son plein gré.

— Mais il est resté dedans, à barboter comme un canard.

— C'était dans le port. Il n'y avait pas de vagues.

— Oh, dit Quinn, faisant mine d'être convaincu par l'explication.

Fatigué d'attendre, Brutus vint lui cogner la jambe d'un coup de tête avant de lever vers lui un regard brillant d'excitation.

Quinn chancela et baissa les yeux vers le chien.

— Patience, mon pote.

Riley gloussa.

— Si on était dans un cartoon, un tas de petits cœurs et d'oiseaux seraient en train de voleter autour de sa tête.

— Je n'aimerais pas voir ce qu'il fait à ses ennemis.

Quinn fit jouer ses orteils pour apaiser la douleur. Il fit quelques pas en s'éloignant de la mer, puis se retourna pour regarder la côte. Brutus pivota sur son derrière pour mieux suivre le moindre de ses mouvements.

— Surtout, ne te lève pas pour moi, lui dit Quinn.

Puis il prit son élan et fit de son mieux pour envoyer la branche aussi loin que possible, à une vingtaine de mètres de là. C'était vraiment un gros bout de bois.

Comme dans le jardin, Brutus observa la trajectoire du projectile sans broncher, mais Quinn remarqua qu'il était tendu et parfaitement en alerte. Lorsque la branche heurta le sable, Quinn s'attendit à voir le chien bondir comme un ressort. Il n'en fut rien. Brutus se leva tranquillement et trotta nonchalamment vers son jouet.

Quinn secoua la tête et se tourna vers Riley, qui l'avait rejoint.

— Il vit à son rythme, dit-elle simplement.

— C'est quelque chose que je respecte.

Elle l'observa si longuement qu'il eut du mal à garder ses mains par-devers lui.

— Je suis vraiment désolée. Tu es une fois de plus tout mouillé. Je te jure, je n'avais pas vu que tu étais là, et Brutus est parti en trombe sans crier gare. La dernière fois qu'il a fait ça, c'était déjà pour courir vers toi. (Elle le regarda et sourit.) Encore un fan de Quinn Brannigan, je suppose. Une vraie groupie, ajouta-t-elle alors que Brutus revenait vers eux au petit trot, sa grosse branche bien calée entre les mâchoires.

— Tant qu'il ne fonde pas un fan-club avec ses semblables, je devrais pouvoir le supporter.

Riley éclata de rire.

— Quand j'ai passé le virage et que je t'ai vu courir, je t'ai appelé pour te prévenir, mais avec le vent et les vagues… J'ai essayé de te rattraper, mais tu courais comme si les chiens de l'enfer étaient à tes trousses.

— Si j'avais su, dit-il, et ils s'esclaffèrent.

— Je suis désolée.

— C'est moi qui suis désolé de t'avoir fait courir.

— Ça va, ce n'est pas un petit jogging de temps en temps qui pourrait me faire du mal.

Elle sourit, et ses joues déjà rosies par le vent se colorèrent un peu plus.

Ce n'était pas le genre de choses qu'il aurait jugées excitantes d'ordinaire, et pourtant…

Brutus lâcha de nouveau la branche sur ses pieds. Quinn essaya de ne pas grimacer en se baissant pour la ramasser.

— Tu es un vrai danger public, dit-il au chien. Le voilà, ton bâton.

— Il va vouloir jouer à ça toute la journée, si tu le laisses faire, le prévint Riley.

Quinn lança tout de même la branche.

— Et comment tu arrives à lui résister ?

— Il suffit de lui caresser la tête, de lui gratter les oreilles et de lui dire que c'est fini. Il va comprendre. C'est un vrai nounours, crois-moi.

— Oui, ça se voit.

Quinn avança vers le chien, qui atteignait déjà son bout de bois. Riley le rattrapa.

— Je suis navrée qu'on t'ait interrompu dans ta course. Tu avais l'air très… concentré. Je vais récupérer Brutus, et on va te laisser t'y remettre.

Il n'allait tout de même pas lui dire que courir dans des vêtements trempés et couverts de sable était le meilleur moyen d'avoir la peau tout irritée.

— Ça va, ce n'est pas grave. Je courais seulement pour évacuer la frustration.

— Et ça marche ?

Il ricana.

— Non, mais au moins ça avait l'air un peu plus productif que de rester assis devant mon écran d'ordinateur.

— Ah. Tu as des ennuis avec ton roman ? (Elle leva une main.) Non, ça ne me regarde pas. Désolée.

— Ne t'en fais pas. Sale fouine. (Il lui fit un clin d'œil, et ils rirent.) Pour répondre à ta question, non, je n'ai pas de problème, du moins pas pour dérouler le fil de l'histoire. Au contraire, ça se déroule trop bien, et c'est justement ce qui m'ennuie.

— Ce n'est pas bien, d'avoir une longue histoire ?

Ils rattrapèrent Brutus mais, au lieu de reposer la branche dans le sable, celui-ci la conserva et se mit à marcher devant eux le long de la plage. Côte à côte, Riley et Quinn lui emboîtèrent le pas... Vêtements mouillés ou pas, Quinn décida que c'était une bien meilleure façon de passer la matinée.

— Le problème ce n'est pas la longueur, c'est le nombre. Il y a plusieurs histoires.

— Ah... Je n'avais jamais pensé à ça. Je me suis toujours représenté les écrivains penchés sur leurs claviers, à se battre pour trouver la réplique parfaite, la meilleure manière d'introduire la scène suivante. Je crois que ça ne m'est jamais venu à l'esprit que vous puissiez avoir trop d'idées sans savoir laquelle choisir.

— Eh bien, tu as raison, ce n'est pas courant. Ta première vision est plus proche de la réalité. (Il ralentit et posa les yeux sur elle.) En ce moment, j'ai deux versions possibles pour les mêmes personnages, et j'essaye de déterminer laquelle je dois raconter.

Les deux me plaisent, mais je ne sais pas laquelle conviendra le mieux, ni pour les personnages ni pour moi.

— Tu ne peux pas écrire les deux, en faisant vivre l'une des histoires à de nouveaux personnages ?

— Je l'avais envisagé, mais ce n'est pas comme ça que je travaille. Ce sont des aventures qui arrivent à ces personnages en particulier, et à personne d'autre. J'ai inventé deux univers bien distincts qui leur conviendraient tous les deux, mais qui ne sont pas compatibles – en tout cas pas de la façon dont ils sont construits dans ma tête. Et jamais des personnages ne m'ont parlé autant que ceux-là. Ils sont importants pour moi, maintenant que j'ai passé tant de temps avec eux dans ma tête.

Il ricana avant de poursuivre.

— Je dois avoir l'air un peu dingue, ou même complètement dérangé. D'habitude, je pars d'une idée globale, puis je me plonge dedans et j'apprends à connaître mes personnages au fur et à mesure. Mais ces deux-là me sont déjà plus familiers que la plupart de mes héros au bout de cinq cents pages. Ils ont une étoffe, une densité, qui les apparentent pour moi à des êtres réels. Je ne peux pas les laisser tomber en leur donnant une histoire qui ne soit pas à la hauteur de leur potentiel épique. Il leur faut quelque chose d'excitant, de convaincant, d'attachant et d'enrichissant à la fois.

— Rien que ça ?

— Exactement, dit-il avec un petit rire. Ça ne me met pas du tout la pression.

— Mais les crimes ne pourraient pas être élucidés par quelqu'un d'autre ? Et les deux intrigues ne peuvent pas se croiser ?

— Telles que je les conçois ? (Il sourit.) Non. Je dois en choisir une. J'ai l'impression d'être dans *Le Choix de Sophie*, ou un truc dans le genre. À partir du moment où j'ai commencé à imaginer une histoire, elle appartient aux héros. Je ne peux pas tout balayer et recommencer. Ça reviendrait à effacer les personnes qu'ils sont devenus pour moi.

— Mais pourquoi tu ne ferais pas une série, ou quelque chose comme ça ?

— J'y ai pensé, mais ça ne marcherait pas non plus. Selon chacune des deux histoires, ils se rencontrent à deux moments différents de leur existence. Ils mènent une vie ou l'autre, mais pas les deux en même temps.

Il ralentit l'allure, fit une pause, puis s'arrêta complètement.

— Est-ce que je peux te poser une question ? D'ordre purement hypothétique ?

Elle se retourna et leva les yeux vers lui, puis se décala légèrement pour que sa tête lui cache le soleil.

— Bien sûr.

— Je peux avoir confiance en ta discrétion ?

Elle fronça légèrement les sourcils.

— Bien sûr. Pourquoi ?

— D'abord, laisse-moi te poser ma question. Je veux une réponse honnête, brutale si nécessaire.

Qu'est-ce qui te donne envie de lire mes livres ? Quand tu entames ta lecture, qu'est-ce que tu t'attends à trouver, quels sont les éléments qui te donnent le plus envie d'avancer dans l'histoire ?

— C'est facile, même si ça ne va peut-être pas te plaire. C'est la relation entre les deux personnages principaux. Toujours.

Il croisa les bras.

— Vraiment ?

Elle sourit et haussa les épaules, comme pour s'excuser.

— Vraiment. Je sais que tu es un auteur de thrillers qui fait un travail incroyable sur les passages gore, et je suis sûre que la plupart des gens les lisent pour avoir leur dose de meurtres et de suspense. Mais puisque tu me demandes mon avis, tout ce que je peux dire, c'est que je tolère ces scènes-là uniquement pour pouvoir profiter des relations entre les personnages. Tu crées toujours des couples tellement saisissants, qui assument parfaitement leur attachement l'un envers l'autre… J'adore ça. Et voilà, maintenant je doute que tu sois content de m'avoir posé la question, acheva-t-elle avec un sourire sarcastique.

— Au contraire. (Il reprit sa marche, songeant déjà à de nouvelles pistes.) Tu as dit qu'ils assumaient leur relation. Pourquoi devrait-il en être autrement entre des gens qui s'aiment ?

— Pour rien. C'est justement ce qui rend tes livres aussi géniaux. Tu as tout compris. Malgré toutes les tragédies qu'ils doivent traverser chaque jour, ils ont le droit d'être heureux. Dans la plupart des polars, le héros est un détective – un homme ou une femme – qui mène une vie misérable ou qui est trop tourmenté pour trouver l'amour ou le bonheur. Et même s'il y arrive, ça ne dure jamais : son nouvel amour doit mourir ou le plaquer, afin qu'il devienne un personnage encore plus tragique. J'aime les mystères bien ficelés, j'aime essayer de deviner qui est le meurtrier, mais qu'un pauvre gars, ou plusieurs, se fassent tuer par un monstre en liberté, c'est déjà bien assez triste comme ça. On n'a pas besoin que le personnage qui arrête le coupable soit malheureux, lui aussi. Au bout d'un moment, c'est juste déprimant. Et désespérant. On capture le méchant et tout le monde peut dormir tranquille, sauf bien sûr l'homme qui l'a appréhendé, qui finit toujours aussi misérable et tourmenté. (Elle haussa les épaules.) Je ne comprends pas en quoi ce qui est tragique et malsain rend l'histoire plus « réelle ». (Elle mima des guillemets avec les doigts.) La réalité est aussi faite de joie, d'amour, de bonheur… Et de plaisir, et d'humour, et… Enfin, tu vois ce que je veux dire. Ce que j'aime, dans tes romans, c'est que tu montres les aspects sombres, et malheureusement bien réels, du monde dans lequel on vit, les crimes que les hommes sont capables de perpétrer… mais sans oublier l'autre extrémité du spectre. C'est peut-être cet équilibre dans le contraste qui est si efficace. Quand des personnages s'aiment autant, tu es – enfin, moi, le lecteur – encore plus terrifié à l'idée qu'il leur arrive quelque chose.

Ce serait trop tragique. Du coup, ça me tient plus en haleine quand tu les mets en danger que lorsqu'un pauvre détective déprimé risque sa vie. (Elle s'arrêta de marcher.) Je suis désolée, je dois sûrement avoir l'air d'une groupie un peu tarée. Je suppose que si tes personnages s'aiment, c'est probablement pour les scènes de sexe. (Elle lui adressa un grand sourire.) J'aime aussi beaucoup ces passages.

Quinn lui rendit son sourire.

— Tant mieux, moi aussi. Mais non, ce n'est pas pour ça que je développe autant les relations amoureuses de mes personnages. Je le fais… eh bien, exactement pour la raison qui te pousse à les aimer. Je suis ravi de savoir que les lecteurs le comprennent. Enfin, au moins une lectrice.

— Oh, je ne suis sûrement pas la seule. C'est sans doute pour ça que tes histoires plaisent à tout le monde. Je ne sais pas si tu es lu plutôt par les hommes ou par les femmes, mais je suis prête à parier que les uns accrochent autant que les autres.

Pendant quelques minutes, ils déambulèrent le long de la plage dans un silence complice, Brutus menant toujours la marche. Quinn laissait ses pensées divaguer et tourbillonner.

— Et donc… c'était quoi, la question purement hypothétique ? demanda Riley.

Il leva les yeux.

— Ah, oui. En fait, je crois que tu y as déjà répondu.

— Oh, dit-elle, d'un air un peu déçu. D'accord.

— Très bien, dit-il avec un grand sourire. Je te la pose, mais encore une fois…

Elle fit le geste de se verrouiller les lèvres et de jeter la clé. Spontanément, Quinn fit mine de l'attraper. Il referma la main et sourit.

Elle lui rendit son sourire, de nouveau rougissante. Il vit ses pupilles se dilater et son regard se poser sur sa bouche avant de se détourner et de se perdre dans le lointain.

La question lui vint facilement, sans hésitation.

— Est-ce que ça t'intéresserait de lire un livre de moi qui laisserait de côté les psychopathes et les meurtres sanglants ?

Elle s'arrêta et se retourna pour le regarder.

— Oui, dit-elle aussitôt et d'un ton résolu.

C'était exactement la réponse qu'il attendait d'elle.

— D'accord, dit-il.

D'accord, songea-t-il. Ils se remirent en route. Il pensait qu'elle allait le harceler de questions, mais elle se tut, respectant son silence et son besoin de réflexion tandis qu'ils poursuivaient leur marche le long de la plage.

Brutus tourna brusquement le dos à la mer, bifurqua vers un bouquet d'arbres et se laissa tomber à l'ombre.

— Je crois qu'il a besoin d'une pause, dit Riley. Ça fait beaucoup d'exercice, pour lui. Je sais bien qu'il a l'air grand et fort, mais les efforts prolongés lui fatiguent le dos et les hanches.

Quinn hocha la tête et suivit les traces de Brutus.

— Je crois qu'il y a assez de place pour nous trois.

— Tu n'es pas obligé de nous attendre, tu peux...

Quinn s'assit à la limite de la partie ombragée, pour que le soleil ne réchauffe que le devant de ses vêtements encore trempés. Il sourit à Riley et tapota le sable à côté de lui.

— D'accord.

Elle s'assit et étendit les jambes. Son ample bermuda kaki dévoilait la peau la plus blanche que Quinn ait jamais vue.

— Tu ne préfères pas t'installer à l'ombre ? demanda-t-il.

— Pourquoi ? demanda-t-elle, avant de voir ce qu'il regardait. Oh, non. J'ai mis des tonnes de crème. Pour que je bronze, il faudrait que toutes mes taches de rousseur décident de converger, et ce serait tellement mignon que je préfère ressembler à Casper le petit fantôme.

Il la regarda.

— Tu as sans doute raison. Je trouve que tu as une très belle peau.

Il savait que le compliment allait la faire rougir, et ne fut pas déçu. Pleinement heureux et satisfait, il sourit et se tourna vers la mer, remarquant au passage le vernis rose vif qu'elle portait aux orteils... ainsi que le délicat anneau argenté qui entourait son petit doigt de pied.

Découvrant ce petit détail, il sentit le désir monter, et fut obligé de croiser les jambes. Il se redressa et tira sur son tee-shirt mouillé.

Riley portait un débardeur rose vif sous une chemisette ouverte en tissu écossais, rose, orange et blanche. Son ample bermuda descendait bas sur ses hanches, ce qui avait attiré le regard de Quinn quand elle avait marché vers lui un peu plus tôt. L'ensemble était joyeux et coloré, ce qui s'accordait parfaitement avec les boucles blondes et le sourire facile de la jeune femme. Confortable avant tout, sa tenue n'était pas ouvertement sexy, pas plus que ses taches de rousseur et sa peau laiteuse. Pas ouvertement.

Et pourtant, la coquetterie de ses orteils vernis, l'espièglerie de ce petit anneau argenté, le naturel avec lequel elle assumait les courbes sensuelles de son corps… tout cela suscitait chez Quinn le désir insensé de l'attirer contre lui… et de découvrir ce que dissimulaient tout ce coton et toutes ces couleurs.

Il enfouit ses doigts dans le sable et repensa à ce qu'Alva lui avait dit au sujet de la disponibilité de Riley. Il avait passé la semaine à y songer, et en avait conclu que ça n'avait aucune importance. Même si elle n'avait personne dans sa vie, elle l'avait laissé croire le contraire. Visiblement, elle ne voulait pas se laisser approcher.

Il était donc décidé à respecter son choix et à passer à autre chose.

Mais ce n'était pas franchement facile, à cet instant précis.

Quinn décida de se concentrer sur le bruit des vagues, sur la sensation du soleil pénétrant à travers ses vêtements trempés et lui réchauffant la peau…

n'importe quoi, pourvu que ça l'empêche de penser à la présence de la femme assise à ses côtés.

Sauf que ça ne suffisait pas.

Au bout d'un long moment, Riley se décida à reprendre la parole.

— Tu n'es pas obligé de me répondre mais, si j'ai bien compris ta question purement hypothétique, ton couple a un meurtre à élucider, et tu as aussi envie de t'étendre sur leur histoire de couple, sans enquête policière. C'est ça ?

Il posa rapidement les yeux sur elle, avec l'intention de se replonger aussitôt dans la contemplation des vagues, mais il se retrouva instantanément prisonnier des yeux pleins de franchise et de sincérité qu'elle rivait sur lui, et répondit sans réfléchir :

— Je pense que leur histoire d'amour n'atteindrait pas tout son potentiel si elle se déroulait en amont du roman. Pour le moment, ils ne sont pas encore mûrs. Mais plus tard… il n'y aura plus de meurtres à résoudre, parce qu'ils ne pourront plus faire face à toutes ces histoires sordides. Ils seront arrivés au bout de cette expérience-là.

— J'ai saisi, maintenant. Donc c'est vraiment l'un ou l'autre. Soit ils s'aiment – mais pas assez – en combattant le crime… soit ils tombent amoureux pour de bon après en avoir fini avec le crime. (Elle soupira.) Je comprends le dilemme. Dans tous les cas, ils sont ce qu'ils sont à un certain moment. Donc la question, c'est : dans quel ordre est-ce que tout ça doit arriver ?

— Exactement.

Il avait l'impression qu'on venait de lui ôter un énorme poids. Riley ne lui apportait pas de solution, mais ça l'aidait déjà beaucoup qu'elle comprenne son dilemme.

— Merci, Riley.

— De quoi ? Je n'ai rien fait.

— Tu as compris, et c'est déjà plus que je ne l'espérais. Je commençais à croire que je m'étais tellement enfoncé dans la forêt que je ne voyais plus les arbres.

Elle secoua la tête.

— Je ne crois pas. Tu veux seulement rendre justice à tes personnages, et tu ne sais pas quelle option les servira le mieux. (Riley changea de position de manière à lui faire face.) Je vais te dire une chose. J'adore tes histoires à suspense, rien que pour les intrigues complexes que tu développes. C'est rare que j'arrive à anticiper tous les retournements de situation. Mais... et je dis ça comme un compliment, dans chacun de tes livres, il y a des moments où j'aimerais passer plus de temps avec les personnages, loin des enquêtes criminelles. Bien sûr, ce n'est pas le sujet central du récit, donc il n'y a pas de temps pour ça. Ça n'aurait pas de sens, et je le comprends, mais je me sens toujours un peu laissée en plan. Pas complètement larguée, non, tes livres ont toujours largement de quoi me captiver, mais... tu vois peut-être ce que je veux dire.

— Pour être honnête, jusqu'ici, j'étais plutôt satisfait de l'équilibre que je trouvais. J'aimais le contraste entre le grand amour et la grande tragédie.

— Et alors, en quoi ces deux personnages-là sont différents ?

Il haussa les épaules.

— Aucune idée. Ils sont comme ça, c'est tout. Je les vois, je les écoute, et il y a tellement de choses à raconter. J'ai déjà essayé de reléguer leur première rencontre à une époque antérieure, et je sais qu'ils formeraient un duo d'enquêteurs fascinant pour l'histoire de meurtre que j'ai en tête… mais je… je n'arrivais pas à trouver l'équilibre. J'avais l'impression que ce n'était pas bien, pas très juste ni généreux envers eux. Je sais qu'ils ont le potentiel de vivre tellement plus.

— Et alors, ça ne répond pas à ta question ?

— Comment ça ?

— Si raconter leur histoire de cette façon te donne l'impression de les laisser tomber… alors c'est probablement le cas.

— D'accord, mais alors… si pour une raison quelconque, ils ont déjà leur carrière derrière eux, et que c'est de ces cendres que naît leur relation… si je ne leur donne pas quelque chose d'autre à faire et qu'il n'y a pas tous ces retournements de situation… est-ce que ça ne devient pas ennuyeux ? Est-ce que leur histoire ne perd pas ce qu'elle a de passionnant, d'extraordinaire ? Est-ce que j'ai besoin des meurtres et du chaos pour rendre, par contraste, leur histoire d'amour convaincante ? Ce serait un grand changement pour moi, et je n'ai aucune idée du résultat. Si je fais le grand saut, au risque d'ennuyer plein de gens, j'ai besoin d'être sacrément sûr que ça fonctionne.

— Eh bien, je ne suis pas la bonne personne à qui poser la question, parce que pour moi, cette histoire vaut bien un thriller. Il n'y a pas que les meurtres qui peuvent vous glacer le sang. Il y a des tas de choses terrifiantes, dans le monde. Pour deux personnes un peu perdues, un peu brisées, tomber amoureux, ça revient parfois à traverser un immense champ de mines. Surtout juste au moment où ils pensaient qu'il n'y avait plus de danger. Tu vois ce que je veux dire ? Ils laissent derrière eux les meurtres, le chaos et les balles qui volent parce qu'ils ne peuvent plus prendre tous ces risques… tout ça pour découvrir qu'ils n'ont pas encore affronté le danger le plus intime qui soit. Les meurtres, ça arrive aux autres, et ils ramassent les morceaux. Mais si ça leur arrive à eux, cette fois ? Et si la balle qu'ils doivent esquiver provient d'un tireur qu'ils ne voient pas venir ? Parce qu'il n'y a apparemment plus de tireur, tu comprends ? Sauf que… Oh, je m'embrouille.

Elle sourit et respira un grand coup avant de poursuivre.

— Disons qu'on sait que le tireur est là, en embuscade, tout comme dans l'histoire de meurtre. Nous – les lecteurs – nous voyons la balle arriver et l'immense menace qui se profile : ils sont tentés l'un par l'autre, ils tombent amoureux, mais ils ne s'en rendent pas compte. Ils vont être complètement pris de court par le tireur. Je ne vois pas comment on pourrait imaginer un suspense plus haletant. Si, au dernier moment, ils gâchent tout et n'arrivent pas à capturer ce tireur qu'est l'amour, ils ont tout perdu. On ne peut pas prendre plus de risques que ça.

— C'est vrai, dit-il, songeur. Dit comme ça…

Il souriait, mais les pensées tourbillonnaient littéralement dans son esprit. Enfin, il était pris aux tripes par cette sensation mystérieuse qui attirait irrésistiblement ses doigts vers le clavier et lançait son cerveau dans une course folle… ce déclic qui lui disait qu'il était sur la bonne voie.

Il allait jongler entre les affaires criminelles du passé – celles que ces personnages auraient été chargés de résoudre s'il avait choisi l'autre option – et le danger auquel ils étaient exposés au début du récit, face à face, confrontés au chaos décrit par Riley : celui qui règne à l'intérieur, quand deux personnes se battent pour ne pas tomber amoureuses. Il pouvait même construire cette intrigue-là comme une histoire criminelle : après tout, il s'agissait aussi de découvrir des indices et, finalement, d'élucider l'affaire en s'engageant sentimentalement. Puisque ses personnages s'étaient déjà croisés dans le cadre de leurs enquêtes passées, ils se connaissaient déjà bien. Ils avaient des méthodes très différentes, et leur rencontre avait déjà produit des étincelles – bonnes ou mauvaises –, mais ce ne serait qu'après avoir bouclé tout le reste que la véritable explosion pourrait avoir lieu.

— Alors, tu vois ce que je veux dire ? demanda-t-elle en le regardant d'un air incertain.

— Non seulement je le vois, mais je peux même l'écrire, dit-il, de plus en plus enthousiaste. Et, mieux encore, je peux le vendre.

Il lui prit le visage entre les mains et déposa un baiser sonore sur ses lèvres pulpeuses, puis hulula si fort que Brutus cessa d'observer la mer pour voir d'où provenait tout ce vacarme.

— Oh merci, Riley ! Tu as réussi ! (Il avait toujours les mains posées sur son visage.) Tu as réussi !

Il sauta sur ses pieds, entraînant Riley à sa suite, et la fit valser en riant comme un fou. Le soulagement était si intense qu'il poussa de nouveau un grand cri avant de la soulever dans ses bras.

— Tu as vu les arbres ! Tu as vu toute cette fichue forêt !

Elle écarquillait ses grands yeux bruns. Il la reposa sur le sable, mais garda les mains posées sur ses bras.

— Je n'arrive pas à croire que j'aie pu rater ça, dit-il, riant toujours. Mais tu as entièrement raison. C'est exactement la même démarche, mais avec des enjeux différents, et plus effrayants. Comment ai-je pu ne pas le voir ? C'était tout cela à la fois, et bien plus encore. Tellement plus ! Tu es un génie !

— Oh, ce n'était rien.

Pourtant, elle était essoufflée, comme lui, et semblait tout aussi éblouie.

Elle sourit, les yeux brillants de cette flamme qui semblait constamment couver en elle, puis elle éclata de rire, toujours haletante : Quinn ne pouvait détacher son regard de ses lèvres entrouvertes, et il sentit le désir monter en lui.

L'effervescence, l'exubérance de son soulagement, laissèrent soudain la place à quelque chose de bien plus élémentaire.

Quinn relâcha le bras de Riley, qu'il avait serré plus fort qu'il ne l'aurait voulu. Machinalement, il caressa l'endroit où ses doigts avaient laissé de légères marques, mais son attention fut de nouveau attirée par la bouche sensuelle de la jeune femme, par ses yeux aux pupilles dilatées, puis de nouveau par ses lèvres.

— J'avais beaucoup songé au goût que tu pouvais avoir, dit-il, renonçant à se censurer.

La tête lui tournait, pour toutes sortes de raisons, et c'était une sensation de chaos magnifique.

— Je t'ai embrassée si vite que je n'ai même pas pu savourer ce baiser, reprit-il.

Il la vit déglutir.

— Est-ce qu'il y a une règle que j'ignore et qui t'empêcherait d'y remédier ? demanda-t-elle.

Elle jouait l'humour et la décontraction, mais la façon dont elle le regardait n'avait rien de décontracté.

Et c'était tout aussi bien… parce qu'il n'aurait pas voulu être le seul dans cet état.

— Ma seule règle, c'est de ne pas embrasser quelqu'un qui embrasse régulièrement quelqu'un d'autre. (Il sourit.) À l'exception des baisers spontanés censés exprimer ma profonde gratitude.

— J'aime cette règle.

— Bien.

— Je l'aime même beaucoup, insista-t-elle.

— Tu veux me compliquer la tâche, c'est ça ? (Mais ce n'était pas un problème, parce qu'il en avait assez de chercher la facilité.) Sur le port, l'autre jour, près de ton bateau, tu m'as dit que tu avais quelqu'un.

— Non, je n'ai pas dit ça.

— D'accord, tu as raison. C'est moi qui l'ai dit. Tu ne m'as pas détrompé.

— J'ai… j'ai pensé que ce serait plus facile.

— Plus facile pour qui ?

— Pour moi. Je ne pensais pas que tu t'en soucierais.

Cette remarque irrita un peu Quinn, parce que c'était faux, et qu'il était certain que c'était son manque de confiance en soi qui la plombait… pas lui.

— Mais j'avais tort, reprit-elle.

— Je t'apprécie. Et je ne peux pas m'empêcher de me soucier des personnes que j'apprécie. J'ai beaucoup de mal à lutter contre ce penchant, et j'ai beau essayer, il n'y a pas grand-chose que je puisse faire.

Riley soutint son regard pendant un moment, puis dit :

— Est-ce que je peux te poser une question ? Et je veux une réponse honnête, brutale si nécessaire, ajouta-t-elle, faisant écho à la requête qu'il avait formulée un peu plus tôt.

En temps normal, il aurait souri, mais les enjeux lui semblèrent soudain vraiment très importants, et extrêmement personnels. Il prit un air grave.

— D'accord.

— Tu as eu beaucoup de difficultés avec ton roman. Je devine, à ta profonde gratitude, que ça a été une grande source de frustration, voire d'angoisse. Et tu es venu ici, à Sugarberry, pour trouver le temps de te concentrer. Alors… je ne vais pas te mentir, je t'ai un peu suivi dans les médias, et même si ces infos sont sans doute inventées ou probablement très exagérées, je… (Elle hésita.) Je voudrais savoir si tu dis vouloir m'embrasser parce que tu t'intéresses réellement à moi, ou…

Elle fit une pause, et se rendit compte que sa question était plus difficile à poser que prévu.

— … ou si tu as envie de moi uniquement parce que je suis ici, et disponible. Parce que, je vais être honnête, ajouta-t-elle sans lui laisser le temps de répondre, je ne suis pas le genre de femme que tu fréquentes d'habitude, et ce n'est pas grave, pas de jugement, pas de mal, pas de faute. J'attire toujours les hommes qui cherchent la facilité, les relations simples, parce que je n'ai pas une tête à compliquer les choses. Mais je ne peux pas gérer ce genre de relation. Je voudrais bien, dans la mesure où ça doit être un moyen fantastique de passer le temps, mais je suis… (Elle haussa les épaules et baissa les yeux.) Ce n'est pas pour moi. Ce n'est pas ce que je recherche.

« Moi non plus », eut-il envie de dire avec une sincérité absolue.

Sauf qu'en réalité, elle venait de décrire avec exactitude ses relations passées : faciles, légères et sans exigences. Il s'était dit que, si ces histoires avaient été faites pour avoir plus de sens, ça se serait fait tout seul. Mais combien de fois avait-il inconsciemment choisi des femmes qu'il savait n'être pas faites pour lui ? Il n'avait jamais voulu blesser personne, et surtout pas lui-même.

La réponse qu'il s'apprêtait à lui faire lui paraissait tout à fait appropriée. Mais seulement... pourquoi le croirait-elle ? Et pourquoi y croyait-il, lui ?

— Je sais. Enfin, je me doute que ce n'est pas ce que tu veux, dit-il.

Elle leva les yeux.

— Mais toi si, affirma-t-elle. C'est ce que tu choisirais.

— C'est un choix que j'ai fait par le passé, oui, dit-il en faisant preuve – envers elle et envers lui-même – de l'honnêteté brutale qu'elle avait exigée.

Elle parut déçue, mais ne pouvait l'être autant que lui. Il ne pouvait guère lui en vouloir.

— Mais je suis sincère quand je te dis que je m'intéresse à toi. Je ne cherche pas à jouer. Tu te leurres complètement sur ta capacité à ne pas compliquer les choses. Tu me rends dingue, tu seras toujours dans mes pensées. Je ne m'attendais pas à ça, pas parce qu'il s'agit de toi, mais parce que ça ne me ressemble pas. Il n'y a que toi pour me faire cet effet-là. Et, honnêtement, je ne sais pas comment réagir.

Elle fronça les sourcils, puis lui lança ce petit sourire en biais qui ne lui creusait qu'une seule fossette… et qui ne demandait qu'à se transformer en franche gaieté.

— Dans ce cas, j'imagine qu'il y a de quoi être flattée, convint-elle.

Ils éclatèrent de rire. La tension se relâcha légèrement, mais il savait qu'elle était toujours là, sous-jacente, prête à remonter à la surface si personne n'y faisait rien.

— Merci, répondit-il enfin.

— Pour l'idée de l'histoire ? Pas de problème, tu avais déjà fait le plus gros du travail. Tu avais seulement besoin d'un œil extérieur, qui te suggère le bon ordre pour que ça ait l'air plus joli. (Elle sourit.) Et, bien sûr, c'est ma spécialité.

— Ça se voit. (Il ne pouvait s'empêcher d'être attendri en la regardant, malgré la tension sexuelle toujours palpable entre eux.) Je devrais peut-être organiser des séances de brainstorming avec des stylistes et des metteurs en scène, au lieu de faire ça avec des auteurs et des éditeurs. Mais je voulais surtout te remercier pour ta franchise et ton honnêteté. Tu ne m'as pas dit ce que je voulais entendre, mais ce que j'avais besoin qu'on me dise. Je ne cherche jamais à profiter des autres mais… c'est peut-être ce que j'ai fait, pour le coup. Quand il s'agit de toi, j'ai beaucoup de mal à maîtriser mes désirs et mes pensées.

Elle lui adressa un grand sourire, presque crispé, et sembla vouloir le tirer d'affaire.

— Au moins, maintenant, on n'a plus à s'en faire à ce sujet, dit-elle en lui tapotant le bras, comme pour conclure amicalement la conversation. C'est bien qu'on ait pu exprimer tout ça.

Elle commença à se dégager de son étreinte, mais il était certain que, s'il la lâchait, elle partirait en courant sur la plage, et qu'il ne la verrait plus jamais.

Instinctivement, il raffermit sa prise. Il la tenait toujours avec douceur, mais il n'était pas prêt à la laisser aller – et ne le serait peut-être jamais.

— Alors… ce deuxième essai… ce n'est plus la peine. Enfin, je suppose.

Même si c'était ridicule, il n'avait pas grand-chose à perdre.

Il vit le sourire de la jeune femme vaciller, mais ses yeux brillaient toujours lorsqu'elle les leva vers lui.

— Quinn…

— Je sais. C'est juste que… (Il hésita.) Je sais, répéta-t-il. On ne peut pas toujours avoir ce qu'on veut. (Il soutint son regard, souffrant d'y lire tant de désir et de ne pouvoir rien y faire.) Bon Dieu, on dirait une mauvaise réplique de roman, dit-il avec un petit rire, mais c'est juste que là, je n'arrive pas à me faire à l'idée de te quitter.

— Et qu'est-ce que ça te fait, d'habitude, quand tu quittes quelqu'un ?

Même si elle avait raison, il se sentit blessé qu'elle présume que c'était toujours lui qui s'en allait.

— C'est bien là le problème, dit-il, se sentant plus vulnérable qu'il ne s'était jamais autorisé à l'être. D'habitude, ça ne me fait rien.

L'expression de Riley s'adoucit, et elle posa sur lui un regard intense et pénétrant.

— Tu… tu le penses vraiment.

Il esquissa un sourire.

— J'aurais aimé que ce soit moins difficile à croire. Je ne suis pas un salaud avec un cœur de pierre. Je n'essaie pas de blesser les gens. Je suis toujours honnête.

— Je ne t'ai jamais perçu comme un salaud, au contraire. Je pense que tu es le genre d'homme qui ne veut pas faire souffrir. C'est dans ta nature de vouloir amortir le choc, de dire ce qu'il faut pour que les autres se sentent bien, de prendre la faute sur toi quand l'histoire se termine.

— Peut-être. Je n'avais jamais vu les choses sous cet angle. Mais ce n'est pas pour ça que je t'empêche de partir. (Il fit glisser ses mains le long de ses bras, et entremêla ses doigts aux siens.) Je ne veux vraiment pas que tu t'en ailles. C'est aussi simple et aussi compliqué que ça. Je n'ai rien d'autre à t'offrir ni à te promettre. C'est un acte purement égoïste, même si j'aimerais croire le contraire. Mais… c'est la vérité.

Il se tut, baissa les yeux vers leurs mains entrelacées, soupira puis se força à la regarder… et décida de se dévoiler entièrement. C'était le moins qu'il puisse faire pour elle, qui le méritait tant.

— Tu me fais ressentir, penser et vouloir des choses qui ne me ressemblent pas. Je ne sais pas pourquoi, j'ignore ce que ça peut signifier et où ça pourrait nous mener. Tu as probablement raison de ne pas vouloir prendre le risque, tu devrais sûrement me tourner le dos et partir sans un regard en arrière. Tout ce que j'ai à t'offrir, c'est cet aveu : je ne veux pas que tu t'en ailles, ce n'est pas ce que j'aurais choisi. Pour la première fois, ça me ferait quelque chose si tu partais.

Elle soutint son regard pendant ce qui lui sembla une éternité.

Puis, enfin, il lui lâcha la main.

— Ce n'est pas juste de te retenir. Tu m'as dit ce que tu voulais.

— Non, dit-elle, retrouvant soudain l'usage de la parole. Je t'ai dit ce que je pouvais supporter. Ou plutôt, ce que je ne pouvais pas supporter. (Elle lui reprit la main.) Mais pas ce que je voulais.

Son cœur se mit à battre plus fort. Il n'avait jamais ressenti un tel mélange d'excitation et de terreur face à quelqu'un. Ses personnages, oui… mais pas lui. Il prit conscience que ses descriptions étaient jusque-là bien loin du compte. Désormais, il se savait capable de restituer toute la richesse de cette sensation.

— Qu'est-ce que… (Il dut s'interrompre pour s'éclaircir la voix.) Qu'est-ce que tu veux vraiment, Riley ?

Sur ces lèvres, dont il se languissait, se dessina un lent sourire. Une fossette se creusa, puis une autre, et ses grands yeux marron s'emplirent d'une chaude lumière.

— Ce que je veux, Quinn Brannigan, c'est… ce deuxième essai.

— Riley…

Elle posa les doigts – des doigts tremblants, remarqua-t-il – sur sa bouche.

— Embrasse-moi, et sors-nous de cette situation, tu veux bien ? On écrira la scène suivante quand on aura bouclé celle-ci.

— Bon… Dit comme ça…

Chapitre 12

Riley ferma les yeux. Comment avait-elle pu se retrouver sur cette grande plage tranquille, sous un ciel d'été indien… en train de demander à Quinn Brannigan s'il voulait bien l'embrasser ?

— Riley ?

Elle cligna des yeux. *Ah, d'accord… il ne m'a pas encore embrassée.* Toute son audace s'envola.

— Je le savais, soupira-t-elle d'un air plus découragé qu'accusateur.

Il sourit, et les coins de ses yeux bleus se plissèrent. Elle voulut croire que c'était bien de l'affection qu'elle y lisait, une affection inquiète et tendre à la fois. Mais quelles étaient les chances pour que ce soit vrai ? Elle aurait dû s'enfuir quand elle en avait eu l'occasion.

— Qu'est-ce que tu savais ?

— Soit je suis en train de rêver et, avec la poisse que j'ai, je ne vais pas tarder à me réveiller, soit tu viens de trouver une excellente raison de changer d'avis.

— Pourquoi est-ce que je ferais ça ?

— Parce que ce genre d'histoires ne m'arrive jamais. Enfin si, il était une fois, il y a bien longtemps, mais à l'époque, j'étais très ignorante. Évidemment, je n'ai pas fait en sorte que ça se reproduise, j'ai même tout fait pour l'éviter. Mais, au cas où tu ne l'aurais pas remarqué, je suis un désastre ambulant, alors quelles étaient mes chances, de toute façon ? Quel homme voudrait vraiment d'une femme comme moi, qui vis sur un bateau emprunté à des amis, qui exhibe toujours au moins trois blessures et deux pansements, dont le chien, malgré sa bonne volonté, est une équipe de démolition à lui tout seul, et…

— Moi.

Il lui prit le visage entre les mains et l'embrassa. Réellement.

D'abord, elle resta là, les bras ballants, trop abasourdie pour réagir.

Puis il recula légèrement pour la dévisager. Il avait toujours ces adorables pattes-d'oie au coin des yeux, et une véritable lueur d'affection dans le regard.

— Je me suis arrêté parce que je ne voulais pas que tu te caches derrière des yeux fermés lors de notre premier baiser. Et maintenant, embrasse-moi.

Il l'incita à passer les bras sur ses épaules, puis la serra contre lui.

— Oh, haleta-t-elle, surprise.

Quand leurs corps se rencontrèrent, elle laissa échapper un autre petit cri, plus doucement.

— Exactement.

Approchant ses lèvres des siennes, il murmura :

— Embrasse-moi, Riley.

Elle obéit. Elle n'avait plus embrassé personne depuis Jeremy – et c'était dans une vie antérieure.

En fait, ça remontait à tellement loin qu'elle ne se souvenait même plus de ce qu'elle avait vécu avant lui, dont elle avait été éperdument amoureuse, et dont elle s'était cru aimée en retour. Après un tel mensonge, elle n'avait jamais réfléchi à ce qu'elle ressentirait peut-être avec un autre homme, un jour.

Quinn la serra plus fort contre son corps musclé et chauffé par le soleil et l'encouragea à entrouvrir les lèvres avant de glisser sa langue dans sa bouche avec un long gémissement satisfait. Elle n'aurait jamais pu anticiper ce qu'elle ressentit alors. Elle ignorait qu'il pouvait exister des baisers comme celui-là, lent, tranquille, gourmand et… exaltant. Il semblait avoir toute la vie devant lui, et l'intention d'en profiter. Mais ce qui la troublait véritablement, ce qui touchait une corde sensible dont elle ignorait jusqu'à l'existence, c'était qu'il ne s'agissait pas d'un stratagème de séduction. Ses gémissements, ses encouragements, son plaisir évident… tout lui indiquait qu'il ne contrôlait pas plus qu'elle-même ses émotions. C'était terriblement enivrant.

Elle sentit son corps s'enflammer, et des muscles qu'elle n'avait plus utilisés depuis longtemps se tendirent de cette manière à la fois douloureuse et délicieuse qui accompagne la montée lente et inexorable du désir. C'était bon de savoir qu'elle n'était pas brisée, comme elle avait longtemps cru l'être. Elle s'était sentie vide, éteinte.

Mais tout en elle s'embrasait à présent… et tout fonctionnait à merveille. Si elle n'avait pas été si occupée par ce doux baiser, elle aurait laissé échapper un petit cri de victoire. Et si elle s'était sentie vide un jour, quelques baisers de Quinn avaient suffi à la combler de nouveau.

Elle lui passa les doigts dans les cheveux, l'attirant plus près. Profitant de l'instant présent dans toute sa pureté, elle sentait s'abolir le passé et l'avenir. Seule cette minute comptait. Elle aurait été parfaitement heureuse qu'elle dure toujours, et elle voulait en graver dans sa mémoire le moindre petit détail.

Quinn abandonna sa bouche pour l'embrasser sur la joue, puis sur la tempe. Enfin, il la prit dans ses bras et posa le menton sur sa tête.

— C'était…

Il s'interrompit, mais la façon dont son cœur cognait dans sa poitrine en disait long.

Riley sourit contre son torse.

— Je suis d'accord.

Elle ferma les yeux pour dérouler de nouveau toute la scène, espérant ne jamais rien oublier : son regard quand il avait dit qu'il voulait l'embrasser, le goût de sa bouche, la forme de ses lèvres, la passion dont il avait fait preuve. Elle voulait se souvenir de la moindre sensation, du moindre sentiment, pour revivre ce moment chaque fois qu'elle le désirerait.

Auraient-ils d'autres souvenirs à emmagasiner ? Elle n'en avait aucune idée, et, Quinn l'avait reconnu, lui non plus. Il avait admis qu'il n'avait pas l'habitude de s'engager, ni d'entretenir des relations sérieuses, et avait même avoué qu'il ne comprenait pas pourquoi elle lui plaisait. Alors elle comptait bien conserver précieusement ce souvenir magnifique. Et ça lui suffisait.

C'était déjà quelque chose, un début, un premier pas vers la guérison.

Quinn lui releva le menton et fit un pas en arrière pour mieux la regarder dans les yeux.

— Merci.

— Pourquoi ? demanda-t-elle, interdite.

— Pour le deuxième essai. (Ils éclatèrent de rire.) Est-ce que je peux te poser une question ?

— Bien sûr.

Elle appréciait – énormément – qu'il continue à la tenir dans ses bras. Rester là, à moitié enlacés, à présent que la légèreté de leur baiser s'était envolée, avait quelque chose de… réconfortant. C'était comme s'ils voulaient prolonger l'instant avant qu'arrive l'inévitable.

C'était bon. Vraiment très bon.

— Tout à l'heure, dit-il en lui caressant la joue, quand tu cherchais à me faire passer l'envie apparemment malavisée de t'embrasser, tu as déclaré qu'un homme comme moi ne pouvait pas choisir une femme comme toi.

Elle lui sourit.

— Tu étais d'accord, si je me souviens bien.

— À ma grande honte, si toi aussi tu te souviens bien, dit-il avec un sourire. Mais j'ai l'impression qu'on vient de démontrer le contraire.

Elle aimait son sourire. Il lui donnait de nouveau l'impression d'avoir des papillons dans l'estomac.

— Et il semblerait que tu aies aimé ça, ajouta-t-il.

Elle lui sourit à son tour.

— Ça ne m'a pas déplu.

— Et donc… j'aimerais te demander une chose : si on joue à donnant-donnant, quand tu m'as rendu mon baiser, est-ce que tu embrassais l'écrivain à succès qu'on voit sur les jaquettes des livres ? Ou est-ce que tu m'embrassais, moi ?

Elle ne savait pas où il voulait en venir, mais ça ne lui disait rien de bon. En fait, cette question la surprenait beaucoup. Il n'était pas juste en train de la taquiner, ou de flirter : il avait l'air sérieux. Elle le connaissait suffisamment pour s'en apercevoir, ce qui apportait déjà une réponse. Simplement, elle n'était pas sûre de savoir comment le lui expliquer.

— Je ne serais pas tout à fait honnête en niant que ça me semblait un peu irréel, parce que j'ai souvent vu ta photo, et je suis sûre que tes lecteurs ressentent tous une sorte de lien avec toi en lisant tes livres. C'est un acte intime, un peu comme si on voyait ce qui se passe dans ta tête, même si c'est en sens unique. Alors, quand tu m'as dit que tu voulais m'embrasser… l'espace d'un instant, une partie de moi est devenue un peu niaise et maladroite. Enfin, complètement, même. Je suis humaine.

Il parut sur le point d'éclater de rire, mais parvint à garder son sérieux.

— Riley…

— Non, attends, laisse-moi terminer. On sait tous les deux qu'au fond, je suis niaise et maladroite. Et c'est là qu'est le problème. C'est à peu près la seule facette de ma personnalité que tu as pu observer, dès le premier jour et chaque fois qu'on s'est croisés ensuite. Je n'ai jamais eu l'occasion de me montrer sous un meilleur jour. Alors, quand tu m'as embrassée, je savais bien que tu avais conscience de la personne que tu embrassais. Je ne t'ai peut-être pas cru quand tu m'as dit que tu en avais envie, mais quand tu l'as fait… j'ai senti que c'était honnête et vrai.

» Tu as raison, c'est donnant-donnant. Toi aussi, tu as le droit de savoir ce qui est honnête et vrai. Au départ, ce que je voyais quand je te regardais, c'était le gars sur les jaquettes des livres. Et le gars des jaquettes m'a toujours donné le sentiment d'être parfaitement à l'aise dans ses baskets, sûr de ce qu'il est. Mon impression n'a pas changé après notre rencontre, au contraire. Alors, évidemment, au début, je faisais probablement une projection. Et si tu m'avais embrassée le jour où on s'est rencontrés, oui, je n'aurais pas pu m'empêcher de me faire l'effet d'une groupie devant une star. C'était ce que tu incarnais pour moi.

— Mais ? demanda Quinn, avec une curiosité amusée… et peut-être un peu d'incertitude. Je sens qu'il y a un « mais ».

— Ne t'inquiète pas, c'est un bon « mais », pour moi, en tout cas. Le jour où on s'est parlé sur la péniche, et ensuite à la pâtisserie, j'ai pu te découvrir un peu plus, mais c'est aujourd'hui, en marchant sur la plage, en discutant, que j'ai eu l'impression de rencontrer le vrai Quinn Brannigan. Celui qui ne porte pas de masque, l'écrivain, l'homme passionné, concentré, inquiet pour son œuvre. Ton travail me fascine. Même en me montrant plus curieuse qu'une colonie de fouines, je crois que je ne le comprendrais encore qu'en surface. Mais bon, là, c'est plutôt la lectrice adepte de tes romans qui parle.

» Mais quand c'est toi qui évoques ton travail… d'un seul coup, tu n'es plus cet homme lisse au charme facile. Tu deviens… je ne sais pas, plus réel, plus vulnérable, moins sûr de toi. Quand tu m'as expliqué ta frustration à propos de ton histoire, et la manière dont ça te tourmentait… eh bien, je me suis rendu compte que tu me ressemblais beaucoup. Tu t'inquiètes, tu réfléchis trop et tu fais les choses comme tu l'entends, sans chercher à plaire à tout le monde. Tu n'imagines pas le nombre de photographes que j'ai rendu dingues en insistant pour que les plats soient arrangés de telle ou telle manière. J'avais une idée précise en tête, je savais que c'était la présentation la plus belle et la plus appétissante possible, et c'était important que je réalise l'image que j'avais imaginée, ou au moins que je m'en approche au maximum. Et maintenant, je fais la même chose en décorant des maisons.

Elle sourit et secoua la tête.

— Et donc, conclut-elle, tu es aussi cinglé dans ton travail que moi dans le mien. Sous les dehors lisses et le succès, derrière l'élégance et le charme… tu es juste un auteur qui se bat pour réussir à raconter son histoire, un peu dans sa bulle, peut-être un peu obsessionnel… et c'est super. Je comprends complètement cet homme-là, et j'irais jusqu'à croire qu'il me comprend moi aussi. Cet homme, je pourrais presque penser qu'il a envie de m'embrasser, même si je ne suis qu'une pauvre godiche. (Elle sentit ses joues s'empourprer, mais poursuivit.) Alors, quand je t'ai rendu ton baiser, tout à l'heure, c'est cet homme que j'ai embrassé. Toi.

Il eut l'air surpris, peut-être même un peu choqué, et elle eut peur qu'il se soit senti insulté.

— Je crois que personne ne m'a jamais aussi bien décrit, dit-il enfin. Et je suis heureux que cet homme te plaise…

Il la serra de nouveau contre lui, si bien qu'elle dut pencher la tête en arrière pour le regarder dans les yeux.

— … parce que lui aussi te comprend, et a très envie de t'embrasser.

Lorsqu'il posa les lèvres sur les siennes, son geste n'avait plus rien de doux ni de cajoleur. C'était ce baiser ardent et passionné dont elle avait rêvé le premier jour, ce baiser de cinéma que les personnages n'échangent qu'une fois que l'un d'entre eux s'est décidé à faire un geste lors de l'instant magique. Mais c'était encore mieux.

Il ne cajolait pas, il revendiquait, et la mettait au défi de lui rendre baiser pour baiser, dans une même ardeur, jusqu'à ce qu'elle le supplie de la renverser sur le sable et de la prendre sans tarder. Ses muscles tendus étaient à présent douloureux, elle s'agrippait à son tee-shirt, désirant plus que tout l'arracher pour sentir la chaleur de son corps directement sous ses doigts. Elle voulait le goûter, lécher le sel sur sa peau, elle voulait…

— Houlà !

Une fraction de seconde plus tard, ils s'étalaient sur le sable, mais pas pour une étreinte torride, comme elle l'avait espéré… Brutus venait de les plaquer au sol et, les pattes avant posées sur le torse et les bras de Quinn, il le défiait du regard… en lui bavant dessus.

— Bordel de m… Brutus ! s'écria Riley lorsqu'elle eut suffisamment retrouvé ses esprits pour comprendre ce qui venait d'arriver. Je ne sais pas ce qui lui a pris. Il n'est pas du genre protecteur. Il n'est jamais… Brutus ! Descends de là ! Ça suffit !

Elle commença à se redresser, prête à tirer Brutus loin de Quinn s'il le fallait, quand le chien pencha sa grosse tête… et donna à Quinn un grand coup de langue en travers du visage.

— Beurk ! hoqueta-t-il, incapable de se défendre, maintenu au sol à la fois par Brutus et par Riley.

Riley hoqueta à son tour, mais de rire.

— C'est ça, marre-toi, dit Quinn en crachant. Ce n'est pas toi qui viens de te faire baver dessus.

— Oh, mon Dieu. Je suis désolée.

Riley, à moitié couchée sur Quinn, se releva du mieux qu'elle put en tâchant de ne pas le blesser, même s'il grogna une fois ou deux.

— Avoue que c'est plutôt marrant.

— Il est sûrement jaloux, dit Quinn du bout des lèvres, à demi écrasé par le poids du chien. J'ai compris.

— Laisse-le, Brutus, dit Riley, essoufflée par l'effort et par le fou rire. Il est jaloux, mais pas de toi. Je crois qu'il voulait un câlin, lui aussi. (Elle sourit en tirant sur le collier du chien.) Viens là, mon gros, tout va bien. Toi aussi, Quinn t'aime. On va aller retrouver ton bâton.

Brutus ne bougea pas. Il avait toujours les yeux rivés sur Quinn, la langue pendante, comme une groupie émerveillée.

— Brutus ! ordonna Riley, parvenant enfin à contenir son fou rire et à reprendre son souffle.

Réticent, Brutus descendit de l'écrivain et s'assit dans le sable à côté de lui, sans cesser de le regarder avec un air de profonde adoration.

— Je ne l'ai jamais vu s'enticher de quelqu'un comme ça, surtout aussi rapidement. Même pas de Jeremy. Est-ce que ça va ?

Quinn se frotta le torse, toussa un peu et s'assit.

— C'est qui, Jeremy ?

Riley ouvrit la bouche, puis la referma. Elle avait vraiment parlé à voix haute ? Elle ferma les yeux en gémissant intérieurement. *Oh, mais quelle imbécile !*

Quand elle rouvrit les paupières, Quinn se tenait debout et brossait le sable de son tee-shirt.

— Mon ex-fiancé.

Quinn s'arrêta net.

— Ton fiancé ?

— Mon ex, répéta-t-elle. On s'est séparés il y a deux ans.

— Et vous étiez fiancés depuis longtemps ?

— Quatre ans.

Elle avait voulu répondre avec légèreté, mais elle riait jaune : ses nerfs commençaient à lâcher. Soudain, elle ne put contenir un flot de paroles.

— Qui resterait fiancé pendant quatre ans ? Et en plus, avant les fiançailles, on s'était déjà fréquentés pendant trois ans et demi. Pour moi, ça n'avait pas d'importance. On était ensemble, tu comprends ? Mais j'aurais dû voir qu'il n'allait pas rester, tu ne crois pas ? (Elle secoua la tête et se mit à épousseter ses vêtements, cherchant un prétexte pour se donner une contenance et ne pas croiser le regard indéchiffrable de Quinn.) C'est de l'histoire ancienne.

— D'accord, dit-il. Et depuis combien de temps tu es à Sugarberry ?

Elle leva les yeux, reprenant à son tour son sérieux.

— Deux ans. Oui, si tu fais le calcul, pile après la rupture des fiançailles. Tu veux vraiment que je te raconte l'histoire, dans tout ce qu'elle a de plus pathétique ? Je t'ai déjà dit que j'étais une godiche.

Quinn prit le temps de donner à Brutus une tape affectueuse sur la tête et de lui gratouiller les oreilles, puis il fit un pas vers elle et lui saisit les bras. Sa poigne était douce mais ferme, tout comme son regard.

— Peut-être. Mais tu es aussi forte, drôle, douce et gentille. Et super sexy. Tu es toujours naturelle, en toutes circonstances, pas de faux-semblants avec toi. C'est une des choses qui m'attirent le plus. Ça veut dire les pansements, le chien monstrueux, et tout ce qui va avec. Et je doute sérieusement qu'il y ait eu quoi que ce soit de pathétique dans cette histoire, surtout si tu as dû quitter un travail que visiblement tu adorais et déménager aussi loin pour tout recommencer. Douloureux, difficile, et probablement beaucoup d'autres choses, oui, mais pathétique ? Permets-moi d'en douter. Sauf peut-être si tu parles de l'ex en question. (Il haussa les épaules, mais ses yeux perçants restèrent rivés sur elle.) Ce n'est qu'une supposition, mais je parie qu'elle est juste.

Elle lui rendit son regard, complètement prise au dépourvu. Il venait de prendre sa défense, comme ça, spontanément.

— Tu ne me connais même pas.

— Je te connais. Tu viens tout juste de me dire à quel point on se ressemble. Je te connais, Riley, au moins suffisamment pour savoir ça.

— Je… merci d'avoir dit tout ça. Ça signifie beaucoup pour moi.

— Chaque mot était sincère. Il s'agit de la femme que j'ai embrassée, et de ce qui m'a poussé à le faire. Et de ce qui me donne envie de recommencer.

— Je… (Sa voix se brisa, elle détourna les yeux.) C'est… beaucoup.

Brusquement, elle se sentit vulnérable et fébrile, mais elle ne trouvait pas la sensation particulièrement désagréable – preuve qu'il était vraiment temps qu'elle s'en aille pour reprendre ses esprits et réfléchir.

— Ce n'est pas bien ?

— Si. Au contraire. En fait c'est… très bien.

— Trop bien ? Ça te rend nerveuse ? Parce que moi aussi, crois-moi…

— Raison de plus pour prendre du recul, et remettre nos idées au clair. La journée a été longue, il y a beaucoup de vent, et… (Elle se dégagea de son étreinte et recula, tentant en vain d'écarter des mèches rebelles de son visage.) Je suis sûre que tu as envie de retourner à ton livre, maintenant que tu sais ce que tu veux.

— C'était ton idée.

— C'est la tienne, à présent. Alors c'est peut-être mieux pour toi d'aller faire… ce que tu as à faire. Et pour moi aussi. Et puis… on verra bien. Ce qui va se passer. On… on verra.

— Riley…

— J'ai juste besoin d'un peu d'air, d'accord ?

Elle essayait de ne pas paniquer, mais c'était beaucoup trop pour elle. L'embrasser, fantasmer sur lui, c'était une chose; mais elle avait oublié l'aspect émotionnel, et la vulnérabilité que cela impliquait. Elle avait cru qu'elle aurait plus de temps pour réfléchir à tout ça, pour se demander si elle était prête à se sentir de nouveau aussi… aussi fragile face à un homme.

— Je ne prends pas la fuite, lui dit-elle. Je… je ne suis pas comme ça. Mais tout arrive trop vite. C'était juste censé être un baiser.

Quinn ne répondit rien, et l'expression de son visage restait absolument indéchiffrable. Elle ne savait pas s'il était en colère, déçu, dégoûté, ou les trois en même temps.

— Ce n'était qu'un baiser, mais le meilleur de ma vie, dit-il enfin. Alors, oui, je suppose que c'est beaucoup, pour toi comme pour moi. Mais, à moins que tu n'en aies pas envie, il va arriver un moment où je vais vouloir un autre baiser, souhaiter qu'on en apprenne davantage l'un sur l'autre. C'est terrifiant… mais aussi extrêmement exaltant. Tu n'es pas la seule à avoir peur d'exposer tes faiblesses. Mais j'ai envie de suivre cette route, de savoir où elle nous mène, alors que je n'étais pas le genre à m'en soucier auparavant. Parce qu'avec toi, je deviens cet homme-là. Mais c'est à toi de décider si tu as envie de le connaître.

— Quinn…

— Je sais que c'est beaucoup. Que ça pourrait être tout. Alors prends le temps de réfléchir à ce que tu veux vraiment… et à ce que tu peux supporter. Moi, j'ai déjà ma réponse.

Sur ces mots, il tourna les talons et partit le long de la plage, d'un pas régulier.

Il ne jeta pas un seul regard en arrière.

Chapitre 13

— Eh bien, les requins sont méfiants, mais impatients !

— Ça me suffit. Tant que tu me fais confiance quand je te dis que ça va être incroyable… tout va bien. (Quinn se gara à sa place habituelle, derrière le café-restaurant.) Je sais que c'est un pari risqué, Claire, mais…

— Arrête d'essayer de me convaincre, et va écrire ce fichu bouquin ! Je suis de ton côté. (Elle s'interrompit un instant.) Tu es toujours très enthousiaste quand tu écris un livre, tu te donnes à fond, et cette fois ne fera pas exception, mais… je ne t'ai jamais senti comme ça.

— Je n'ai jamais rien écrit de tel.

— Il y a autre chose. Il y a cette… cette énergie en toi, je ne sais pas… Qu'est-ce qu'ils te donnent à manger, là-bas ?

Quinn s'efforça d'imaginer les œufs au bacon de Laura Jo, mais l'image de Riley s'imposa automatiquement.

— Toi qui entretiens tes belles artères à coups de marathon, je suis sûre que tu n'as pas envie de savoir.

Elle éclata de rire.

— Tu as sûrement raison. En tout cas, continue comme ça. Tu n'as jamais eu l'air aussi… heureux et posé. Je te rappelle plus tard. Et merci pour la date de rendu, ça nous a beaucoup aidés.

— Tout le plaisir est pour moi, vraiment.

Il raccrocha, descendit de voiture et passa la porte de derrière du restaurant. Laura Jo n'était pas en cuisine, elle devait être en train de servir. Il salua Petey et Margo d'un signe de tête et se glissa dans la salle… pour découvrir que sa place habituelle était déjà prise.

— Te voilà enfin, l'apostropha Alva, qui tapotait la table du coin de son menu, l'air visiblement contrarié.

— Mademoiselle Alva, quel plaisir, dit-il avec un sourire sincère.

Il n'avait aucune idée de ce qui l'avait mise en colère, mais il aurait parié qu'il n'allait pas tarder à le savoir. Avec Alva, pas besoin d'être fin psychologue.

— Puis-je me joindre à vous ?

— Tu arrives plus tôt, d'habitude, grommela-t-elle en guise de réponse. Ça fait vingt minutes que je t'attends.

— Je travaillais. J'étais en veine. (En fait, sans l'appel de Claire, il n'aurait pas décollé de son ordinateur.) Je suis désolé, mais est-ce qu'on était censés se retrouver ? (Il prit un siège en face d'Alva, toujours souriant.) Si c'est le cas, je vous présente mes excuses. Je n'aime pas faire attendre une jolie femme.

Deux points rouges fleurirent sur les joues d'Alva, mais elle ne semblait pas d'humeur à se laisser charmer. Son regard scintillait toujours de manière inquiétante.

— Alors tu as une drôle de façon de le montrer. Tu sais, peut-être que les hommes aiment ça, quand les femmes jouent les inaccessibles, mais nous, les femmes, on n'a pas besoin de ces bêtises. Quand on est intéressées, on est intéressées. C'est si difficile à comprendre ?

— Non, pas du tout. Moi-même, je préfère les approches directes.

Quinn était plus intrigué qu'inquiet, et un sourire lui vint naturellement aux lèvres quand il se pencha pour poser sa main sur celle d'Alva.

— Est-ce que vous essayez de me faire passer un message personnel, Alva ?

Elle retira sa main d'un geste brusque et donna une tape sur celle de Quinn.

— Évidemment. Pourquoi crois-tu que je suis ici ? Et si tu arrêtais de me faire les yeux doux, on pourrait aller à l'essentiel.

Il dissimula son rire dans une quinte de toux, incitant Alva à pousser son verre d'eau vers lui.

— Bois une gorgée, ordonna-t-elle. Et arrête donc de flirter deux minutes, pour qu'on puisse parler sérieusement.

— Oui, madame.

Il but scrupuleusement une gorgée, puis une autre. Quand il fut sûr d'arriver à conserver une expression courtoise, il reposa son verre. Ce n'était pas facile de rester sérieux avec un tel personnage en face de lui.

— Bien sûr, c'est peut-être là le problème, dit-elle.

— Le problème ?

— Oh, ne joue pas les innocents avec moi. Je suis sûre que tu as brisé des centaines de cœurs sur ton passage, entre Hollywood et New York.

— En fait, ce ne sont pas vraiment des villes que j'ai l'habitude de fréquenter. J'ai une maison à Alexandria, pas loin de Washington.

— Encore une ville où le sexe est une question de pouvoir.

Quinn repoussa le verre d'eau. Il savait qu'Alva était imprévisible, mais il ne l'avait jamais vue aussi remontée.

— Personnellement, je ne me sers pas du sexe pour obtenir ce que je veux. Mais, tant que les deux personnes concernées sont satisfaites, je ne vois pas où est le problème.

Laura Jo s'était arrêtée non loin d'eux, avait entendu sa dernière phrase, et s'était brusquement mise à prendre une commande à une table voisine. Il voyait néanmoins tous les efforts qu'elle déployait pour les écouter discrètement.

— De quoi s'agit-il ? demanda-t-il.

— De toi, qui as allumé notre douce Riley Brown avant de la jeter comme une vieille chaussette. Je n'ai pas besoin de connaître les détails, mais on est une communauté très soudée, et on se soutient les uns les autres. On a tenu à te défendre, toi aussi, mais si tu t'imagines un seul instant que ça te donne le droit de débarquer ici et de…

— Holà, attendez, l'interrompit Quinn en reposant la main sur la sienne. Avant que je termine dans votre rubrique de la semaine en tant qu'exemple à ne pas suivre, écoutez-moi. D'abord, personne ne s'est servi de personne. Riley et moi sommes aussi francs l'un que l'autre, et je doute qu'il y ait eu un malentendu. Je serais très surpris qu'elle vous ait raconté autre chose.

— Il ne s'agit pas de ce qu'elle a dit, précisa Alva, un peu déstabilisée. Mais de ce qu'elle a passé sous silence.

— Ce n'est pas tout à fait la même chose. C'est très bien, de s'inquiéter pour ses amis, mais qu'est-ce qui vous fait croire que cela a quelque chose à voir avec moi ?

La réponse à cette question l'intéressait plus que de raison. Durant les trois jours qui avaient suivi leur rencontre à la plage, il était resté collé à son ordinateur, faisant presque corps avec lui, d'abord parce que l'histoire de Joe et d'Hannah jaillissait par chapitres entiers dans son esprit et qu'il maîtrisait leur destin… et ensuite parce qu'il brûlait d'aller retrouver ce salopard de Jeremy et de l'assommer pour lui faire regretter d'avoir infligé une telle tristesse à Riley. Cette réaction l'avait étonné lui-même : il était plutôt du genre à recourir aux mots plutôt qu'aux poings. Mais il s'était surtout tenu aussi occupé afin de ne rien faire qu'il puisse regretter, comme par exemple forcer la main à Riley. Il l'avait déjà assez poussée, trop peut-être. C'était à elle d'entreprendre la prochaine étape. Ou pas. Dans tous les cas, elle savait très bien où le trouver.

— Primo, l'expression sur ton visage indique très clairement que tu te sens concerné par cette affaire. (Toute la colère d'Alva s'était envolée ; dans ses yeux brillait désormais une étincelle de curiosité.) Je ne veux pas faire de remarque déplacée, ni trahir des confidences, mais je vais te dire une chose : on se voit une fois par semaine depuis qu'elle est arrivée sur l'île, et elle ne s'est confiée sur sa vie à Chicago que très récemment. Sa vie privée, je veux dire. C'est une femme joyeuse, intelligente, sociable et très compétente, et pourtant elle a gardé tout ça pour elle pendant près de deux ans. Ce n'est pas anodin. Voilà, c'est tout ce que j'ai à dire à ce sujet.

Quinn souriait à moitié, tout en fronçant les sourcils.

— J'ai du mal à comprendre : vous essayez de m'encourager, ou de m'éloigner ?

Alva sourit, et toute lueur manipulatrice avait disparu de son regard de vieux faucon. Quinn n'y lisait plus qu'une sincère affection.

— Je ne sais pas trop moi-même. Mais laisser les choses en plan ne résout pas les problèmes. Tu ne peux pas quitter la maison avec une casserole sur le feu, pour te donner une image.

Avant qu'il puisse répondre, l'attention d'Alva fut attirée par quelque chose derrière lui.

Quinn sentit une tension au niveau de la nuque, mais aussi du bas-ventre. Avait-elle repéré Riley ? Il savait bien qu'ils allaient finir par se croiser, mais n'avait pas prévu que cela pourrait arriver chez Laura Jo… avec Alva en guise de chaperon, et en présence de la moitié des habitants de l'île. Quelque chose lui disait que Riley apprécierait autant que lui cette conversation avec Alva sur leur relation.

Il regarda par-dessus son épaule et vit que Walter et Dwight s'étaient installés au bar, avec deux de leurs compères du conseil municipal. Quinn se retourna vers Alva. À en juger par la raideur de sa posture, sa contrariété était réapparue, même si elle n'était plus dirigée contre lui.

— Il se passe quelque chose ?

— J'organise mon tournoi annuel de poker. C'est une soirée sur invitation, tu as peut-être vu les affichettes ?

Quinn hocha la tête.

— Oui, et je trouve ça génial. Ma grand-mère, paix à son âme, faisait de sacrées parties de gin-rami, mais je ne sais pas si elle a essayé le poker. (Il sourit.) Je parie qu'elle aurait été redoutable.

Alva sourit.

— Tu ne sais pas tout de ta grand-mère, dit-elle, le regard de nouveau étincelant. Mais ce serait un bon pari à prendre. (Elle posa de nouveau les yeux sur le groupe occupé à commander des cafés.) Brodie Banneker ne pense plus qu'à ça depuis le tournoi de l'année dernière, après le festival d'automne. Ça a été l'événement de l'année, avec le fiasco des enchères secrètes et l'apparition-surprise de Baxter. (Elle croisa les mains sur son porte-monnaie et ses gants, jouant la vieille dame soucieuse de la bienséance.) Alors, naturellement, j'ai voulu retenter l'expérience.

— Naturellement.

— Charlotte et son fiancé, Carlo, vont s'occuper du buffet. Elle fait partie du Cupcake Club, elle aussi. Ils dirigent une entreprise de traiteur du côté de Savannah, ça s'appelle *Sucré-Salé*. Elle s'occupe du sucré, et Carlo du salé. Baxter a promis qu'il ferait une nouvelle apparition. Il va offrir quelques-uns de ses livres de recettes – dédicacés, tu imagines – et... (elle eut l'air particulièrement satisfaite)... ne le dis à personne, mais il va distribuer des billets pour assister à un enregistrement de son émission, tous frais payés. (Elle s'avança et posa la main sur celle de Quinn.) Bien sûr, je songeais à te demander une éventuelle contribution, peut-être avec quelques exemplaires dédicacés de ton dernier roman. Je sais que tu es ici incognito pour travailler sur ton nouveau projet, mais puisque tous ceux qui viennent te connaissent déjà...

Il hocha la tête.

— J'en serais plus que ravi.

— Et pendant qu'on y est, ajouta Alva d'un air extrêmement satisfait, j'avais l'intention de te demander une petite interview. Pour ma rubrique.

Quinn blêmit.

— Moi ? couina-t-il de façon bien peu virile. Pou... pourquoi ?

Il croyait avoir échappé au peloton d'exécution que constituait Alva à elle toute seule.

—Allons, arrête de me regarder comme un gamin pris la main dans le pot de confiture. Je ne m'occupe pas que de la rubrique de conseils. Parfois, je fais les tranches de vie. En fait, mon premier article était consacré à Baxter. Je l'ai interviewé quand il est venu la première fois pour filmer son émission dans la boutique de Lani. On a compris par la suite que ça faisait partie de sa grande entreprise de séduction – tu vois, ça c'est un homme qui ne reste pas assis à se tourner les pouces en attendant que les choses se fassent toutes seules. Enfin bref, j'ai eu l'exclusivité. (Elle se pencha vers lui et baissa la voix.) Je serais très honorée si tu me donnais quelques infos exclusives sur ton prochain roman. J'ai posé des questions un peu partout, mais je n'ai pas pu dénicher le moindre scoop. On dirait que tu nous prépares une petite surprise. Je me trompe ?

Quinn fronça brièvement les sourcils, en se disant que les Nations unies auraient dû faire appel à Alva Liles pour négocier la paix dans le monde. Il ne prit même pas la peine de lui demander qui elle avait interrogé. Il doutait que Riley ait pu parler, mais Alva était bien capable d'avoir appelé son éditeur. Alva était capable de découvrir le contenu des dix-sept minutes manquantes sur la cassette du Watergate.

— Tu as raison, j'ai des infos intéressantes, mais je ne peux pas encore en parler.

Alva sautilla d'enthousiasme sur son siège, au risque de défriser son impeccable permanente.

— Eh bien, ce serait vraiment très gentil de ta part.

Sa voix avait des intonations mielleuses, mais son regard brillait d'une lueur avide, et ça rendait la chose d'autant plus amusante.

— Tu n'as qu'un mot à dire, ajouta-t-elle, et je t'invite à dîner. Je pense que c'est bien plus civilisé de s'entretenir autour d'un bon petit plat, tu ne crois pas ? À l'époque, j'ai fait la cuisine pour Baxter. Je lui ai servi tous les plats préférés de mon Harold.

— Ça m'a l'air aussi civilisé que délicieux, répondit Quinn, songeant qu'il devrait discuter de ce dîner avec Baxter quand il en aurait l'occasion, et rechercher le premier article d'Alva dans les archives du journal.

Un des plus grands avantages du métier d'écrivain, c'était que son indiscrétion pouvait passer pour des recherches de type professionnel.

Alva avait de nouveau les yeux rivés sur le groupe au bar, et ses doigts se crispèrent un peu plus sur ses gants.

Quinn ne voulait pas insister, mais la curiosité fut la plus forte.

— Quel est le problème, avec le tournoi de poker ?

Alva reporta son attention sur lui, de nouveau très contrariée.

— Eh bien, cette année, pour éviter tout… désagrément, j'ai décidé que le tournoi ne serait accessible que sur invitation.

— Et comment en obtient-on une ?

— Par moi, bien sûr. C'est ma soirée.

— Je suppose que Walter et les autres membres du conseil n'ont pas été acceptés.

— Le tournoi n'est ouvert qu'aux femmes. Et le problème ne vient pas de Walter mais de Brodie, le mari de Dee Dee Banneker. C'était l'adjoint du shérif, et maintenant il siège au conseil. Je n'ai pas invité sa femme parce que c'est elle qui a provoqué tout ce foin, l'année dernière. Et, bien sûr, puisqu'elle ne peut pas venir, sa meilleure amie, Suzette, en fait tout un fromage et ne veut pas venir non plus – son beau-fils est chef des pompiers, et il est aussi au conseil. Pourtant, je l'aurais invitée si elle m'avait demandé. (Alva se pencha vers lui.) Elle ne joue pas très bien, mais elle fait une super salade au jambon. Tout le monde y gagne.

Quinn étouffa un autre éclat de rire.

— Et alors, que fait le conseil à ce sujet ?

— Ils ont fait passer un décret pour m'empêcher de tenir le tournoi dans un établissement public. Le précédent s'était déroulé ici, chez Laura Jo, mais ce n'était ouvert qu'aux seniors. Cette année, j'aurais besoin d'une salle plus grande, parce que j'ai invité quelques joueurs de plus, Lani et Riley, par exemple. Sauf que je n'ai pas trouvé de salle privée qui ait la dimension suffisante. Lani veut bien nous accepter chez elle, mais on ne peut pas tous se caser là-bas. J'ai donc réservé la toute nouvelle annexe du club du troisième âge, qui a été construite l'an dernier. (Elle se tapota les cheveux.) À cause d'un malentendu, je ne suis plus autorisée à louer le foyer, mais on ne m'a rien dit au sujet de l'annexe, et mon argent est aussi propre que celui de n'importe qui. Et puis, la plupart des joueuses se servent tout le temps des équipements du foyer, donc ça ne me paraissait pas juste de les empêcher de participer. Et voilà que, maintenant, ils déclarent que je ne peux pas utiliser l'annexe pour une soirée privée. Mais je ne crois pas qu'ils puissent m'en empêcher.

— Donc vous vous battez contre la bureaucratie ?

— Je combats Brodie Banneker et tous ses petits copains ridicules. Je leur ai à tous enseigné le catéchisme quand ils n'étaient encore que des morveux. Et à leurs enfants, aussi. D'ailleurs, si tu veux mon avis, ça ne me paraît pas très chrétien de vouloir empêcher une prof de catéchisme d'organiser une petite sauterie.

Quinn faisait de gros efforts pour garder son sérieux.

— Combien d'invitations sont parties ?

— Vingt-huit. Contre seize l'année dernière.

— Ma contribution peut aller au-delà d'une séance de dédicace.

Aussitôt, il se demanda ce qui lui était passé par la tête.

Alva se désintéressa totalement des membres du conseil. Les mains toujours crispées sur ses gants, elle posa sur Quinn un regard étincelant, dont toute lueur d'innocence avait disparu.

— Oui, monsieur Brannigan ? Qu'est-ce que vous avez en tête ?

Chapitre 14

— Il a fait quoi ?

Riley cessa de remplir de pâte les petites caissettes jaunes en papier à motifs floraux, et leva les yeux vers Alva.

— Qui a fait quoi ? demanda Dree qui, perchée sur un tabouret à l'autre bout de la pièce, s'adonnait à son nouveau projet : la sculpture en sucre.

— Alva vient de nous informer que Quinn Brannigan hébergerait le tournoi de poker dans sa villa, répondit Riley.

— Cool, émit Dree sans même lever les yeux de ses délicates créations.

Riley ne savait pas exactement ce que ça représentait, mais elle préférait rester à l'écart de ces étranges sculptures tout en sucre, semblables à du verre soufflé. Il valait mieux qu'elle ne s'approche pas de cette œuvre fragile.

— Oui, c'est cool, répéta-t-elle avec un enthousiasme feint. Génial !

Alva l'observait d'un air soupçonneux, aussi Riley préféra-t-elle retourner à la confection de ses cupcakes citrouille-chocolat. Elle avait accepté l'invitation au tournoi de poker lorsque Alva l'avait planifié, et elle n'avait plus moyen de se rétracter poliment. Mais à la simple idée que la soirée se ferait chez lui, et qu'elle passerait du temps chez lui… elle ne savait pas ce qu'elle ressentait.

Ou plutôt si, elle le savait. Elle se sentait troublée, pleine de regrets, et agacée par ces sentiments alors qu'elle aurait préféré demeurer indifférente. Elle était intimement convaincue qu'elle avait eu raison de ne pas le rappeler. Elle avait fait ce qu'il avait demandé, en réfléchissant longuement à ce qu'elle voulait vraiment, et surtout à ce qu'elle pouvait supporter. Or une relation avec Quinn lui semblait au-dessus de ses forces. Elle n'était tout simplement pas prête à prendre le genre de risque qu'il lui proposait.

Le mieux était de considérer ce tournoi de poker comme un test, comme une manière d'éprouver la décision qu'elle avait prise de ne rien entreprendre de plus. Si elle passait le test, cela signifierait qu'elle avait eu raison d'opter pour le *statu quo*. Elle avait passé la plus grande partie de l'année précédente à égrener les dates marquantes de sa relation avec Jeremy. Et après sept ans passés ensemble, il y en avait beaucoup. Depuis, elle avait décidé de se forger de nouveaux souvenirs, de nouvelles journées spéciales. Mais ne devait-elle pas attendre encore un peu avant de partager avec quelqu'un des moments qui pourraient un jour se transformer en douloureuses réminiscences ?

Elle soupira. Peut-être qu'avec une bonne intoxication alimentaire, elle aurait une excuse pour ne pas y aller ? La perspective lui semblait plus réjouissante.

— J'ai abandonné l'idée que chacun apporte à manger, surtout depuis que Beryl a apporté cette tarte au pique-nique du 4 juillet. Vous vous souvenez, celle avec les fruits exotiques qui étaient en fait toxiques ?

— On s'en souvient, répondirent en chœur Dree et Riley.

— Je n'ai pas encore réussi à oublier, ajouta Dree.

— Comme nous toutes, ma chère – et surtout Beryl. Donc, je n'avais pas envie de l'embarrasser. Charlotte et Carlo sont officiellement engagés pour le buffet. C'est génial, non ? (Visiblement emballée par ses projets, Alva continuait d'emplir sa poche à douille de crème chantilly au marshmallow.) En plus, Franco a accepté d'être notre serveur pour la soirée.

Riley sourit.

— Il va mettre l'ambiance.

— Les dames l'adorent, confirma Alva. Son accent français, ça marche à tous les coups.

Elle vérifia que ses cupcakes au chocolat avaient bien refroidi, en retourna un et perça un trou au fond de la caissette avec le bout de sa poche à douille. Puis elle la pressa, afin d'introduire le fourrage crémeux à l'intérieur.

— Et puis, poursuivit-elle en prenant un deuxième cupcake, comme on fait ça dans une propriété privée, le conseil municipal et Brodie Banneker peuvent aller se faire foutre.

— Quels vilains mots dans une si jolie bouche, mademoiselle Alva.

Baxter entra par la porte de derrière, son beau visage fendu d'un grand sourire. Il se pencha pour déposer un baiser sur la joue rose et couverte de farine d'Alva.

— Je peux en voler un ? (Il prit dans la petite main d'Alva le gâteau qu'elle venait de fourrer, enleva le papier et mordit à pleines dents. Il ferma aussitôt les yeux pour mieux savourer.) Le conseil municipal ne sait pas ce qu'il rate.

— C'est le but.

Alva brossa son tablier et tapota ses cheveux recouverts d'un filet, en lui lançant des sourires dignes d'une lycéenne devant son premier flirt.

Baxter Dunne, l'un des meilleurs chefs pâtissiers du pays, l'heureux propriétaire d'une pâtisserie new-yorkaise prospère, l'auteur d'un livre de recettes qui caracolait en tête des ventes, et l'animateur vedette d'une célèbre émission de télé, était par ailleurs doté d'un physique avantageux : très grand et élancé, avec une épaisse crinière blonde, qui mettait en valeur ses yeux superbes, d'un brun chaud. Son accent britannique instillait à l'ensemble un charme supplémentaire, auquel nul ne pouvait résister. Même Dree avait abandonné sa création en sucre et couvait son idole du regard. C'était la première fois que Riley la voyait s'attendrir.

— Personne n'a vu ma sublime épouse ? demanda Baxter en traversant la pièce, passant en revue ce que chacune cuisinait. Qui est l'heureux destinataire des réalisations de la semaine ?

— Charlotte récupère tous les cupcakes et les distribue au service pédiatrique d'un hôpital de Savannah, répondit Riley. Je suppose que les infirmières et les médecins vont aussi en profiter.

— Sûrement. Ça fera tout plein d'heureux, j'aime ça. (Il regarda par-dessus l'épaule de Riley.) Qu'est-ce que tu as décidé d'apprendre, cette semaine ?

— Rien pour l'instant, je m'apprête à cuire la dernière fournée. Cupcakes citrouille-chocolat.

— Belle association de saveurs. (Baxter désigna d'un geste le bol de glaçage et le plateau de cupcakes qui refroidissaient à côté.) Qu'est-ce que tu mets dessus ?

— Fromage frais et mascarpone. Je n'ai jamais travaillé avec le fromage frais italien, donc je voulais essayer. (Elle lui adressa un sourire malicieux.) C'est mon deuxième essai.

— Laisse-moi deviner. Tu l'as trop mélangé la première fois, et le mascarpone a tourné.

Riley hocha la tête et leva une main coupable.

— C'est là tout l'intérêt de l'expérience, dit-il en goûtant une lichette de glaçage. Crémeux, bien mélangé, pas de grumeaux. Plutôt réussi. Tu devrais donner la recette à Lani.

Riley éclata de rire.

— C'est la sienne.

— Ah, dit Baxter avec un petit rire. Évidemment.

Son regard pétillait, comme toujours lorsqu'il parlait d'elle.

L'amour immodéré qu'il vouait à sa femme le rendait encore plus séduisant, remarqua Riley avec un léger soupir.

— Elle est à l'étage avec Charlotte, elles règlent les détails d'un buffet dont elles s'occupent ensemble à Savannah, la semaine prochaine.

— Ah oui, c'est vrai, le truc de charité. J'avais oublié. C'est toujours un plaisir de vous voir, mesdames. Surtout, continuez à faire d'aussi bons gâteaux.

Il leur adressa une rapide courbette et baissa la tête pour passer la porte étroite de l'escalier qui menait au petit appartement situé à l'étage. Lani l'utilisait à la fois comme réserve et comme bureau, mais il restait toujours des meubles qui dataient du temps où il servait d'espace de vie. Dree, Franco et Charlotte avaient tous dormi là une fois ou l'autre, quand la session du Cupcake Club s'était éternisée et qu'ils ne voulaient pas faire la route en pleine nuit jusqu'au continent.

Riley venait à peine de remplir sa dernière caissette lorsque des cris de joie venus de l'appartement résonnèrent jusqu'à la cuisine.

— Oh, purée ! grogna Alva, consternée.

Le bruit l'avait fait sursauter, son fourrage était ressorti de l'autre côté de son cupcake et s'était répandu sur le plateau, où se trouvaient déjà d'autres pâtisseries.

Alertée par ce vacarme, Riley jeta un coup d'œil à la table d'Alva.

— Un fourrage et un glaçage, deux pour le prix d'un, la taquina-t-elle.

Alva regarda sa poche à douille d'un air énervé, posa le cupcake éventré et inspecta le désastre.

— Ça devrait s'enlever facilement.

Elle soupira, visiblement découragée par la corvée.

— À ta place, je récupérerais le fourrage pour l'étaler sur les cupcakes et faire une couche secrète sous le glaçage, et j'appellerais ça « la surprise d'Alva », suggéra Dree sans même lever les yeux de la chose informe sur laquelle elle travaillait.

Pensive, Alva arrêta aussitôt de racler.

— « La surprise d'Alva », répéta-t-elle. Ça sonne bien.

Elle n'ajouta rien, mais Riley vit la vieille roublarde changer l'angle de sa spatule pour suivre les conseils de Dree.

Riley sourit intérieurement en portant ses plateaux jusqu'au four. La seule question qui se posait désormais, c'était la méthode qu'emploierait Alva pour essayer de convaincre Lani d'ajouter la « surprise d'Alva » à la carte de la boutique. Tout le monde savait que Lani ne vendait que des gâteaux confectionnés par ses soins. Elle partageait ses compétences avec joie, et même quelques-unes de ses recettes standard, mais elle garnissait les étalages de sa pâtisserie uniquement de recettes originales. Aucun autre chef n'y était admis, pas même son célèbre mari.

Mais ça n'empêchait pas Alva d'essayer.

Riley adressa à Dree un sourire en coin. Elle savait que cette dernière avait délibérément fait cette suggestion pour s'amuser à regarder Alva comploter.

— Bien joué, murmura Riley après avoir refermé le four, d'une voix si basse que seule Dree put l'entendre.

Celle-ci se contenta de lever les mains, paumes vers le ciel, avant de se remettre au travail.

— Tu as des courbatures dans les épaules ? lui demanda Alva, qui avait surpris son geste.

Riley étouffa un rire et s'efforça de ne pas croiser le regard de Dree, qui, elle, savait rester parfaitement impassible. Encore un talent que Riley ne possédait pas.

— Tu ne devrais pas rester voûtée sur ce tabouret, conseilla Alva. Les jeunes d'aujourd'hui ne connaissent plus les bienfaits d'une bonne posture. Attends un peu d'avoir mon âge, et tu trouveras miraculeux de pouvoir simplement te tenir droite.

Riley ramassa son bol vide, y jeta ses ustensiles et apporta le tout à l'évier.

— Je me demande pourquoi ils criaient, dit-elle en rinçant sa vaisselle.

En guise de réponse, la porte de l'escalier s'ouvrit et Charlotte, Lani et Baxter s'engouffrèrent dans la cuisine, aussi enjoués et excités que des gamins.

— On a une super annonce à vous faire ! cria Lani.

— Génial ! s'exclama Alva en joignant les mains.

Dree leva la tête. Évidemment, puisque Baxter était de retour.

Riley s'essuya les mains sur le torchon coincé à sa ceinture, et se tourna vers eux.

— Qu'est-ce qui se passe ?

— De très bonnes nouvelles, et on espère que ce sera une bonne nouvelle pour toi aussi, Riley.

Celle-ci haussa les sourcils.

— Moi ? Pourquoi ?

— Eh bien, vous savez que j'étais en train de boucler mon deuxième livre de recettes, et qu'on avait vaguement parlé d'un troisième, mais qu'il n'y avait encore rien de concret. Comme le tournage de la dernière saison de *Hot cakes* était achevé, j'ai pu enfin terminer le deuxième livre.

— C'est génial ! s'écria Riley. Beau travail !

— Merci, dit Baxter, mais ce n'est pas ça, la bonne nouvelle. C'est un grand soulagement, parce qu'aujourd'hui, mon agent a officiellement reçu une offre pour un troisième volume.

Lani lui prit le bras.

— Nous avons reçu une offre, corrigea-t-elle.

— J'y arrivais, mon amour, dit Baxter, qui se pencha pour l'embrasser sur le front avant de se retourner vers le groupe avec un grand sourire. Cette fois, ils aimeraient que je collabore avec ma brillante épouse et que nous imaginions un livre de recettes qui retracerait toute notre odyssée culinaire, en partant de notre première collaboration à New York et de la création de *Gâteau*, jusqu'à ce nouveau chapitre dans nos vies qu'a été notre arrivée en Géorgie.

Il posa les yeux sur Lani, qui lui sourit.

Le cœur de Riley s'emballa... Elle ne put s'empêcher de songer à Quinn, à la façon dont il l'avait regardée et à ce qu'elle ressentait quand elle le voyait. Jeremy, sa vie d'avant... tout était oublié. Elle voulait la même chose que Baxter et Lani. Elle savait qu'elle serait obligée de passer par des moments effrayants pour y parvenir, et qu'elle n'avait aucune garantie quant au résultat escompté. Sur cette plage, bouleversée par Quinn et la conviction qui semblait l'habiter, elle s'était persuadée qu'il lui fallait passer plus de temps seule, afin d'être tout à fait sûre de ses choix.

Mais en regardant Lani et Baxter, elle se demanda si sa crainte de répéter les erreurs du passé n'allait pas ruiner ses chances de retrouver l'amour.

— Félicitations, dit Dree, ce qui, vu son tempérament laconique, revenait à une ovation.

Riley refoula ses pensées et tenta de se concentrer sur la bonne nouvelle qu'ils célébraient à présent. *Oui, c'est ça, refoule-les, ignore-les, et elles disparaîtront.*

Le regard scintillant, Alva joignit les mains et les posa sous son menton.

— Alors maintenant, dit-elle, on n'a plus que des merveilleuses nouvelles. Ce n'est que justice, après tout. Votre histoire d'amour mérite d'être racontée.

— On n'explore que la partie culinaire, mais...

— Absurde ! l'interrompit Alva. Ce voyage culinaire, c'est votre histoire d'amour. Votre passion pour la gastronomie et celle que vous avez l'un pour l'autre, c'est la même chose : elles ont fait de vous ce que vous êtes.

Il y eut de nouveaux échanges de regards énamourés entre les deux époux, suivis d'un baiser étonnamment sensuel.

— Vous êtes toujours en public, leur rappela Charlotte, toujours à cheval sur les convenances.

— Mon Dieu, mon Dieu, ajouta Alva, qui n'avait pourtant pas l'air très choquée par le caractère démonstratif d'un tel baiser – au contraire.

Sentant que son esprit s'égarait de nouveau, Riley se ressaisit :

— Je vais ajouter mes félicitations aux tiennes. Je trouve ça génial ! Et bien mérité. Mais, si je puis me permettre, en quoi ça me regarde ?

Lani donna un coup de coude à Baxter, puis le repoussa quand il se pencha pour l'embrasser encore une fois.

— D'accord, d'accord, céda-t-il en riant avec elle.

Il posa des yeux brillants sur Riley, qui eut l'impression qu'on lui enfonçait une épine dans le cœur.

— Donc voilà l'idée, commença Lani, mais Baxter étouffa sa voix en la serrant contre lui, souriant à Riley par-dessus sa tête.

— On a vu le travail magnifique que tu as fait pour *Foodie*, poursuivit-il. En fait, Lani a fait des recherches juste après ton arrivée. On a envisagé de t'en parler pour le deuxième livre de recettes, mais tu étais nouvelle ici, et tu venais de quitter Chicago.

On… on n'a pas voulu t'importuner… Mais on a eu pas mal de difficultés avec les photos, on ne s'entendait pas bien avec l'équipe.

Lani, qui riait en essayant de se dégager de l'étreinte de son mari, parvint enfin à prendre la parole :

— Alors on a envoyé des échantillons de ton travail à l'éditeur de Baxter – qui, je suppose, est notre éditeur à présent, rectifia-t-elle gaiement. On voulait avoir son feu vert avant de t'en parler. (Elle retint la main de Baxter lorsque celui-ci essaya une nouvelle fois de la faire taire.) On veut que tu sois la styliste culinaire de notre nouveau livre de recettes ! lâcha-t-elle d'une seule traite avant de lever sur Baxter un regard béat et de se mettre sur la pointe des pieds pour embrasser sa lèvre boudeuse.

Baxter riposta en lui pinçant le derrière, ce qui provoqua un sifflement de la part de Dree et un regard navré de Charlotte.

— Je crois qu'il faut instaurer une nouvelle règle, effective immédiatement, dit Charlotte. Pas de câlins dans la cuisine, sauf si chacune a son docteur Mamour sous la main.

— *Dixit* la seule autre personne dans la pièce à avoir un docteur Mamour, grommela Dree.

— Le docteur qui ? demanda Alva.

Toute la conversation se réduisait à un bourdonnement indistinct aux oreilles de Riley, qui tentait toujours d'assimiler ce que Lani venait de lui annoncer. Reprendre son ancien travail. Pour un livre de recettes qui était un best-seller assuré.

— Tu comptes y réfléchir ? lui demanda Baxter.

— Bien sûr, tu vas avoir beaucoup de questions à nous poser, mais… tu voudrais bien ? dit Lani, debout sur la pointe des pieds, les mains jointes sous le menton, imitant, de manière beaucoup plus charmante, la posture d'Alva. Tu vas au moins y réfléchir ?

— Ouah ! dit Riley en riant nerveusement, au bord de l'hystérie. (*Ils se moquent de moi ?* « Y réfléchir ? ») Quand est-ce qu'on commence ?

— C'est un « oui » ? coassa Lani.

— Il faudra organiser une réunion de production, puis fixer des dates de prises de vue, dit Baxter, beaucoup plus concret mais tout aussi enthousiaste. On s'y mettra dès qu'on aura arrangé ça, dans un mois, tout au plus.

— Tu n'as pas besoin de tout planifier, de tester les recettes et tout ça ?

— Si, bien sûr, dit-il. Ça va prendre un certain temps pour réaliser tout le projet, mais il faut d'abord qu'on fournisse un échantillon à l'éditeur, pour qu'il lance la stratégie marketing. Et ça, ça doit être préparé le plus rapidement possible. Il y a d'autres événements qu'il souhaite promouvoir à l'avance, donc on va avoir beaucoup de travail, et dès maintenant.

— On sait que tu as d'autres engagements, ajouta Lani, mais puisqu'on est presque en octobre et que l'hiver est une période creuse pour toi, on s'est dit…

— Je n'ai passé qu'un seul hiver ici, mais tu as raison, c'était plutôt calme. Et vu comme les affaires se traînent déjà cet automne, j'imagine que ça n'ira pas en s'améliorant dans les mois prochains. Je suis sûre que ça me laissera du temps pour me consacrer au stylisme.

Le cerveau de Riley tournait à plein régime, mais elle avait encore du mal à mesurer les conséquences de la proposition qui venait de lui être faite.

— En fait, on aurait besoin de toi à temps plein pour toute la durée du projet, dit Baxter. Évidemment, on citera ton nom un peu partout.

Lani lui donna un coup de coude.

— Ne la submerge pas d'informations. On en reparlera dans un cadre un peu plus professionnel, dit-elle à Riley. Demain, si possible, ou dès que tu auras un peu de temps. Mais maintenant, c'est l'heure de célébrer ces deux bonnes nouvelles !

La minuterie du four sonna à cet instant précis, et tout le monde sursauta. Leurs rires emplirent la pièce.

Quelqu'un dégota une bouteille de champagne dans le bureau de Lani, et Dree alla chercher des gobelets en carton dans la boutique.

— Franco ne va pas être content d'avoir raté ça, dit-elle en revenant dans la cuisine.

— Je lui en parlerai demain, dit Charlotte. Il nous aide, Carlo et moi, pour le bal de charité de l'automne. (Elle versa le champagne avec son petit sourire à la fois sage et diabolique.) Et puis, je ne crois pas qu'il sera si contrarié que ça.

— Il est encore avec son nouveau gigolo ? s'enquit Alva.

Charlotte faillit en lâcher la bouteille de champagne, et Dree baissa la tête pour dissimuler un sourire qui n'était probablement pas assez cool à son goût. Ce fut donc à Riley de répondre.

— Oui, Alva, il me semble qu'il a mentionné quelque chose à propos d'un dîner. (Elle foudroya du regard les deux autres, puis sourit à la vieille dame.) Je lui ai donné ma recette de poitrine de canard poêlée.

Alva lui adressa un sourire approbateur.

— C'est un hôte attentionné, qui sait mitonner de bons petits plats. Vraiment un bon garçon. J'espère qu'ils se protègent.

Elle prit le gobelet des mains de Charlotte, juste à temps pour éviter que le récipient lui atterrisse sur les genoux.

Riley remercia Charlotte, prit le gobelet suivant et s'en servit pour dissimuler un sourire. Alva était vraiment un paradoxe vivant. Personne ne savait jamais vraiment à quoi s'attendre, avec elle. Juste au moment où ils croyaient avoir tout entendu sur un sujet, elle arrivait à les choquer en sortant ce genre de commentaire.

— À Baxter et Lani, dit Charlotte en levant son verre.

Ils burent tous une gorgée, et Lani leva son verre à son tour.

— Et à Riley, qui va sublimer notre livre de cuisine !

Tout le monde but une autre gorgée et se mit à poser des dizaines de questions à Baxter et Lani, si bien que la pièce résonna rapidement d'un bavardage excité.

Riley en profita pour sortir ses cupcakes du four et les mettre à refroidir sur la grille. Elle travaillait mécaniquement, ses pensées s'égarant dans tellement de directions qu'elle était incapable d'y mettre de l'ordre.

Elle n'avait plus en sa possession aucun des outils de son métier, et elle devrait s'arranger avec Baxter pour rencontrer le photographe. Elle se demanda ce qu'il dirait si elle suggérait d'embaucher Chuck et Greg. S'ils voulaient des photos dignes d'illustrer les pages glacées d'un beau livre, quelle que soit l'envergure de l'ouvrage, une bonne relation entre photographe et styliste était indispensable. Riley était toujours meilleure lorsqu'elle travaillait avec une bonne équipe.

Elle était tellement perdue dans ses pensées qu'elle sursauta légèrement quand Baxter lui posa la main sur l'épaule.

— Je sais que tu dois te sentir noyée sous une avalanche d'informations, mais Lani et moi sommes vraiment contents que tu envisages de travailler avec nous. Sache que, quand on commencera à discuter de la logistique, si tu te rends compte que tu ne veux pas t'engager là-dedans, on comprendra. (Il sourit.) Tu as le droit de bouder, de piquer une crise ou deux…

Riley éclata de rire.

— J'ai en effet beaucoup de questions, dit-elle avec franchise. Ayant déjà fait deux livres, tu sais déjà comment tout cela fonctionne, mais j'ai mon propre style, ma propre façon de procéder. On va vraiment devoir tout évoquer en détail avant que l'un de nous s'engage à faire quoi que ce soit. L'amitié et les affaires, tu sais ce qu'on dit…

— On peut avoir confiance en ses amis. Tiens, moi par exemple, j'ai épousé ma meilleure amie, dit-il en couvant Lani du regard.

Riley esquissa un sourire attendri, mais elle sentit une nouvelle épine s'enfoncer dans son cœur.

— Ça, c'est vrai, articula-t-elle. Demain, je ne travaille pas, et mon rendez-vous avec le nouveau vendeur d'électroménager a été annulé, donc si tu restes sur l'île… à moins que tu aies besoin que je vienne à Savannah ?

— Non, ça n'a rien à voir avec mon émission, donc on peut s'en occuper dans mon bureau, à Sugarberry. Je ne reprends le tournage que lundi prochain, alors si on pouvait régler ça avant, ce serait super. En fait, dans les jours qui viennent, je vais faire venir le directeur artistique que j'avais engagé pour le premier livre, ainsi que quelques membres de l'équipe de production.

— D'accord, très bien. Je devrais pouvoir être disponible dès que tu auras besoin de moi. Mais pourquoi faire venir toute l'équipe ? Est-ce qu'on va prendre les photos ici ?

Riley songea que, vu le thème du livre, il avait peut-être l'intention d'utiliser la cuisine de la pâtisserie de Lani, ou même leur maison.

Lani vint se blottir contre Baxter.

— Tu ne lui as pas encore dit ?

— Quoi donc ? demanda Riley.

— J'ai gardé une des brochures présentant ton travail dans la villa de Quinn, dit Lani. Je l'ai montrée à Baxter il y a un mois, parce qu'on envisageait de la louer pour son incroyable cuisine.

— Je pensais peut-être enregistrer quelques épisodes de la saison prochaine ici, à Sugarberry, dit Baxter. Mais je ne peux pas envahir la cuisine de Leilani, et notre maison est trop petite.

— Alors, en revenant ici ce soir, Baxter se disait que la villa, avec sa super cuisine, constituerait un décor parfait pour les photos préliminaires, l'interrompit Lani d'une voix enjouée. Elle est chic, moderne, mais en même temps son style correspond à la vie sur l'île – notre vie. Ce serait un endroit neutre, qui éviterait de monopoliser nos espaces de travail habituels. Et si ça marche bien, qui sait, peut-être qu'on pourra prendre toutes les photos du livre là-bas !

Lani poursuivit, mais Riley n'entendait déjà plus qu'un sourd bourdonnement qui grossit encore lorsque Baxter ajouta :

— J'ai déjà un peu discuté avec Quinn pour organiser une rencontre, histoire de voir si tout fonctionne au niveau logistique. Je ne sais pas pour combien de temps il a loué la maison, mais il ne va probablement pas rester éternellement donc, si ça marche aussi bien qu'on l'espère, on prévoira simplement de reprendre la location pour quelques semaines après son départ.

— Cette brochure t'a doublement servi, intervint Lani, parce que l'éditeur de Baxter a adoré la façon dont tu as arrangé les lieux. Avec ça et ton expérience à *Foodie*, il voulait absolument t'avoir dans l'équipe. Ce n'est pas excitant ? ajouta-t-elle en prenant Riley par le bras. Tout se met en place, comme si c'était écrit.

Riley hocha la tête. Elle se sentait un peu étourdie. Au début de la soirée, elle était fermement décidée à ne pas aller plus loin avec Quinn ; puis elle avait appris qu'elle irait jouer au poker chez lui, avait commencé à douter de son choix, et à présent… voilà qu'elle allait travailler chez lui. Pour une durée indéterminée.

— Ouais, parvint-elle à articuler. Comme si c'était écrit.

Chapitre 15

Quinn n'arrivait pas à taper assez rapidement sur son clavier. Quand il écrivait des scènes d'action ou d'introspection, il devait prendre le temps de réfléchir à la meilleure façon de tourner les choses. Mais lorsqu'il arrivait aux dialogues ou aux scènes plus secondaires entre Joe et Hannah, les mots lui venaient en un flot rapide et ininterrompu. C'était un vrai défi d'essayer d'écrire assez vite pour suivre.

Il avait les mains douloureuses, le dos et les épaules tendus ; il n'aurait pas pu dire quand il avait mangé pour la dernière fois. Le CD qu'il avait mis en route était terminé depuis un bon moment, mais il ne s'en était pas rendu compte.

— Et bam ! grogna-t-il en tapant le point final sur son clavier.

Il se rejeta en arrière sur sa chaise et souffla longuement. Il avait l'impression d'avoir couru un marathon – et c'était bien cela, en quelque sorte. Un marathon mental. C'était une tâche ardue que d'essayer de coucher sur le papier chaque mot qui lui venait à l'esprit avant qu'il ait disparu, et il était heureux de s'accorder une pause. C'est seulement à ce moment-là qu'il prit conscience de son estomac qui protestait, de la douleur dans ses épaules et du silence assourdissant qui régnait dans la pièce.

Il regarda autour de lui et se rendit compte que le soleil commençait déjà à décliner, projetant de longues ombres sur la terrasse. L'automne commençait enfin à se faire sentir, et Quinn appréciait les soirées plus fraîches et le climat moins humide. Il devait être le seul que les jours plus courts ne dérangeaient pas. Pour une raison qui lui échappait, en hiver, il parvenait plus facilement à se concentrer, et il écrivait mieux. Ça avait probablement quelque chose à voir avec l'hibernation.

Il se décolla de sa chaise et referma son ordinateur. Il avait assez travaillé pour ce soir. Mais il souriait. C'était bon de se sentir tenté de continuer, d'avoir encore des choses à dire. Déjà, de nouvelles idées naissaient dans son esprit, il songeait à des bribes de conversation ou bien à telle ou telle pensée de ses personnages. Il partit même en quête d'un carnet et un stylo afin de griffonner quelques notes supplémentaires, mais il s'obligea finalement à se détourner du bureau et à passer dans la cuisine.

— Tout sera encore là demain, se dit-il.

Puis il sourit. Pour une fois, il savait que c'était vrai. Mais pour le moment, il fallait qu'il mange, et qu'il s'offre un verre de vin. Il allait peut-être s'installer sur la terrasse pour dîner en écoutant de la musique, et lire quelques chapitres d'un livre écrit par un autre.

— Et essayer de faire quelque chose d'autre de ma vie, ajouta-t-il à la liste.

Tandis qu'il errait dans la cuisine, ses pensées se tournèrent vers Riley. Son silence des deux dernières semaines avait été très clair. Il fallait absolument qu'il s'interdise ce genre de divagations. Heureusement pour lui, ses nouveaux amis fictifs le distrayaient pendant la plus grande partie de la journée. Mais quand il avait terminé d'écrire, il ne contrôlait pas toujours les errances de son esprit.

Il jeta un coup d'œil dans le frigo et en conclut qu'il devrait peut-être aller manger en ville, chez Laura Jo. Il y dînait de plus en plus souvent, mais avait en revanche renoncé aux petits déjeuners, car il se mettait à écrire très tôt le matin, presque dès le réveil, et ne faisait une pause que vers midi. Souvent, il profitait de ce laps de temps pour aller courir sur la plage et s'aérer l'esprit.

Et caresser l'espoir furtif qu'un gigantesque chien vienne de nouveau l'accoster, suivi par sa jolie maîtresse. Pour le moment, il n'avait pas eu cette chance.

Il referma la porte du frigo. Il n'avait pas envie de cuisiner.

— Laura Jo, me voilà.

Il prit son portefeuille, ses clés et, lorsqu'il ouvrit la porte, Riley se tenait sur le seuil, le poing levé, prête à toquer.

Surprise, elle recula et baissa la main avec un temps de retard.

— Désolé, dit-il, presque trop stupéfait pour parler. Je ne savais pas que tu étais là.

— Évidemment, c'était difficile à deviner, dit-elle d'un ton badin.

La couleur qu'avaient prise ses joues et son cou trahissait l'état réel de ses nerfs.

— Qu'est-ce que je peux faire pour toi ?

Il s'appuya négligemment contre l'encadrement de la porte, feignant d'ignorer que son cœur battait à tout rompre. Et qu'il était incroyablement heureux de la voir. Bref, tout ce qui lui donnait le sentiment d'être stupide et pathétique. *Arrête ça, Brannigan. Qu'est-ce que tu ne comprends pas dans « merci, mais non merci » ?*

Riley fronça légèrement les sourcils lorsqu'elle remarqua qu'il avait à la main ses clés et son portefeuille.

— Tu sortais ? La réunion n'était pas censée être à 19 heures ?

— Quelle réunion ?

Cette fois, elle eut l'air complètement interloquée.

— La réunion au sujet des installations pour les premières photos. Pour le livre de recettes. Quand tu en as discuté avec Baxter, il y a quelques jours, vous avez bien décidé que ce serait ce soir qu'on s'occuperait des clichés préliminaires ? À moins que je me sois trompée sur la date…

Elle rougit encore un peu plus.

Quinn fronça les sourcils à son tour, puis la lumière se fit sans son esprit. Baxter. Le livre de recettes.

— Ah ! Oui ! On est déjà vendredi ?

Elle sourit gentiment.

— Depuis ce matin.

— Une chance que je ne sois pas déjà parti au restaurant. (Il recula et lui fit signe d'entrer, décontenancé et absolument incapable de maîtriser ses émotions.) Ça aurait été très impoli. Entre donc. Je vais te servir quelque chose à boire.

Riley attendit qu'il se soit écarté du pas de la porte, puis passa dans l'entrée.

— Non, merci. Je vais seulement… je peux attendre dans la cuisine qu'ils arrivent. (Elle se retourna quand il ferma la porte.) En fait, si tu veux aller manger, je peux faire entrer tout le monde et leur montrer les équipements. Tu n'as pas besoin de rester. Enfin, si tu as envie d'y aller, ajouta-t-elle d'une voix mal assurée.

La situation était embarrassante, mais il ne savait pas trop ce qu'il détestait le plus : la gêne entre eux, ou le regard fuyant de Riley.

— J'ai l'impression que c'est toi qui veux que je m'en aille…

Elle soupira d'un air abattu qu'il ne lui connaissait pas. En fait, en y repensant, il ne l'avait jamais vue dans un tel état.

— J'aurais dû t'appeler, ou passer, bref, faire quelque chose. (Elle se décida enfin à le regarder en face.) Je ne savais pas quoi dire. Je n'arrive pas à penser correctement quand je suis avec toi, et j'avais…

— Peur de te laisser embarquer dans quelque chose dont tu n'as pas envie, encore une fois.

— Tu ne m'as embarquée dans rien du tout. J'ai fait mes propres choix. Je voulais juste faire ce qui serait le mieux pour nous deux, au bout du compte. J'ai vraiment… (Elle haussa les épaules.) Tu avais raison. Je peux vouloir quelque chose, mais ça ne signifie pas forcément que je me sens prête à l'obtenir.

— Tout à fait. C'est pour cela que j'ai renoncé à corrompre Brutus à coups de victuailles, et à passer chez toi avec cent bonnes raisons de nous laisser une chance.

Elle esquissa un semblant de sourire, et ce fut comme un léger baume sur les blessures de Quinn. Il était triste, blessé, et peut-être même un peu en colère – pas contre elle, mais contre les dieux, ou le destin, ou celui qui avait eu la fausse bonne idée de la placer sur sa route. Elle, en revanche, n'était en rien responsable. Depuis le début, elle avait essayé de lui dire qu'elle n'était pas prête.

— J'apprécie cette attention. Mais je ne suis pas sûre de la mériter. J'aimerais juste que Brutus ne soit jamais informé de l'offre alléchante que je viens de refuser, ajouta-t-elle en ébauchant un nouveau sourire.

Quinn fit le geste de verrouiller sa bouche à double tour, comme elle l'avait fait sur la plage.

Elle sembla alors se détendre. L'espace d'un instant, son regard brilla d'une lueur chaleureuse, à laquelle se mêlait apparemment une pointe de regret. Mais peut-être ne voyait-il que ce qu'il avait envie de voir.

— Qu'est-ce que tu fais pour le livre de recettes ? demanda-t-il, essayant d'adopter un ton naturel.

Plus elle resterait longtemps, plus ce serait difficile pour lui. Il ne voulait pas la blesser, surtout si la dernière personne en qui elle avait eu confiance lui avait fait tant de mal. Il ne connaissait toujours pas les détails de l'histoire, et n'avait pas cherché à en savoir plus. Il lui suffisait d'en voir les conséquences.

— Tu veux dire, qu'est-ce que je fais là ? Oh. (Elle sembla perdre le peu d'assurance qu'elle avait retrouvée.) Je suis désolée. Je pensais que tu étais au courant. Ouah... ça rend la situation encore plus gênante, murmura-t-elle. Je n'avais pas l'intention de te faire une surprise, je croyais que tout... Enfin, peu importe. Je m'occupe du stylisme des plats, d'abord pour les photos préliminaires et, si tout se passe bien, pour tout le livre.

Il sourit, soulagé de pouvoir partager avec elle un moment de bonheur réel et sincère.

— C'est génial ! Enfin, je suppose. Tu disais que tu aimais beaucoup ce travail.

— Je l'adorais. Et là, c'est un rêve qui se réalise. Je ne m'y attendais absolument pas, donc c'est assez étourdissant.

Il était ravi pour elle, mais n'aimait pas la façon dont elle minimisait son bonheur. Elle semblait croire qu'en l'exhibant en sa présence, elle allait remuer le couteau dans la plaie.

— Riley, tu as le droit d'être heureuse. Je suis sincèrement content pour toi. Je suis désolé pour nous, d'accord, mais c'est tout.

Elle ne répondit pas tout de suite ; elle prit une grande inspiration et expira lentement.

— D'accord. Merci. C'est… bien.

Et tellement embarrassant que j'ai envie de hurler, pensa-t-il.

— Comment ça se passe, avec ton roman ? demanda-t-elle, retrouvant le rôle de la femme courageuse qui se soucie surtout du bonheur des autres.

— Ça roule. L'éditeur est content, je suis content, les personnages sont contents.

Un sourire se dessina sur ses lèvres, et elle sembla cnfin se détendre.

— C'est génial. Vraiment. Le lecteur est content, dit-elle, en se désignant elle-même du doigt.

Ce geste fit sourire Quinn, en même temps qu'il sentit son cœur se serrer. Il voulait tant qu'elle revienne. Il ne l'avait jamais véritablement possédée, et pourtant elle lui manquait tellement. Il la voulait dans ses bras, dans sa maison, dans son lit… dans sa vie.

Le désir avait dû transparaître sur son visage, car elle détourna aussitôt les yeux.

— Du coup, tu préfères aller…

— Riley, écoute…

Tous deux s'interrompirent en même temps.

Il lui fit signe de parler en premier.

— Je voulais juste te demander si tu voulais aller manger. Si ça fonctionne… le livre, je veux dire, je… heu, je peux te faire un planning de ma présence ici, pour que tu ne sois pas pris au dépourvu.

— Non, c'est inutile. Ce n'est pas la peine de prendre des gants avec moi et de te comporter comme à un enterrement. Je ne suis pas fragile, et je ne suis pas mort.

— Bien sûr. Je ne suis pas très douée pour blesser les gens auxquels je tiens, dit-elle, mais je sais que je t'ai blessé, peut-être pas mortellement – ce n'était qu'un baiser –, mais quand même… je ne voulais pas que ça en arrive là.

— Je sais, répondit-il posément. Tu as fait exactement ce qu'il fallait, en te montrant honnête à mon égard autant qu'envers toi-même. On ne peut pas en demander plus.

Elle ne répondit pas, et laissa son regard errer à travers la pièce. Puis elle baissa les yeux sur le petit fourre-tout qu'elle serrait si fort entre ses doigts qu'elle en avait les articulations toutes blanches. Elle resta silencieuse un long moment, comme si elle hésitait à révéler ce qu'elle avait en tête.

— Tu as quelque chose d'autre à me dire ? demanda-t-il. Inutile de te censurer.

Elle leva les yeux.

— Il y a une part de moi qui voudrait te confier tous mes états d'âme de ces dernières semaines, afin que tu puisses comprendre à quel point je ne voulais blesser personne.

— Et l'autre part ?

Il crut voir dans ses yeux comme un éclair de désespoir. Mais elle ferma aussitôt les paupières, et baissa la tête. Il dut s'enfoncer les ongles dans les paumes pour s'empêcher de tendre la main vers elle.

Il s'apprêtait à lui annoncer qu'il allait partir au restaurant quand elle releva brusquement la tête, ouvrant des yeux immenses et… pleins d'effroi.

Il avança sans hésiter, la prit par le bras, mais se retint de l'attirer vers lui.

— Qu'est-ce qu'il y a ? s'inquiéta-t-il, véritablement alarmé. Tout va bien ? Il s'est passé quelque chose ?

— Oui, répondit-elle d'une voix mal assurée, tremblant de tous ses membres.

— Riley, qu'est-ce qui…

— Bon sang, j'ai l'impression d'être complètement tarée. Je pensais que ce serait tout simple, que j'allais juste venir ici et faire mon boulot. Non, d'accord, ce n'est pas vrai. Je ne savais pas comment j'allais m'y prendre pour travailler ici, en ta présence. Même si j'ai compris que je ne pourrais pas gérer une relation avec toi, je ne suis pas arrivée à m'en persuader vraiment. Et maintenant… tu vas penser que je suis… enfin, peu importe, je suis sûre que je l'ai bien mérité.

— De quoi tu parles ?

— Ce qui s'est passé, c'est que j'ai cherché un moyen d'oublier le passé pour mieux regarder vers l'avenir. Je vois Baxter et Lani, Charlotte et Carlo… Même Alva fréquente Sam Shearin en cachette, même si elle croit qu'on n'est pas au courant. Et Franco a un nouveau copain. J'assiste à ça tous les jours. Je ne peux pas y échapper, ni m'empêcher d'y penser... et d'y aspirer moi-même. (Elle leva sa main libre.) Je sais, je sais. Je n'aurais qu'à tendre la main pour avoir ce que je veux.

Elle leva la tête vers lui, et son cœur se serra quand il vit ses yeux si brillants de larmes, et le tremblement de sa lèvre inférieure.

— J'en ai tellement envie, dit-elle dans un murmure rauque. Tellement, Quinn, et ce depuis le début. (Elle l'implorait presque.) Mais j'ai peur, aussi. Je sais que c'est idiot, que je devrais être forte, mais ce n'est pas dans mon caractère. Une angoisse réelle, immense, me submerge tout entière. Je suis prête à être heureuse... mais je ne sais pas si je pourrais supporter un second échec. Je veux saisir ma chance, mais ensuite je repense à ma dernière histoire, et à tout ce que j'ai dû surmonter pour me retrouver là où j'en suis aujourd'hui. Et je ne sais pas comment me débrouiller face à ce qui vient ensuite.

Il sentit ses épaules tressaillir et tout son corps se mettre à trembler. L'entourant de ses bras, il la serra contre lui.

— Tout va bien.

Il la délesta de son sac et le posa à tâtons sur le guéridon derrière lui, sans se soucier de ce qu'il faisait tomber sur le sol. Puis il l'étreignit plus fort.

— Je suis navré que tu aies été blessée. (Il préférait s'émouvoir des souffrances qu'elle avait vécues plutôt que de se mettre en colère contre le sale type qui en était responsable.) Ça me fait vraiment de la peine pour toi. J'aimerais tellement te dire que personne ne pourra jamais plus te faire souffrir…

— Je sais, je sais. Personne ne peut garantir une chose pareille.

Il s'écarta légèrement et lui prit doucement le menton afin de la regarder dans les yeux. Son cœur vacilla de nouveau lorsqu'il vit de grosses larmes rouler sur ses joues.

— Mais je peux te promettre une chose. Quel que soit le rôle qu'on jouera dans la vie l'un de l'autre, je serai toujours honnête envers toi, même si ça fait mal. Tu sauras toujours ce que je pense, ce que je ressens. Et si tu as des doutes, tu n'auras qu'à me poser la question. Tu peux me faire confiance, Riley. Aujourd'hui, demain, et pour les jours à venir. Je ne peux pas te promettre que je ne te ferai jamais de mal, parce que ce sont des choses qui arrivent. J'ai souffert après notre baiser sur la plage, mais je sais que ce n'était pas ton but. L'essentiel est que tu te sois montrée honnête : c'est ce sur quoi je veux pouvoir compter. Je n'ai pas l'intention de jouer avec toi. Je ne vais pas te mentir ni te manquer de respect, je t'en donne ma parole. Voilà les garanties que je peux t'apporter.

Elle hocha la tête, des larmes au coin des yeux, le corps toujours un peu secoué de tremblements.

— Merci, murmura-t-elle.

Ce simple mot exprimait tant de reconnaissance, que lui-même se sentit sur le point de pleurer. Elle méritait tellement mieux que de se sentir redevable quand on la traitait avec le respect qui lui était dû. Qu'est-ce que ce mec avait bien pu lui faire subir pour qu'elle en soit arrivée là ?

Quinn la serra de nouveau contre lui, le cœur battant ; puis elle l'entoura timidement de ses bras, et une vague de soulagement le submergea. Il resserra instinctivement son étreinte et elle fit de même, s'agrippant à lui comme si sa vie en dépendait.

Peu à peu, ses tremblements s'apaisèrent. Il lui caressa les cheveux, passa une main le long de son dos et… s'arrêta net.

— J'aimerais avoir des réponses à t'apporter, dit-il doucement, mais je n'en ai pas. Je n'ai pas vécu ce que tu as traversé. Je ne sais pas comment tu fais pour accorder de nouveau ta confiance à quelqu'un, alors que moi j'étais mort de peur rien qu'en essayant la première fois.

— Comment tu t'es décidé à essayer ? demanda-t-elle, la voix étouffée contre son tee-shirt.

— Comme toi. J'ai été honnête. (Il sourit à travers ses boucles blondes.) Et puis j'ai embrassé la fille. (Son sourire s'évanouit.) Et, en fin de compte, je l'ai fait pleurer.

À ces mots, Riley leva la tête et tourna vers lui son visage sillonné de larmes et ses yeux encore brillants.

— Ce n'est pas toi qui m'as mise dans cet état-là.

— Mais le problème c'est que… ça pourra arriver un jour. Ce ne serait pas volontaire, mais ça me ferait mal d'ajouter des pleurs à ceux que tu as déjà versés.

Mais même si je suis terrifié, même s'il y a de grandes chances pour que je ressente de nouveau cette peine et cette colère envers le destin et envers ton ex, et même si tu me manques plus que je n'aurais pu l'imaginer… je sais que je ne regrette rien.

— Pourquoi ?

— Parce que je t'ai aussi fait rire, et que, chaque fois ça m'a donné l'impression d'être l'homme le plus intelligent du quartier. À cause de la façon dont tu me regardes, aussi, tantôt sarcastique, passionnée ou curieuse, ou en ayant l'air de te demander comment je peux dire des trucs pareils. Et enfin, à cause de ce premier baiser unique, incroyable – et aussi du deuxième, d'ailleurs. (Il sourit.) Mais surtout parce que tu m'as donné le sentiment, avec ce cadeau, que tout était possible, après tout, que je pouvais nourrir l'espoir de tout avoir un jour. (Il repoussa les cheveux plaqués sur les joues mouillées de larmes de Riley.) Je n'avais jamais ressenti ça, mais je l'ai toujours désiré.

Riley le regarda dans les yeux d'un air presque désespéré, puis finit par baisser la tête et appuya la joue contre son torse.

— Qu'est-ce qu'il y a ? demanda-t-il.

— C'est simplement que… j'aurais aimé être digne de ce que tu ressens pour moi.

Il la força à relever la tête et, pour la première fois, il ressentit une légère irritation à son égard.

— Ce n'est pas à toi d'en juger. C'est à moi. Et prétendre que tu n'es pas digne de mon affection, ou de mon intérêt, ou de n'importe lequel de mes sentiments, c'est une grosse claque pour moi, tu ne crois pas ?

Elle sembla choquée, et eut immédiatement l'air de regretter ses propos.

— Ce… ce n'est pas ce que je voulais dire.

— Mais c'est bien ce que tu as dit. Tu n'as peut-être pas beaucoup de valeur à tes propres yeux, mais tu en as pour moi, comme pour tous tes amis. Combien de personnes devront te convaincre de ce que tu vaux, avant que tu arrêtes de te juger à travers les yeux du connard égoïste qui t'a traînée dans la boue ?

Elle ouvrit de grands yeux, mais elle n'avait pas l'air d'être blessée ou insultée. Au contraire, elle paraissait… pensive.

— C'est vraiment ce que je fais ? murmura-t-elle.

— Toi seule peux le dire. Mais en tout cas, ça y ressemble.

— Ce n'était pas ce que je voulais dire, dit-elle un peu plus fort, comme si elle aussi commençait à se mettre en colère.

Il ne s'en inquiéta pas. Il retrouvait enfin la Riley qu'il connaissait, celle qu'il avait envie de découvrir davantage.

— Je sais ce que je vaux. Je travaille bien, je suis une bonne amie, et une bonne maîtresse pour mon chien. La seule chose que j'ignore – la seule – c'est si je suis une bonne petite amie. Je pensais l'être, et je me trompais. (Elle soutint fermement son regard.) C'est dans ce domaine que j'ai perdu mes repères et que je remets en question ce que tu vois en moi. Je ne suis pas sûre de posséder vraiment les qualités que tu m'attribues.

— Je crois que tu les possèdes, et je l'espère, dit-il.

Elle avait l'air dégoûté, mais il ne savait pas si c'était par lui, qui l'avait provoquée, ou par sa propre attitude, qui avait consisté à se terrer six pieds sous terre plutôt qu'à relever la tête. Cependant, quand elle leva les yeux vers lui, il vit dans son regard un feu qu'il ne lui connaissait pas.

Et auquel il répondait de tout son être.

— D'accord, dit-elle. Je suppose que tu as raison. Il n'y a qu'une seule manière de le savoir.

— Laquelle ?

— Être honnête. Et t'embrasser.

Ce qu'elle fit aussitôt.

Chapitre 16

L'espace d'une seconde, Quinn, sous le choc, resta sans réaction. Puis il lui saisit la nuque et lui rendit son baiser.

Tandis qu'il gémissait, Riley passa la main dans ses cheveux, entrouvrit les lèvres… et se laissa aller.

Quinn sourit.

— Espèce de fouine.

— Quoi ?

— Espèce de fouine.

Il lui mordilla la lèvre inférieure et l'embrassa dans le cou ; elle rejeta la tête en arrière en un voluptueux abandon dont il profita sur-le-champ.

— On aurait dû le savoir depuis le début. (Il ponctuait ses mots de baisers, sans cesser de la caresser.) On était trop curieux par nature… pour ne pas essayer.

— Essayer quoi ?

Il la plaqua contre le mur.

— Ça.

Il l'embrassa de nouveau avec une passion et une ardeur étourdissantes.

Elle voulait rire et hurler à la lune mais, par-dessus tout, elle le voulait, lui.

— Je suis toujours terrifiée, souffla-t-elle lorsqu'il chatouilla du bout de la langue une zone particulièrement sensible de son cou. Puis il la mordilla, si bien qu'elle gémit de plaisir, tandis que tout son corps tressaillait sous l'effet de ses caresses... Quand il glissa les mains sur ses hanches et sur son ventre, en s'arrêtant juste en dessous de la courbe de ses seins, elle se sentit prise de vertige.

— Bienvenue au club, répondit-il. C'est quand même plus agréable de ne pas être seul dans le noir, non ?

Il fit glisser la chemise ouverte de Riley afin de dévoiler son épaule, sur laquelle il déposa une série de baisers.

— C'est vrai, tu as raison.

Elle acheva sa phrase dans un long soupir de plaisir quand il glissa enfin les doigts jusqu'à ses seins et en caressa les pointes douloureusement tendues. Puis, avec un sourd gémissement, elle s'abandonna à lui lorsqu'il glissa la langue entre ses lèvres sans cesser de titiller son téton.

— Je meurs d'envie de te goûter, de te mordiller...

À ces mots, il se pressa contre elle, et elle tressaillit en sentant son sexe tendu à travers le tissu de son pantalon.

Il la souleva contre le mur et elle l'enserra de ses jambes. Elle geignit lorsqu'il arrêta de caresser ses seins pour poser une main au creux de ses reins, mais son geignement se changea en un soupir de pure excitation quand il lui cambra le dos et vint peser entre ses cuisses.

Il poussa un sourd grognement, et elle ne put se retenir d'onduler des hanches. Mais il était trop grand, et elle n'arrivait pas à le tenir assez fermement avec les jambes pour atteindre la position idéale.

Elle se sentait tellement plus libre lorsqu'elle s'autorisait à cesser de penser et se concentrait sur ce qu'elle ressentait ! À trop réfléchir, elle avait cédé à la panique, tandis qu'en s'abandonnant à ses sensations, elle goûtait un plaisir démesuré. Le calcul était vite fait.

À présent qu'elle avait ouvert les vannes, sa faim devenait insatiable. Elle voulait se laisser submerger par le désir, s'y noyer. Et au vu de toutes les caresses qu'il lui dispensait et des râles qu'il laissait échapper, il était disposé à se laisser entraîner vers le fond.

— Je ne peux pas... t'atteindre, dit-elle en remuant les hanches contre lui.

Il cessa de l'embrasser un instant.

— Accroche-toi à moi.

Il y avait presque de la dureté dans sa voix, mais le miel tiède de son accent, qui semblait plus marqué depuis qu'il l'avait prise dans ses bras, atténuait la rudesse de ses propos.

Elle ne pouvait se permettre de réfléchir à quoi que ce soit. La seule façon de surmonter ce mur géant qu'elle avait passé deux ans à bâtir était de s'envoler sur les ailes du désir. Et d'avoir confiance, pas seulement en lui… mais aussi en elle-même. Soit elle se brûlerait les ailes et s'écraserait une fois encore… soit elle allait atterrir en douceur et repartir avec un nouvel élan.

Sans hésiter, elle noua ses jambes autour de lui. *J'espère qu'on va vite découvrir la réponse*, songea-t-elle.

Il la souleva et la tint blottie contre son grand corps musclé. Il fit cela avec une telle facilité qu'elle frissonna de nouveau de la tête aux pieds. Elle passa les bras autour de son cou et l'embrassa.

Elle l'entendit grogner de surprise, mais lorsqu'elle fit mine de se reculer, il s'arrêta de marcher et lui donna un long baiser brûlant.

— Souviens-toi où on en était, dit-il avant de la serrer contre lui pour reprendre leur progression vers l'escalier.

Il venait à peine de poser le pied sur la première marche lorsque quelqu'un frappa à la porte.

Ils se figèrent, puis Quinn se retourna, Riley toujours pendue à son cou, ce qui manqua de leur faire perdre l'équilibre.

On frappa de nouveau.

— Ohé ! Ce n'est que moi !

Riley et Quinn se regardèrent, un peu paniqués.

— Alva ? siffla Riley. Oh, merde !

Comment avaient-ils pu oublier la réunion ? Bon, elle savait exactement comment.

— Repose-moi, dit-elle, nerveuse à l'extrême.

Elle essaya de rajuster ses vêtements et fit de vains efforts pour remettre de l'ordre dans ses cheveux en bataille.

— Baxter et l'équipe auraient dû arriver depuis longtemps, ajouta-t-elle.

— Je ne savais pas qu'Alva devait venir, dit Quinn.

Il rajusta sa tenue à son tour, et se passa une main dans les cheveux. Pour une fois, il avait l'air un peu négligé.

— Je dois avoir l'air complètement ravagée...

— Tu as surtout l'air d'avoir aimé ça, dit-il en souriant.

Elle lui donna une tape, mais avec le sourire.

— Et si tu allais te cacher dans la salle de bains, au bout du couloir ? Ça me laissera le temps d'aller voir ce que veut Notre Dame des Interruptions Inopportunes.

— Pas si inopportune que ça, rectifia Riley. Baxter et compagnie devraient déjà être là. Si elle n'était pas arrivée, ils auraient pu entrer et nous trouver...

— C'est vrai.

Une étincelle s'alluma dans les yeux de Quinn, et Riley dut réprimer l'envie de lui sauter dessus sans se soucier du reste.

— Je ne suis pas sûre de trouver ce qu'il me faut dans ta salle de bains, mais je vais me débrouiller.

Quinn lui lança un clin d'œil coquin.

— Tu devrais pouvoir y arriver.

La sonnette retentit.

— Ohé ? Il y a quelqu'un ? cria Alva.

Riley poussa intérieurement une série de jurons.

— Fais-la patienter au moins deux minutes. Et surveille l'arrivée de trois grandes camionnettes blanches : c'est la production.

— D'accord.

Elle s'apprêta à courir vers la salle de bains, mais il l'attrapa par le bras et la ramena vers lui. Il lui donna un baiser brûlant, bref mais incroyablement intense.

Quand il releva la tête, elle demanda, hébétée :

— C'était pour quoi ?

— On n'en a pas fini avec cette… conversation. Et je ne te laisserai plus construire de barrières entre nous.

Elle lui sourit, ce qui la surprit autant que lui.

— Comme si ça pouvait te tenir à l'écart, de toute façon. Je ne sais même pas pourquoi j'ai essayé.

Les yeux de Quinn pétillèrent.

— C'est ce que j'essayais de t'expliquer. On n'est qu'un couple de fouines.

Elle lui donna une nouvelle tape, puis tira sur son tee-shirt pour l'attirer vers elle et lui offrir un baiser à son tour. Puis elle fit quelque chose qui ne lui ressemblait pas mais, après tout, c'était donnant-donnant. N'avait-il pas, en multipliant les caresses, exploré tout son corps ? Avant d'en avoir perdu le courage, elle fit impulsivement courir une main le long de son torse… et l'arrêta sur la boucle de sa ceinture, glissant son pouce entre le pantalon et la peau. Il tressaillit et l'attira contre lui. Elle glissa sa langue entre ses lèvres entrouvertes et se blottit contre lui, puis le relâcha et fit un pas en arrière.

— Va ouvrir la porte, gros malin, chuchota-t-elle, aussi essoufflée que lui.

Il avait le regard vitreux, un peu hagard, et elle adorait ça.

— Et laisse-moi deux minutes, ajouta-t-elle.

Elle s'éclipsa, mais l'entendit dire très distinctement :

— Oh, je suis sûr que tu vas obtenir de moi tout le temps dont tu as besoin.

— Mais qu'est-ce que tu viens de faire, Riley Brown ? murmura-t-elle, haletante, avant d'entrer dans la salle de bains et de refermer la porte derrière elle. Bon sang, qu'est-ce qui t'a pris ?

Mais, tout en disant ces mots, elle ne pouvait s'empêcher de sourire jusqu'aux oreilles.

Chapitre 17

Avant d'envisager de monter à bord, Quinn frappa sur la coque du bateau.

— Chérie, je suis rentré ! cria-t-il, espérant lui arracher un sourire.

Il était nerveux, même s'il ne savait pas exactement pourquoi.

Après que le convoi désordonné des camionnettes de la production avait finalement convergé vers sa villa, deux jours auparavant, il n'avait pas vu Riley. Les véhicules étaient en train de se garer dans son allée au moment où il avait ouvert la porte à Alva, venue lui parler de la tenue de son tournoi de poker.

Quinn était certain qu'avec sa perspicacité coutumière, Alva, même sans avoir aperçu Riley, avait surpris suffisamment de petits signaux pour en déduire qu'elle avait interrompu un peu plus qu'une simple réunion de production. Par chance, Baxter, Lani et toute leur troupe avaient débarqué avant qu'Alva se mette en tête d'entrer dans la maison.

Il avait élaboré avec la vieille dame une solution pour la soirée de poker, qu'ils avaient fini de peaufiner la veille, autour d'un déjeuner chez Laura Jo. Le soir où Baxter et son équipe étaient venus en repérage, pendant qu'ils envahissaient la cuisine de Quinn, celui-ci avait choisi de sortir sur la terrasse avec son ordinateur en faisant mine de ne pas prêter attention à ce qui se passait à l'intérieur. Ignorant si son trouble et celui de Riley avaient échappé à la sagacité de Baxter et de Lani, il avait estimé que le meilleur moyen de préserver la vie privée de Riley était de déserter le champ de bataille.

À la fin des repérages, Baxter l'avait rejoint, afin de confirmer son intérêt pour la villa et de fixer une autre date de prise de vues.

Depuis leur première discussion, Quinn savait que Baxter avait l'intention de louer la maison après son départ, prévu initialement pour la fin de l'année. Sauf que Quinn n'était désormais plus aussi sûr de quitter les lieux dans ces délais.

C'était l'une des raisons pour lesquelles il était venu jusqu'au bateau de Riley, tôt ce lundi matin. Le soleil venait à peine de se lever et dardait ses fins rayons roses au-dessus des voiliers amarrés à la jetée.

— Quinn ?

Riley repoussa une masse de boucles blondes de son visage toujours ensommeillé. Avec son caleçon rose et vert et son vieux tee-shirt délavé des Chicago Bulls, elle était délicieusement sexy. Elle passa la tête par la porte-fenêtre et cligna des yeux dans la lumière du matin.

— Qu'est-ce que tu fais là ?

Il avait envie de la prendre dans ses bras, toute chiffonnée et endormie qu'elle était, et de la saluer délicatement par un long baiser langoureux. Il voulait la sentir s'éveiller lentement, jusqu'au moment où elle lui lancerait ce fameux sourire qui lui creusait des fossettes et dont l'éclat se reflétait dans ses yeux couleur chocolat. Il voulait la traîner dans sa cabine comme un homme des cavernes, lui arracher ses vêtements avec les dents et connaître l'extase en goûtant la volupté de son corps, la chaleur de sa peau tiède.

Excité par cette perspective, il fut obligé de dissimuler son désir naissant derrière la fine sacoche de cuir noir qu'il avait apportée. Il ignorait comment elle allait réagir à sa visite surprise, mais il aurait dû avant tout se méfier de ses propres réactions. Il souleva le plateau en carton qu'il tenait dans l'autre main.

— J'ai apporté le café et les œufs brouillés de Laura Jo avec des toasts. Je crois qu'elle a aussi glissé deux tartelettes aux pommes.

Il hasarda un sourire engageant, implorant sa miséricorde, mais il savait très bien que Riley n'allait pas se laisser avoir – ce qui rendait la chose encore plus amusante.

— Elle a eu pitié de moi quand je lui ai expliqué mes projets, poursuivit-il. Je ne savais pas si tu étais du matin, mais elle avait l'air de penser qu'une petite douceur serait la bienvenue.

— Je suis du matin, grommela-t-elle. Mais là, ce n'est pas le matin, c'est la fin de la nuit. Et encore, le jour n'est pas près de se lever. D'ailleurs, quelle heure il est ? Et pourquoi tu ne m'as pas appelée, avant de passer ?

—Je n'ai pas ton numéro.

Il n'avait surtout pas voulu prendre le risque d'essuyer un refus.

—Bien sûr que si. Il est sur les contrats de location des meubles.

—C'est David qui s'en occupe, donc je lui ai tout envoyé avant de me rendre compte que ton numéro était écrit dessus. (Il esquissa un bref sourire.) À ce moment-là, je ne savais pas que j'en aurais besoin. Si j'avais eu un souci par rapport à la maison, j'aurais demandé à David de te contacter. Je t'aurais épargné mes maladresses.

—En tout cas, ce matin, tu ne m'épargnes rien du tout.

Il haussa les épaules et tenta de miser sur la pitié.

—Je n'avais pas d'autre endroit où aller.

—Ta maison est tombée à la mer pendant la nuit ?

—Non, mais l'équipe de Baxter a débarqué avant l'aube pour installer les projecteurs et le décor. Je n'arrive pas à écrire avec tout ce bruit. Alors, puisque tu dois venir travailler dans ma maison, je me suis dit que je pourrais peut-être te convaincre de me laisser la tienne pour la journée, ou au moins pour le temps que tu passeras chez moi.

—Vraiment ?

Il hocha la tête.

— Je te le jure. Et je suis venu les bras chargés d'offrandes.

Elle continua à le dévisager d'un air grincheux, ne daignant même pas jeter un regard au plateau. Elle avait beau dire, elle n'était certainement pas du matin. Les signaux auraient dû être suffisamment clairs pour que Quinn batte en retraite, mais il trouvait ça plutôt charmant.

— Alors c'est parce que tu avais perdu mon numéro que tu n'as pas donné suite à notre… conversation ?

— On a commencé cette… conversation il y a un peu plus de quarante-huit heures, lui rappela-t-il. Et on a tous les deux été très occupés depuis, avec cette histoire d'échantillon de livre de recettes à fabriquer en quatrième vitesse.

— Et alors ?

Elle ne put s'empêcher de sourire.

— Qu'est-ce qu'il y a de drôle ? insista-t-il.

— Rien du tout.

Bien décidé à reprendre les choses en main, il posa sa sacoche et son plateau sur le pont, puis s'avança vers elle et, l'écartant de l'encadrement de la porte, la prit simplement dans ses bras.

— Qu'est-ce qui te fait croire que tu as le droit de grimper sur mon bateau comme ça et de t'emparer de moi ? demanda-t-elle en clignant des yeux, sans néanmoins faire le moindre effort pour se libérer.

— Ça, dit-il en se penchant pour l'embrasser.

Pendant trois secondes, elle resta sans réaction. Puis elle émit une sorte de miaulement, et il sentit tout son corps se détendre contre le sien. Elle gémit doucement, puis abandonna enfin toute forme de résistance et finit par poser les mains autour de son cou pour lui rendre son baiser.

Il avait envisagé de douces retrouvailles, mais au moment où il parvint à relever la tête, il commençait à s'imaginer de nouveau en homme des cavernes. Riley lui souriait, comme il l'avait espéré, sauf qu'il lisait une certaine arrogance dans son sourire. Probablement parce qu'il sentait son cœur battre à tout rompre, et que son visage trahissait clairement son trouble.

— Bon, dit-elle. C'est vrai que dit comme ça…

Il sourit à son tour.

— Tu n'étais tout de même pas en train de changer d'avis ?

— J'aurais pu. (Elle mentait très mal.) Mais, bien sûr, dans ce cas, je n'aurais pas été en mesure de t'en informer, puisque tu ne prends pas la peine d'appeler, de passer, d'envoyer des signaux de fumée, ou même un pigeon voyageur.

— Je sais. Mais, si tu te souviens bien, la dernière fois que je t'ai vue, vous étiez tous très occupés à prendre des photos jusqu'à 3 ou 4 heures du matin. Et samedi, je n'ai pas eu la moindre nouvelle de toi.

— Samedi, j'étais dans un état second. Ça faisait deux ans que je n'avais pas travaillé comme ça.

— Je suis passé dans l'après-midi…

— C'est vrai ? Oh. Je suis allée à Savannah. J'avais des tas d'ustensiles à remplacer, mon nécessaire à rassembler, tous les trucs du métier. Ensuite,

Charlotte et Carlo m'ont invitée à dîner. Je voulais t'appeler pour te dire de venir nous rejoindre... mais je n'avais pas ton numéro, moi non plus, et tu ne t'étais pas manifesté. Tu étais où, hier ? Je suis passée chez toi.

— C'est vrai ? Tu sais, on devrait peut-être se servir un peu plus de la technologie moderne, plaisanta-t-il.

— Je me suis fait la même réflexion.

— Bon, on est déjà d'accord là-dessus. Hier, je suis rentré très tard d'une conférence de presse que je donnais à Atlanta, pour mon livre.

— Tu étais à Atlanta, hier ?

Il hocha la tête.

— Si jamais il te prenait l'envie de me punir, sache que c'était déjà une vraie torture, de me retrouver aussi loin de toi.

— D'accord, mais la prochaine fois, trouve un autre type de punition, parce que j'ai autant souffert que toi.

— Bon, c'est vrai que dit comme ça, dit-il, faisant écho à sa remarque précédente.

Alors il laissa libre court à l'homme des cavernes qui sommeillait en lui.

Elle lâcha un cri de surprise lorsqu'il la hissa sur son épaule.

— Tu ne peux pas me soulever du sol et...

— Bien sûr que si. Mais je préfère que tu parles d'« enlèvement », si ça ne te dérange pas. C'est plus romantique.

— Eh bien, je ne me laisse pas non plus enlever si facilement.

Elle gloussa quand il posa les mains sur ses hanches et la maintint fermement afin qu'ils traversent sans heurts le couloir étroit qui menait à sa cabine. Puis, la laissant glisser au sol, il se pencha et passa la tête dans la pièce.

— Je me demande bien comment tu as réussi à faire ça, dit-elle avec un rire essoufflé. Moi, chaque passage dans ce couloir me laisse des bleus aux coudes, et ça ne changerait probablement pas grand-chose si ce truc arrêtait de tanguer.

Il la fit doucement tourner sur elle-même, sans rien accrocher au passage.

— C'est pour ça que tu as besoin de moi, dit-il. Je vais te protéger de ce vilain roulis.

Elle passa les bras autour de son cou, et il en profita pour l'entraîner dans une seconde pirouette.

— Tu veux bien ?

Elle poussa de nouveau un cri perçant lorsque, soulevée dans ses bras, elle décolla du sol.

— En fait, on devrait pouvoir trouver un moyen de profiter du roulis.

Il haussa un sourcil d'un air suggestif, et elle éclata de rire. Puis il glissa les doigts sous l'élastique de son caleçon de flanelle, entourant de ses mains les courbes douces et délicatement pleines de ses fesses, et son rire laissa la place à un soupir.

— À quelle heure tu dois aller travailler ? demanda-t-il en lui chatouillant le cou du bout du nez.

Il sentit les ongles de Riley s'enfoncer dans sa chair pendant qu'il écartait le col de son tee-shirt, étirant la fine étoffe qui recouvrait ses seins voluptueux.

— Huit heures, souffla-t-elle.

— Très bien. (Il s'avança vers le lit et s'apprêta à l'y allonger.) Tu vas peut-être même arriver à l'heure.

Le bateau tangua juste au moment où il la souleva pour la coucher sur le lit, si bien qu'elle atterrit quasiment sur le chevet. Elle rit et se posa une main sur la tête afin de ne pas se cogner. Quinn ôta son polo et se pencha sur elle.

— Tu es bien trop couverte, dit-il.

— On pourrait en dire autant à ton sujet, répliqua-t-elle en se blottissant dans les draps défaits du lit.

Il sourit.

— Il devrait y avoir un moyen d'arranger ça.

— Probablement.

Elle posa la main sur l'ourlet de son tee-shirt, mais il l'arrêta.

— Ce n'est pas marrant, comme ça.

— Ah non ?

Il se dégagea de son étreinte et s'étendit à ses côtés. Le lit était large, mais un peu court pour ses longues jambes.

— Enfin, ce sera plus marrant pour moi – et probablement pour toi – si j'y arrive.

Elle leva les bras et glissa les mains derrière sa tête.

— Vraiment ? Bon, dit-elle d'un air insouciant que démentait la lueur d'excitation dans ses yeux sombres. Qui sait ?

— Je pourrais t'expliquer...

— Tu es très doué pour les belles phrases.

— Mais en tant qu'auteur, on apprend à montrer plutôt qu'à dire.

— Ah oui ? Encore un aspect fascinant de ton travail. (Elle tendit une main vers lui pour jouer avec ses cheveux, juste à l'endroit où ils effleuraient son oreille, puis finit par ébouriffer toute sa tignasse.) Ils ont poussé depuis que tu es ici.

— Je n'ai pas trouvé de coiffeur, ni même cherché, en fait.

— Pas la peine. (Elle sourit en voyant son air interrogateur.) Pour moi, en tout cas. Ça te donne un air un peu...

— Païen ?

— J'allais dire un peu moins propre sur toi, plus naturel que l'homme des jaquettes, dit-elle sans cesser de lui caresser les cheveux du bout des doigts. D'habitude, tu es toujours impeccable. Là, tu as l'air, je ne sais pas... plus proche de nous autres, mortels.

— C'est bon à savoir. Être divin est parfois d'un ennui...

Lorsqu'il se pencha sur elle pour poser les lèvres sur son sein, elle tressaillit de désir.

— Je ne peux qu'imaginer, articula-t-elle, laissant mollement retomber ses mains de part et d'autre de sa tête quand il tourna son attention vers son autre sein.

— Oh... mon Dieu, souffla-t-elle tandis qu'il lui titillait le téton du bout des doigts.

— Oui ? dit-il en levant la tête pour la gratifier d'un regard faussement innocent.

Elle éclata de rire, puis manqua de s'étouffer quand il se remit à lui caresser les seins.

Lorsqu'il releva l'ourlet de son tee-shirt, dévoilant la peau laiteuse de son ventre, elle serra les poings en agrippant les draps.

— Tu as la peau si douce…

— Et constellée de taches de rousseur. En plissant les yeux, avec la bonne lumière, on peut prendre ça pour du bronzage.

— Je les aime comme elles sont, dit-il en embrassant une tache, puis une autre. En fait, je vais peut-être me donner pour mission de toutes les énumérer. Après tout, je suis très doué pour faire des recherches et retracer toutes sortes de détails.

Elle leva la tête pour le voir poser un baiser sur une tache de son, puis sur une deuxième, et sur une autre encore, en lui jetant chaque fois un coup d'œil.

— Hum, dit-il. Je suis confronté à un dilemme.

— C'est une jolie expression, dit-elle en gigotant sous ses caresses. Dilemme, répéta-t-elle, en ondulant légèrement des hanches. Qui aurait cru que certains mots du vocabulaire pouvaient être aussi sexy ?

Il eut un petit rire.

— Quel est votre dilemme, monsieur ? s'enquit-elle, remuant toujours des hanches.

— Eh bien, je crois que j'ai repéré toutes les taches de rousseur dans cette première zone de recherche. Du coup, je suis partagé entre deux options : partir en exploration vers le nord… (Il alla taquiner du bout du nez le bord de son tee-shirt et le fit remonter de quelques centimètres, jusqu'à la naissance de ses seins.)… ou prendre une route plus tranquille vers le sud.

Elle laissa échapper un long gémissement satisfait quand il fit glisser la large bande élastique de son caleçon jusqu'en dessous de son nombril, puis un peu plus bas encore, s'arrêtant aux rondeurs de ses hanches.

— On m'a dit que le Sud était charmant en cette période de l'année, articula-t-elle tandis qu'il attisait son désir en semant ici et là des baisers, tantôt un peu plus haut, tantôt un peu plus bas. J'ai un autre talent, que l'écriture et les recherches m'ont permis d'affûter…

— Affûter, répéta-t-elle avec gourmandise, conférant à l'expression une incroyable sensualité.

Le sexe de Quinn était déjà si tendu que cela en devenait presque douloureux, mais elle ne faisait que l'exciter davantage. Il réprima un grognement. Sans en avoir conscience, elle incarnait pour lui la chair triomphante, une nouvelle déesse de la volupté.

— Continue, l'encouragea-t-elle.

Il prit quelques secondes pour retrouver ses esprits… Il s'était laissé distraire par la troublante vision qui s'offrait à ses yeux, alors qu'étendue sous lui, elle laissait deviner la naissance de sa généreuse poitrine, que le fin coton usé de son tee-shirt peinait à contenir. Tout comme l'affolaient la légère rondeur de son ventre et la douceur laiteuse de sa peau couverte de taches de son.

Il la sentait vibrer de tout son corps, comme un arc tendu, tandis qu'il s'attardait autour de son nombril, jouant à l'exciter en y glissant la langue, jusqu'à ce qu'elle ondule des hanches en rythme et que ses doux gémissements laissent la place à un râle pressant.

— Un homme à tout faire, te dis-je, murmura-t-il, le visage blotti contre sa peau douce.

Il avait glissé les doigts sous son tee-shirt et caressait doucement la pointe gonflée de ses seins, profitant des mouvements de ses hanches pour faire glisser son caleçon de flanelle, jusqu'à le lui ôter complètement de sa main libre.

— Remonte, lui ordonna-t-elle, tout en changeant de position pour qu'ils se placent en diagonale sur le large lit.

Il se débarrassa d'un coup de pied de ses vieilles chaussures bateau et enleva son short pendant qu'elle se débattait pour sortir de son tee-shirt.

— Tu es superbe, Riley, dit-il en s'installant entre ses cuisses.

Il devait garder ses longues jambes légèrement pliées, les orteils contre le mur de la cabine.

— Recule, juste un peu… oui, très bien. (Il se pencha et embrassa la chair tendre à l'intérieur de ses cuisses.) Ne bouge pas, dit-il avant de glisser la langue profondément en elle.

Elle poussa un cri de plaisir et de surprise qui, alors qu'il commençait à jouer avec elle, à la taquiner, à la caresser, s'acheva en un long gémissement. Il s'arrêta, se lécha légèrement les doigts, puis retourna à sa lente et langoureuse exploration, tout en remontant sa main le long de son corps pour attraper ses tétons et les titiller entre ses doigts humides.

— Quinn, haleta-t-elle.

— Je suis là, murmura-t-il contre sa peau soyeuse et brûlante.

Emportée par l'orgasme, elle fut saisie d'un grand frisson. Tout son corps tressaillait sous les assauts de Quinn, qui plongeait la langue en elle et l'amenait chaque fois vers d'autres sommets du désir.

— Je n'en peux plus, je n'en peux plus, souffla-t-elle.

— Mais si, tu peux, dit-il d'un ton bourru, attaquant du bout de la langue le centre nerveux qu'il sentait frémir… et en glissant lentement un doigt dans sa chair soyeuse.

Elle cria et se débattit sous lui.

Puis elle le prit par les cheveux et lui griffa les épaules, le corps toujours vibrant après l'extase.

— Viens ici, ordonna-t-elle en le forçant à remonter. Maintenant.

— Maintenant ?

Elle avait les pupilles tellement dilatées que la prunelle douce et sombre de ses yeux semblait avoir disparu.

— Maintenant, gronda-t-elle, presque en colère.

Il sourit en dépit des élancements presque douloureux du désir.

— J'aime qu'une femme sache ce qu'elle veut. Laisse-moi prendre un…

— Non, dit-elle, lui faisant hausser les sourcils. Ne t'inquiète, je… je me protège. On n'a pas besoin… Enfin, sauf si tu veux…

— Je ne veux qu'une seule chose.

Il lui agrippa les hanches et les souleva pour pouvoir se glisser au creux de ses reins, s'abandonnant tout entier à la chaude douceur de son corps.

Elle cria de nouveau, cambrée contre lui, et il sentit qu'elle se trouvait de nouveau au bord de l'orgasme. Ne songeant qu'au plaisir qu'elle éprouvait, il commença à aller et venir en elle, chaque fois plus intensément. Mêlant les râles et les sanglots, elle lui enfonçait les ongles dans les épaules et dans les fesses, exigeant qu'il continue. Plus vite. Plus loin. Plus fort.

Il ne demandait qu'à lui obéir. Il aurait voulu se montrer à la hauteur de son désir et poursuivre plus longtemps, mais il la sentait si frémissante sous ses assauts répétés, qu'il finit par s'abandonner lui aussi à la jouissance. Il lui avait fallu se contenir dès le moment où il avait glissé sa langue en elle. Ou, pour être honnête, dès le moment où elle avait passé la tête par la porte-fenêtre, toute endormie et rougissante dans son ridicule caleçon de flanelle.

Haletant, essayant de retrouver son souffle, il voulut se laisser rouler sur le côté pour la libérer de son poids, mais elle noua ses chevilles autour de ses jambes et attira sa tête vers la sienne.

— Je suis lourd, dit-il, encore ivre d'excitation.

— Reste, répliqua-t-elle simplement, avant de l'embrasser.

Ils s'étaient accouplés plus comme des bêtes sauvages que comme des amants. L'acte n'avait rien eu d'intime. Il en prit conscience lorsqu'elle lui donna avec douceur et tendresse – comme si c'était la première fois, comme s'ils ne venaient pas tout juste de faire sauvagement l'amour – un baiser qui, lui, était tout à fait intime. Contrairement à la façon dont elle avait répondu instinctivement à la moindre de ses caresses, à ses multiples orgasmes qui, pour tout dire, lui avaient donné le sentiment d'être un dieu, ce simple baiser, offert avec une générosité pure, en toute confiance, était la preuve la plus évidente de leur intimité.

Il en savait assez sur elle et sur ses angoisses pour comprendre toute la valeur du don qu'elle lui faisait. Ce baiser, plus que tout ce qui avait précédé, le désarma complètement.

Il se laissa glisser à ses côtés, la maintenant contre lui malgré ses protestations lorsqu'il changea de position. Il la serra dans ses bras, tout à la joie du cadeau immense qu'il avait reçu.

Comme s'il lui appartenait désormais de veiller sur elle, il l'attira vers lui pour qu'elle vienne se pelotonner contre son corps. Il comprit alors qu'il ferait tout pour se montrer à jamais digne de ce baiser si particulier.

Chapitre 18

— Quelle heure il est ? murmura Riley en s'éveillant lentement.

En prenant conscience qu'elle était lovée contre le corps musclé de Quinn, elle comprit qu'ils avaient dû s'assoupir… en s'embrassant, si elle se souvenait bien. Le visage blotti contre sa peau tiède, elle sourit lorsque tout lui revint en mémoire.

Elle tourna la tête juste assez pour jeter un coup d'œil à l'horloge. Il était un peu plus de 7 heures. Très bien, elle avait encore un peu de temps devant elle avant de devoir revenir à la réalité.

— Il y a quelqu'un d'autre sur le bateau ? demanda Quinn de sa voix grave, encore plus sexy quand elle était enrouée de sommeil et de réelle fatigue. J'entends marcher.

— Ce n'est que Brutus.

Il ouvrit les yeux.

— Brutus est à bord ? Comment j'ai pu rater ça ?

Elle éclata de rire.

— Où croyais-tu qu'il était ? Dans le jardin, en train de faire des ronds dans l'eau ?

Elle tenta de se redresser, mais Quinn l'attrapa de son bras musclé et l'attira vers lui. C'était exactement là qu'elle avait envie d'être, aussi se laissa-t-elle faire.

— Il dort en haut, à l'avant du bateau, et rien ne peut l'éveiller avant le lever du soleil.

— Et s'il pleut ?

— Il s'abrite sous l'auvent.

— Jamais à l'intérieur ?

Riley sourit.

— Disons qu'il s'installe là où il est le plus à l'aise. Après la tempête de la semaine dernière, je l'ai retrouvé coincé entre le barbecue et le casier des gilets de sauvetage. J'essaie de le convaincre de s'installer à l'intérieur, mais je crois qu'il aime bien être dehors. S'il fait vraiment froid, il s'allonge dans la cabine principale, devant le petit chauffage. Mais la plupart du temps, ça ne me dérange pas trop de ne pas l'avoir dans les pattes.

— J'imagine, dit Quinn en souriant, avant de l'embrasser dans les cheveux.

Il joua avec les longues boucles emmêlées qui reposaient sur son torse, produisant de délicieux picotements sur la peau de Riley. Elle songea que c'était peut-être le meilleur début de matinée qu'elle avait jamais vécu.

Un nouveau bruit sourd se fit entendre, quelque part à bord.

— C'est Brutus qui vient de sauter sur le bastingage.

— On dirait qu'il s'est vraiment habitué à vivre sur un bateau, remarqua Quinn. J'ai l'impression que vous vous êtes bien accoutumés, tous les deux. Ça vous a pris combien de temps ? Tu pars souvent en balade ? Je n'étais jamais monté à bord de ce genre d'embarcation. Comment tu fais pour le manœuvrer en mer, avec les vagues, et tout ça ?

Elle rit.

— Entre toi qui es curieux comme une fouine et moi qui suis crétine comme un lapin, on fait la paire. Je n'ai aucune idée du fonctionnement de cette chose, et encore moins de la manière dont on la dirige. Et, honnêtement, je ne crois pas que Chuck et Greg auraient envie que je parte en virée avec leur gros joujou de luxe. M'avoir laissée monter à bord, c'est déjà un beau témoignage de l'inexplicable affection qu'ils me portent.

— Alors comment tu l'as fait déplacer depuis Jekyll ?

— Comme le ferait toute gourde qui se respecte. J'ai payé l'oncle de Chuck pour qu'il s'en occupe à ma place.

Quinn ricana.

— Et au vu de ma longue expérience des bateaux en tout genre, y a-t-il des chances pour que tes très chers amis nous laissent faire un tour avec ?

Elle leva la tête pour le regarder droit dans les yeux.

— Je suis sûre qu'ils en seraient enchantés, mais...

— Mais quoi ? Tu as le mal de mer ?

— Non, je ne crois pas. Je n'ai pas été malade pendant la traversée jusqu'ici, en tout cas.

— C'était la première fois que tu déplaçais en bateau ?

— Oui, pourquoi ?

Il sourit.

— C'est drôle de se dire que quelqu'un qui n'avait jamais mis les pieds sur un bateau vit maintenant dans une péniche.

— Je sais, ça me fait le même effet. Pourtant, je suis là, et, je dois l'admettre, je commence à aimer ça.

— Alors pourquoi on ne partirait pas en balade ?

— Parce que pour dégotter une place ici, j'ai un peu magouillé en promettant de ne pas rester longtemps. Personne n'a rien dit, mais si je pars, j'ai peur qu'ils ne me laissent pas revenir.

— Tu n'as pas signé un bail, ou quelque chose dans le genre ?

Elle secoua la tête.

— Il est renouvelé tous les mois. Je dépose une enveloppe dans la boîte de chez Biggers, et ils me laissent tranquille.

Lorsqu'il la hissa sur son corps ferme, elle fut surprise de se sentir mince et menue – cela ne lui était jamais arrivé.

— Je pourrais peut-être mettre David sur l'affaire. Il est très doué pour trouver des solutions dans ce type de cas.

— Pourquoi ? demanda-t-elle. Enfin, je veux dire, merci pour la proposition. Je me sentirais mieux si j'avais des garanties écrites.

— De rien. C'est purement égoïste. J'ai envie d'une croisière avec toi autour de la baie, au coucher du soleil, là où mon grand-père et moi naviguions le soir, après le travail. J'aimerais partager ce genre de chose avec toi.

Sa suggestion l'attendrit profondément, et elle sentit son cœur vaciller dangereusement. Voilà l'intimité qu'elle désirait, les moments de partage auxquels elle aspirait.

— Ça doit être très agréable. Si David réussit son tour de magie, j'accepte l'invitation.

— Super ! s'exclama-t-il d'un air ravi.

Riley se prépara mentalement à affronter ses peurs. Elle voulait rendre Quinn heureux, et même beaucoup plus, mais le fait qu'elle en soit capable signifiait qu'elle comptait beaucoup pour lui. Ce qui aurait dû l'effrayer.

Oh, elle avait peur, mais pas suffisamment pour prendre la fuite. Elle considéra que c'était un progrès et décida de ne plus y songer.

— Mais attention. Je ne sais pas si je serai meilleure en second matelot que je ne le suis en capitaine.

Il fit glisser ses mains le long de son corps et les posa sur ses fesses, dont il pinça délicatement la chair tendre.

— Pour l'instant, tu n'es peut-être pas un bon matelot, mais tu t'en sors très bien sur le matelas.

— Ha, ha, dit-elle, même si sa remarque la fit rougir de plaisir.

Elle se pencha pour l'embrasser.

— Tu n'es pas mauvais non plus, mon capitaine.

Elle voulut rouler sur le côté, mais il la retint de nouveau.

— Encore quelques minutes. Tu ne dois pas déjà y aller, si ?

Elle secoua la tête. De toute façon, même en retard, elle serait probablement restée. Quelques minutes de plus, c'était le paradis.

— J'ai une autre requête à formuler.

À son tour, elle lui glissa les mains sur les flancs et lui pinça les fesses.

— Tu deviens effronté, dit-elle, s'amusant du hoquet de rire et de surprise qu'elle lui avait arraché. Quelle est ta requête ?

— Ça te dérange, si je reste travailler ici pendant que tu es chez moi ? Réponds-moi franchement, je peux trouver un autre endroit si tu…

— Non, j'aime bien l'idée que tu sois là. Mais est-ce que je peux te demander de veiller sur Brutus en échange ? Dis-le si tu ne préfères pas, je sais que tu as besoin de concentration. Mais il n'est vraiment pas gênant. Il faut juste le promener de temps en temps jusqu'au bout de la jetée, là où il y a de l'herbe. Quand il aura besoin, il te le fera savoir.

À cet instant, comme par hasard, un vacarme assourdissant retentit au-dessus d'eux, et une grosse tête de chien apparut devant le petit hublot au-dessus de leurs têtes.

— Est-ce que c'est une manière de me le faire savoir ? Et comment est-ce qu'il a pu grimper sur le pont supérieur ?

— Il y a une passerelle. En quelque sorte.

— Une sorte de passerelle ? Il vaut peut-être mieux que je n'en sache pas plus.

— Je crois qu'il aime monter là-haut parce qu'on y sent mieux la brise. Ou alors, il aime jouer les rois du monde. (Elle sourit.) Mais pour le moment, c'est l'heure de la royale promenade de Sa Majesté. Je n'en ai que pour une minute. Et je… dois prendre une douche, avant d'y aller. Je te proposerais bien de m'accompagner, mais c'est très petit.

— C'est l'intention qui compte.

Il l'attira vers lui et l'embrassa avec fougue une dernière fois, avant qu'elle se faufile hors du lit pour récupérer son short et son tee-shirt.

Riley ne put s'empêcher de songer à ce baiser enflammé qu'avaient échangé Baxter et Lani le soir où ils avaient annoncé leur nouveau projet de livre. En les voyant, elle s'était interrogée sur ses aspirations profondes, sur la place qu'elle était prête à laisser à quelqu'un dans sa vie, et la façon dont elle pouvait atteindre ses objectifs. Elle sourit intérieurement tout en enfilant ses vêtements. Ce qu'elle vivait avec Quinn n'était peut-être pas l'histoire d'amour du siècle, comme celle des Dunne, mais pour l'instant… ça faisait très bien l'affaire. Extrêmement bien.

— C'est dommage, dit Quinn.

Riley se retourna pour le trouver étendu sur le lit, les bras repliés derrière la tête, son corps nu dépassant à moitié des couvertures. À sa grande surprise, elle ne s'extasia pas immédiatement, même si une petite voix dans son esprit lui murmura qu'elle était une sacrée veinarde.

— Quoi donc ? s'enquit-elle, se demandant à quoi il pensait en la regardant.

En tout cas, il n'avait pas l'air rebuté.

— De mettre des vêtements sur ce corps. Pour notre croisière au coucher du soleil, on pourra naviguer nus ?

Riley lui répondit aussitôt par un franc sourire. Grâce à lui, elle se sentait bien dans sa peau, et même… bien en général. La sincérité avec laquelle il s'était exprimé lui avait fait chaud au cœur… en même temps qu'elle flattait fort agréablement son *ego*. Peut-être cette petite bouffée de vanité était-elle superflue, mais après ce qu'elle avait vécu et toutes les remises en question qui avaient suivi, elle était trop humaine pour nier que ça faisait vraiment du bien de se sentir désirée.

— Seulement si tu as de la crème solaire avec un indice de protection maximale.

— Je vais prendre ça pour un « oui ».

Elle lui adressa un sourire sarcastique.

— Évidemment…

Brutus gratta à la fenêtre.

— J'arrive, j'arrive. Du calme !

— En revenant, tu pourras récupérer le plateau de Laura Jo ? On n'aura qu'à le passer au micro-ondes, prendre un petit déjeuner réchauffé, et…

— Oh, oh…

— Quoi, oh-oh ?

— J'ai oublié le plateau dehors. Quelqu'un a détourné mon attention.

Quinn lui lança un grand sourire un peu béat.

— Et alors ?

— Je crois que je ne vais pas avoir besoin de nourrir Brutus.

Riley s'amusa de la rapidité avec laquelle le sourire de Quinn se changea en une moue de déception.

— Oh.

— Oui. Mais je peux te préparer un petit quelque chose.

— Tu as des œufs et du bacon ? Je peux nous faire un truc vite fait pendant que tu sors le chien. J'ai déjà fait la cuisine sur un bateau.

— Eh bien tu vas rire, mais moi non. Du coup, pas d'œufs ni de bacon.

— Mais tu fais partie d'un club qui fait des cupcakes !

— On conserve les produits frais dans la cuisine de Lani, pour ne pas avoir à tout ramener chaque fois. Dree, Charlotte et Franco arrivent de Savannah, parfois directement après la fac ou le travail, donc c'est plus pratique de conserver les aliments réfrigérés sur place. J'apporte seulement les ingrédients secs, sauf quand je dois remplacer ce que j'emprunte à Lani.

— C'est logique. Mais je ne faisais pas allusion au manque d'œufs. Toi qui es styliste culinaire, tu dois bien avoir suivi des cours de cuisine ?

— J'ai une formation de chef cuisinier, oui, mais je n'ai jamais travaillé en tant que tel. J'ai toujours été attirée par la photographie, même si j'ai fini par faire du design et du stylisme. (Elle sourit et haussa les épaules.) J'adore la gastronomie, et l'idée de tester de nouvelles recettes. Je n'aime pas tellement préparer moi-même les plats compliqués, mais j'ai beaucoup de respect pour ceux qui le font, et pour le résultat final. Quand j'ai compris que je pouvais gagner ma vie en combinant mon amour pour la photo et pour les différentes cuisines du monde, c'est devenu une évidence.

— Et donc, tu ne cuisines pas du tout ? répéta-t-il.

— Pas à bord, en tout cas. Mais comme ça peut se voir, je ne me suis pas laissé dépérir depuis que je suis ici, donc je me débrouille. Soit je passe des trucs au micro-ondes – tu n'imagines pas le nombre de plats qu'on peut faire avec un micro-ondes – soit je fais un peu la moue, je m'arrange pour faire pitié, et Charlotte m'apporte au club les plats qu'elle teste avec Carlo.

Elle leva le bras pour qu'il puisse voir le pansement à l'effigie de Mickey Mouse qu'elle portait au-dessus du coude.

— Brûlure de cordage en essayant de faire des nœuds sur le pont avant la tempête – alors que l'eau était encore lisse comme un miroir et qu'il n'y avait pas un souffle de vent. (Elle se tourna un peu et souleva l'ourlet de son short pour lui montrer une légère blessure, presque cicatrisée.) Et là, c'est quand j'ai heurté la table et lâché mes provisions. Le bateau tanguait à peine. Donc tu vois, je préfère ne pas jouer avec les allumettes.

— Je suppose que tu as raison. (Il s'assit, s'étira, et la couverture glissa sur ses genoux.) Ça te dérange si j'essaie ?

— Fais-toi plaisir, mais ne te prends pas la tête. D'ailleurs, il n'y a pas grand-chose à cuisiner dans mes placards. Des plats qui se réchauffent au micro-ondes, j'en ai plein, mais des trucs à faire frire ou à griller, pas tellement.

Il se laissa glisser hors du lit, faisant frissonner Riley de désir, et marcha vers elle en tenue d'Adam. Il était tout simplement trop beau pour être vrai. Il lui prit le visage entre les mains, se pencha vers elle et l'embrassa sur la bouche.

— C'est pour ça qu'il y a des marchés. J'irai faire quelques courses, et je nous préparerai à dîner. Tu seras de retour à temps ?

Elle ne put que hocher la tête et émettre un léger gémissement. Comment pouvait-elle avoir encore envie de lui ? Elle se sentait courbaturée de partout, et son corps endolori aurait volontiers apprécié une longue période de récupération. Et pourtant, il aurait suffi qu'il fasse un signe de tête en direction du lit pour qu'elle l'y entraîne, à moins qu'elle ne le plaque au sol, ou contre le mur le plus proche.

Un aboiement tonitruant les fit sursauter.

— Oui ! Désolée, Brutus ! cria-t-elle.

Elle reporta ensuite son attention sur Quinn, et se détourna avec un petit gémissement. C'était ça ou lui sauter dessus.

Tandis qu'elle se hâtait vers la porte-fenêtre, elle l'entendit glousser dans son dos, ce qui ne fit rien pour l'aider. Il fallait vraiment qu'elle apprenne à mieux dissimuler ses émotions.

Elle chassa cette idée en attachant la laisse au collier du chien surexcité. Était-ce vraiment gênant que Quinn puisse lire en elle comme dans un livre ouvert, tant qu'ils étaient sur la même longueur d'onde ?

Brutus sauta sur la jetée. Riley tenta de retenir le chien afin que, dans sa course folle vers le carré d'herbe, il ne lui arrache pas l'épaule, mais ses pensées étaient ailleurs, avec Quinn. Elle n'avait vraiment pas vu venir cette matinée… ou en tout cas, elle n'avait pas prévu qu'elle se déroulerait de cette façon. Mais elle se sentait heureuse et soulagée. S'il l'avait appelée pour lui proposer officiellement un rendez-vous, cela l'aurait mise dans un état de nervosité extrême. Elle aurait trop réfléchi à ce qu'elle allait porter, à la meilleure attitude à adopter, au moment où le flirt aurait évolué vers quelque chose de plus sérieux, sans parler de celui où elle aurait dû se déshabiller…

Au lieu de ça, Quinn était apparu – drôle, charmant, sexy – et lui avait donné le sentiment d'être séduisante malgré ses cheveux en bataille et une tenue de nuit ridicule. Il l'avait littéralement enlevée et emportée au lit, où elle avait vécu la plus incroyable expérience sexuelle de toute son existence.

Ça avait été sauvage et exaltant. Entre ses bras, elle avait eu l'impression d'être une femme fatale, une sirène, une déesse. Rien que pour ça, elle lui serait toujours redevable.

Brutus la rappela à la réalité en lui donnant un petit coup de museau dans la jambe. Elle prit un sac, nettoya derrière lui et repartit vers le bateau.

Elle n'avait pas fait l'amour avec Quinn, pas vraiment. Ç'avait été passionné, mais sans réelle impression d'intimité. Bien sûr, pour une première fois… Elle s'arrêta pour laisser Brutus flairer une odeur de poisson particulièrement intrigante, et laissa vagabonder ses pensées, en songeant à ce qui s'était passé ensuite, quand il l'avait serrée contre lui et qu'ils s'étaient embrassés.

Elle poussa un profond soupir. Au simple souvenir de ce baiser, elle sentit une douce chaleur envahir son corps. Sans conteste, ce baiser avait constitué l'instant le plus extatique qu'ils aient partagé. Il avait duré une éternité, lors de laquelle elle était entrée véritablement en communion avec cette part de lui qui importait.

Il savait jouer avec le corps d'une femme, comme un violoniste qui cherche à faire pleurer un Stradivarius. Mais il avait été le premier à admettre que ses relations n'allaient jamais plus loin.

Elle avait aimé leurs échanges de caresses, leur conversation légère au réveil, et la façon dont il avait voulu la garder tout contre lui. Entre ses bras, elle s'était sentie pleine de vie et désirable ; pas seulement détendue, mais aussi sexy et à l'aise, tout simplement. En hédoniste, il l'avait fait vibrer de plaisir, et elle avait savouré cet éveil de tous ses sens.

Elle se souvint de la façon dont il lui avait ouvert son cœur deux jours auparavant, dans le hall d'entrée de sa villa, alors que, rattrapée par ses anciens démons, elle avait craqué. Elle savait qu'il pouvait s'ouvrir et être plus qu'un très bon partenaire sexuel. Mais ces deux facettes de sa personnalité sauraient-elles fusionner ? Pouvait-il être à la fois le confident et l'amant ?

Et, surtout, en avait-il envie ?

Elle secoua la tête et chassa ses pensées avec un sourire sarcastique.

— Il te donne l'impression d'être une star de cinéma un peu exotique, et tu t'inquiètes déjà pour la suite ?

Elle suivit Brutus, qui retournait vers le bateau, songeant à la relation paradoxale qu'elle avait vécue avec Jeremy : il l'avait aimée pour sa vivacité d'esprit, son humour décalé et les compétences professionnelles qui les réunissaient ; avec lui, elle s'était sentie forte, respectée, appréciée… mais il ne l'avait jamais aidée à être bien dans sa peau. Au fond, elle avait toujours su que ses formes un peu trop généreuses embarrassaient Jeremy, même s'il affirmait le contraire. Il était plus grand qu'elle de quelques centimètres, mais plus mince. Tous deux avaient sensiblement le même poids. Elle ne s'était jamais étendue sur lui comme elle l'avait fait avec Quinn. Avec les années, ils avaient appris à se satisfaire l'un l'autre, et leur vie sexuelle était restée plutôt saine. Rien d'étonnant, donc, qu'elle se soit peu à peu convaincue qu'il aimait son corps, tout comme il avait fini par tomber amoureux d'elle. Et tout comme elle avait fini par apprécier ses longues jambes maigres et l'absence totale de poils sur son torse.

N'était-ce pas ce que faisaient tous les couples ?

Elle repensa à la façon dont Quinn avait excité chaque fibre de son corps, et l'avait emmenée au bord de l'extase, la guidant progressivement vers les sommets du plaisir, au point qu'elle avait éprouvé la série d'orgasmes la plus puissante de sa vie. Elle ne s'était même pas imaginée pouvoir ressentir un jour quelque chose d'aussi fort. Dire qu'elle n'avait pas l'habitude de crier. Elle se sourit à elle-même. *Maintenant, si.* Elle était sûre d'une chose, ça n'avait pas fait partie de son répertoire avec Jeremy, qui n'était pas particulièrement porté sur les plaisirs de la chair. L'amour avait parfois été ardent, mais toujours beaucoup plus… sage.

Riley laissa Brutus sauter à bord, et le suivit sur la passerelle puis sur le pont. Une odeur délicieuse vint lui chatouiller les narines. Elle se dit d'abord que ça devait provenir d'un autre bateau, mais la plupart avaient fermé les écoutilles pour l'hiver.

— Quinn ?

Elle descendit à l'intérieur et le trouva dans la cuisine, les cheveux en bataille, torse nu, un torchon glissé dans la ceinture de son pantalon kaki froissé. Il leva les yeux, la spatule à la main, et sourit. Elle sentit son cœur s'emballer – ce qui n'avait absolument aucun sens : il avait toujours été séduisant, et l'avait déjà gratifiée plus d'une fois de ce sourire sexy.

Bien sûr, cette fois, il se tenait à moitié nu dans sa cuisine, mais tout de même… Elle s'était imaginée avoir le cœur mieux accroché. Ou, au moins, suffisamment intègre pour ne pas se laisser influencer par un cuistot bien foutu. *Qui joue avec ton corps comme avec un violon*, lui souffla une petite voix. Ça, inutile de le lui rappeler.

— Viens goûter ça, dit-il en levant sa cuillère.

Au lieu de s'enfuir vers la douche, où elle aurait trouvé le temps et la distance nécessaires pour faire le tri dans ses pensées, elle marcha droit vers lui.

— Qu'est-ce que tu as bien pu trouver à préparer ?

Il tendit avec précaution la cuillère vers ses lèvres.

— Riz, fromage et champignons. De la farine que j'ai trouvée dans ton nécessaire à pâtisserie, du lait et quelques épices pour la sauce. Goûte.

Elle goûta, et ouvrit de grands yeux quand un incroyable mélange de saveurs subtiles et crémeuses explosa sur ses papilles. Elle ferma les paupières et gémit de plaisir en finissant la cuillerée.

— Qui t'a appris à faire ça ?

Il haussa les épaules.

— La nécessité. Je n'aime pas manger dehors tout le temps. Et n'oublie pas que j'étais découpeur de biscuits en chef dans la cuisine de ma grand-mère.

— D'accord. Ne jamais sous-estimer les pouvoirs culinaires d'une grand-mère.

— Tu as appris la cuisine avec la tienne ?

— Quoi ? Non. Je n'ai pas connu mes grands-parents. Deux d'entre eux étaient en vie à ma naissance, mais ils étaient invalides et mes parents étaient en service à l'étranger. (Elle haussa les épaules.) Quand on est revenus au pays, ils étaient déjà morts.

— Enfant de militaires ?

Elle hocha la tête.

— Mon père a été tué par une mine quand j'étais petite. Je ne me souviens pas de lui.

— Je suis désolé, Riley.

— Ça va. Je vivais dans la base, donc je n'étais pas la seule gamine à être passée par là. C'est peut-être pour ça que c'était… enfin, ce n'était pas normal, évidemment… mais ça appartenait à ce mode de vie. C'est une étape que tu traverses, comme beaucoup d'autres autour de toi.

— Et ta mère ?

— Aussi dans l'armée. Ce n'était pas très facile, parce qu'elle était souvent absente, ajouta-t-elle devant son air surpris. J'ai été beaucoup trimballée. Mais j'aimais bien la liberté que j'avais… ainsi que le sentiment de sécurité qui règne dans une base militaire. C'était une combinaison intéressante.

— Et maintenant ? Ta mère est toujours dans l'armée ?

Riley secoua la tête.

— Elle est morte quand j'étais à la fac. Des complications après une pneumonie.

Quinn avait l'air à la fois tendre et attristé.

— Je suis désolé. Je sais ce que ça fait.

— Merci. Ça va, maintenant. Je suis heureuse d'avoir appris très tôt l'indépendance. Ça m'a aidée à aller de l'avant et à m'en remettre.

— Ça explique beaucoup de choses à ton sujet.

Ce fut au tour de Riley d'avoir l'air surpris.

— Comme quoi ?

— Que du bien. Tu as une force naturelle qui t'amène à saisir les problèmes à bras-le-corps, même quand la vie est brutale avec toi. Tu t'accroches, tu ne te laisses pas faire. Il y a peut-être quelque chose, quand on perd ses parents trop tôt, qui nous rend méfiants à l'idée de désirer quelque chose, ou de laisser quelqu'un d'autre contribuer à notre sécurité. On a trop conscience de la fugacité de la vie.

Elle réfléchit et hocha la tête.

— Tu as probablement raison. Mais je crois que tout en me consacrant pleinement à ma carrière, je me suis laissé bercer par le sentiment de sécurité que me procurait la présence de quelqu'un dans ma vie. Peut-être parce que mes parents n'avaient pas souvent été là pour moi, même quand ils étaient en vie. Je ne sais pas. Tout ce dont je suis certaine, c'est que j'adorais être la moitié d'un tout plutôt qu'un tout à moi toute seule.

—Je vois. Je comprends mieux pourquoi tu as basculé dans l'excès inverse, quand ça s'est terminé. Je suis heureux que tu m'en aies parlé.

—Tant mieux, dit-elle. Je ne veux pas que ce soit un sujet gênant entre nous.

—Moi non plus, si c'est bien à ta relation passée que tu fais allusion. Mais souviens-toi que je n'ai pas besoin de savoir ce qui est arrivé. Ce sont tes affaires. Je saisis globalement les raisons qui ont rendu l'expérience aussi difficile pour toi. Hors de question que tu retournes plus longtemps le couteau dans la plaie, simplement pour m'aider à mieux te comprendre.

—Je… merci.

Riley baissa la tête un instant, surprise non seulement par ce qu'il venait de dire, mais surtout par ce qu'elle avait ressenti, cette bouffée de… Elle ne parvenait pas à mettre un mot sur les émotions qu'il provoquait en elle, si ce n'est qu'au lieu de l'effrayer, il la mettait à l'aise, comme si elle marchait en terrain connu. Et c'était… beaucoup.

—Tu m'as promis que tu serais toujours franc avec moi. Je te promets la même chose. Donc, si tu veux des détails, je te les donnerai. Mais avec toi, je me sens plus solide. J'arrive à apprécier le moment présent – et tout particulièrement celui-ci.

—Alors on va rester dans le présent. Mais il faut que je joue une dernière fois les fouines.

Sa curiosité ne l'inquiéta même pas, parce qu'elle avait repéré une étincelle taquine dans son regard. Non seulement elle avait appris à lire en lui… mais elle avait de nouveau confiance en ses capacités d'interprétation.

— Oui ?

— Où as-tu appris à cuisiner ? Et qu'est-ce qui t'a donné envie d'apprendre ?

— Oh, c'est très simple. (Elle éclata de rire.) La nourriture qu'on nous sert sur les bases militaires. On ne m'a jamais préparé de petits plats maison, même quand j'étais hébergée chez d'autres familles. Je n'avais pas de veine, je me retrouvais toujours chez des gens qui mangeaient la même chose que chez moi : des restes et des plats tout faits. Je me rappelle que je regardais la télé et que j'y voyais toujours des familles qui se régalaient, rassemblées autour d'une grande table. Je voulais me faire adopter par la joyeuse tribu de *La petite maison dans la prairie.*

Elle rit, et le rouge lui monta aux joues.

Il sourit.

— Eh bien, si ça peut te faire plaisir, je t'appellerai Riley Ingalls.

— Merci, Quinn Wilder.

Il éclata de rire à son tour.

— Si tu veux prendre une douche, tu devrais peut-être y aller maintenant. Je te réchaufferai une assiette.

— D'accord, dit-elle, avec un grand sourire. Merci.

Mais elle ne se rua pas vers la douche. Pendant quelques instants, elle resta sans bouger, et lorsque enfin elle fit un geste, il l'attrapa doucement par le bras et la fit pivoter face à lui.

— Tout va bien ?

— Super bien.

Il n'y avait rien, dans l'heure et demie qui venait de s'écouler, qui aurait pu lui faire dire le contraire. Et ce n'était pas qu'une question de sexe.

— Mais ?

Elle baissa la tête, mais il la força à la relever.

— Tu fais toujours ça, protesta-t-elle.

— Quoi ? T'empêcher de te cacher, ou chercher à savoir ce qui te tracasse ?

— Non, lire dans mes pensées pour découvrir ce qui me tourmente.

— C'est un autre de mes dons divins. (Il lui adressa un sourire en coin, qui s'effaça aussitôt quand il vit sa mine perplexe.) Viens là.

— Je dois vraiment…

— Venir ici, insista-t-il. (Il lui prit doucement le visage entre les mains, et la força à le regarder droit dans les yeux.) J'ai fait quelque chose de travers ?

Elle sentit qu'elle était touchée au plus profond d'elle-même.

— Non. Tu fais tout très bien.

— Trop ?

Son regard chercha le sien, et elle se rendit compte que lui aussi avait peut-être besoin d'être tranquillisé.

Elle se rendait bien compte de l'importance qu'elle avait à ses yeux… et ça la rassurait autant que ça la rendait nerveuse.

— Je…, commença-t-elle avant de s'interrompre, ne sachant comment exprimer sa pensée.

Elle était en train de tomber amoureuse.

— On aurait dû aller moins vite, dit-il. Avec tout ce qui s'est passé, on aurait dû commencer à faire connaissance tout habillés…

Elle ne put retenir un éclat de rire.

— Tu as beau voler parfois dans les hautes sphères, tu n'es pas un surhomme. Vu ce qui s'est passé ce matin – et chez toi l'autre jour, et sur la plage – combien de temps crois-tu qu'on aurait tenu ?

— Bon… (Une lueur taquine s'alluma de nouveau dans ses beaux yeux bleus). C'est vrai que dit comme ça… Nous sommes soumis aux lois de l'attraction universelle. Nous ne pouvions échapper à l'inévitable.

— On va dire ça, dit-elle avec un sourire narquois. Peut-être que notre relation tient du big-bang : explosive, fondamentale, et plus rapide que la lumière.

Elle s'interrompit et baissa la tête.

Au bout d'un moment, il lui releva doucement le menton jusqu'à ce que leurs yeux se rencontrent.

— Alors, oui, murmura-t-elle. C'est trop, mais je préfère avoir trop, trop vite, que rien du tout.

— Je ne sais pas si ça va t'aider, mais c'est aussi comme ça que je ressens les choses. Je ne suis jamais monté dans ce genre de montagnes russes. Donc oui, tout va trop vite depuis le début, mais tu as raison.

Je préfère aller vite et rattraper le temps perdu, plutôt que descendre du manège avant même qu'il ait démarré.

Un sourire se dessina lentement sur les lèvres de Riley.

— Pourquoi ce sourire ? demanda-t-il.

— On fait une sacrée paire, Quinn Brannigan.

Il se pencha et l'embrassa sur le bout du nez.

— Enfin, la taquina-t-il. C'est ce que j'essaie de te faire comprendre depuis le début.

Il la prit dans ses bras et l'embrassa comme un homme qui est peut-être en train de tomber amoureux. Peut-être.

Chapitre 19

— Oui, papa, tout se passe très bien, dit Quinn.

Il étendit les jambes sur la terrasse, se renfonça dans son transat et lança la grosse branche en direction de la pergola. Attentif, Brutus la suivit des yeux jusqu'à ce qu'elle retombe dans un palmier nain, puis souleva son derrière et partit au petit trot. Quinn sourit en secouant la tête, et changea son téléphone d'oreille.

— Ça change de ce que j'ai fait jusqu'à maintenant, donc je suis assez content et un peu nerveux de voir comment ce sera reçu.

— Ça m'a l'air bien, dit son père, qui aurait probablement donné la même réponse si Quinn lui avait annoncé son intention de se peindre en bleu pour sauter d'un avion. Bon, j'ai une réunion. Je suis content d'avoir eu de tes nouvelles.

— Oui, papa, moi aussi. Je t'aime, dit-il alors que son père raccrochait.

Son père n'était pas très à l'aise quand il s'agissait d'exprimer ses émotions, ou de recevoir celles des autres. Il était conseiller politique à Washington, ce qui correspondait bien à sa nature sérieuse et réaliste tout en lui permettant d'éviter toute implication émotionnelle. S'il n'avait pas joué régulièrement au squash et au golf avec un groupe d'amis qu'il connaissait depuis la fac, Quinn se serait fait un peu plus d'inquiétude à son sujet. Mais, dans l'ensemble, le *statu quo* semblait le satisfaire. Quinn savait que son père l'aimait, et qu'il pouvait sans doute bien supporter d'entendre son fils le lui dire de temps en temps.

Il tourna la tête vers la cuisine. C'était toujours une vraie fourmilière. Baxter et Lani cuisinaient comme des fous, en compagnie d'une poignée d'assistants, du directeur artistique, du photographe, de Riley et Dieu seul savait qui d'autre. Ils travaillaient sur les dernières photos du livret en papier glacé qu'ils allaient distribuer dans tout le pays, lors de grands événements culinaires.

Quinn reposa son téléphone sur la petite table, à côté de son ordinateur fermé. Il était parti s'installer sur le bateau de Riley un peu plus tôt dans la journée, mais il avait finalement décidé de rentrer. C'était une belle journée, sèche et très chaude pour la saison, il s'était donc dit qu'il pourrait s'installer sous la pergola et profiter d'un des avantages de son métier : pouvoir travailler à peu près partout. Un hurlement suivi d'un fracas de vaisselle brisée le fit sursauter, mais il ne prit même pas la peine de se retourner. Il sourit et se pencha pour récupérer la branche couverte de bave que Brutus venait de lui rapporter.

— Dix contre un que ta maman vient de casser quelque chose de cher, dit-il au chien.

Brutus lui répondit par un regard torve.

— Je sais. C'est bien ce que je disais.

En riant, Quinn relança le bout de bois et observa Brutus entamer sa lente progression vers le fond du jardin.

Il en était arrivé à apprécier grandement la façon dont Brutus voyait la vie. Il défendait l'idée qu'il fallait de l'équilibre en toutes choses et qu'il était inutile de s'agiter pour rien, principe que le chien gigantesque semblait avoir élevé au rang de science.

— Plusieurs repas par jour, des tonnes d'amour de la part d'une belle femme… Ça, c'est une vie qui me plairait bien.

Son portable sonna, il l'attrapa et lut le message :

« Ce n'était pas ma faute. »

Il sourit, mais avant même d'avoir pu répondre à Riley, reçut un nouveau message.

« Pas cette fois, en tout cas. »

Brutus revint, déposa son bâton et s'assit, langue pendante, les yeux rivés sur Quinn. Sa posture signifiait qu'il en avait assez de jouer. Quinn fouilla dans sa poche, en sortit l'os à mâcher qu'il avait mis de côté, et le jeta dans la gueule béante de Brutus. Puis il regarda avec un mélange d'amusement et de perplexité le chien s'affaler pour mieux mâchouiller sa friandise, comme si ce n'était rien de plus que son dû. Quinn reprit son téléphone, sourit… et tapa un message.

« Qu'est-ce que tu portes ? »

Un instant plus tard, il reçut :

« Tu es bien un mec », aussitôt suivi de :

« Heureusement. »

Il enchaîna :

« Viens jouer avec moi. »

« Je ne peux pas. Je suis en train de vaporiser de la glycérine sur une belle cerise bien rouge pour qu'elle ait l'air plus juteuse et plus sucrée. »

« Tricheuse. »

« Aux plus grandes tricheuses, les cerises les plus juteuses. »

Quinn éclata d'un rire sonore, faisant sursauter le chien.

« Très bien. Brutus et moi, on va rester assis dans le jardin, à manger des vers. »

Elle ne répondit pas. Elle devait être très occupée à donner à ses pâtisseries l'air le plus naturel et le plus succulent qui soit au moyen d'un fer à souder, d'huile de moteur ou de déodorant en spray. Comment savoir ? Comme elle le lui avait expliqué, sous la chaleur implacable des projecteurs, les plats chauds refroidissaient quand même, les plats froids tiédissaient, les plats glacés fondaient et les plats moelleux séchaient.

Mettre en scène un seul plat pouvait prendre plusieurs heures, si bien qu'il ne suffisait pas de garder plusieurs répliques fraîches d'une même recette à portée de main en prévoyant de faire l'échange. Les bons stylistes apprenaient toutes sortes de trucs pour améliorer et conserver l'aspect visuel d'un mets, utilisant au passage quelques outils pas vraiment naturels – et encore moins comestibles – afin de créer l'illusion nécessaire.

En sortant de la douche, quelques jours auparavant, elle l'avait surpris en train de passer en revue le contenu de sa ceinture à outils à l'effigie de Supergirl. Après quelques commentaires sarcastiques sur son insatiable curiosité, elle lui avait enseigné les mille et une astuces grâce auxquelles les stylistes rendaient les plats des magazines aussi alléchants. Elle l'avait presque dégoûté à vie de la sauce au chocolat.

Il reposa le téléphone sur la table et étendit de nouveau les jambes. Il s'était dit qu'il allait rentrer chez lui pour travailler et permettre à Brutus de s'ébattre un peu dans le jardin, mais il savait qu'en réalité, il était revenu pour se rapprocher de Riley. Il n'arrivait pas à croire qu'elle lui manquait déjà. Après tout, cela ne faisait que deux jours qu'ils avaient passé ensemble cette extraordinaire matinée digne de bouleverser à tout jamais le cours de leur existence – du moins, c'était comme ça qu'il la concevait.

Depuis, ils n'avaient plus eu l'occasion de se voir en tête à tête. Ce n'était la faute ni de l'un ni de l'autre. Après qu'ils se furent séparés ce jour-là, elle s'était retrouvée coincée toute la soirée et une partie de la nuit avec Baxter, Lani et le directeur artistique, pour discuter de la première prise de vue. Le lendemain matin, elle avait dû retourner à Savannah pour dénicher les accessoires spécialisés dont elle avait absolument besoin, et commander d'autres équipements qu'il lui faudrait par la suite.

Quinn l'avait peut-être croisée sur la route alors qu'elle revenait vers Sugarberry, puisque lui aussi s'était rendu à Savannah pour rencontrer un producteur et un scénariste qui lui couraient après depuis longtemps, dans le but d'obtenir les droits de son dernier roman. David avait essayé de les tenir à distance, mais comme ils avaient proposé de faire le déplacement pour en discuter, Quinn avait fini par accepter de les voir autour d'un dîner. Le repas d'affaires s'était éternisé jusque tard dans la soirée, mais s'était avéré fructueux pour toutes les parties concernées.

Il était rentré directement chez lui au lieu d'aller au bateau. Il projetait de rendre visite à Riley le lendemain matin avec le petit déjeuner, dans l'espoir de commencer la journée de la même manière spectaculaire que l'avant-veille.

Malheureusement, il s'était effondré de fatigue et n'avait pas entendu son réveil. Le temps qu'il émerge et mette le nez dehors, les camionnettes étaient déjà en train de se garer devant chez lui. Riley était apparue juste après, ce qui ne leur avait laissé que très peu de temps pour discuter en privé. Elle lui avait dit qu'il pouvait s'installer dans son bateau aussi longtemps qu'il le voudrait, qu'ils allaient sûrement travailler tard, et s'était excusée d'avoir aussi peu de temps à lui consacrer. Puis quelqu'un l'avait appelée, et elle avait disparu. Ils n'avaient même pas pu échanger un baiser.

Ça l'avait obsédé durant toute la matinée, pendant qu'il essayait d'écrire. Malgré sa distraction, il avait réussi à produire quelques pages correctes, puis avait passé une heure à faire des recherches sur les chevaux avant d'abandonner, estimant qu'il retrouverait peut-être sa concentration en ayant Riley dans son champ de vision.

— Bon, assez parlé de ça, mon gros ! Au moins, à présent, on a la technologie moderne de notre côté.

Pour toute réponse, Brutus se coucha sur le flanc et étendit un peu plus les pattes, se réchauffant le ventre au doux soleil de l'après-midi.

Quinn sourit intérieurement en constatant combien il s'était mis à apprécier la communication par texto. Il n'avait peut-être pas pu être seul avec Riley ces deux derniers jours, mais depuis qu'elle avait quitté son bateau ce matin-là avec son numéro de portable en poche, ils n'avaient jamais été véritablement séparés plus de quelques heures. Entre elle qui se trouvait bloquée sur le plateau et lui qui s'était attardé à ce dîner d'affaires, ils n'avaient pas encore eu l'occasion de se téléphoner, mais ils s'amusaient inlassablement à échanger des textos.

Il adorait lui envoyer des petits messages secrets alors qu'elle travaillait. C'était un peu comme s'envoyer des petits mots en classe : il avait l'impression de se rebeller, de briser les règles. Et puis, c'était une manière toute particulière de s'amuser avec elle.

— Je te promets que ça a meilleur goût que les vers.

Surpris, il leva les yeux pour découvrir Riley debout face à lui, tenant une assiette où trônait un napoléon aux dimensions incroyables.

Ses cheveux étaient coiffés en un haut chignon assez lâche, et à travers ses boucles en désordre apparaissait une paire de lunettes qu'il ne lui avait jamais vue. Son visage était rouge, probablement à cause de la chaleur des fourneaux et des projecteurs. Elle portait ce qu'il commençait à considérer comme son uniforme habituel – un large bermuda kaki, surmonté d'un long tee-shirt et d'une chemise d'été ouverte par-dessus. Elle portait également, attachée très bas sur ses hanches, sa ceinture à outils Supergirl. Mais il n'y prêta pas grande attention, pas plus qu'à la pâtisserie qu'elle lui apportait.

La façon dont la brise soulevait les pans de sa chemise, révélant sa poitrine opulente et moulée dans son long tee-shirt, mettait tous ses sens en éveil. Il aurait voulu pouvoir sentir ces seins sous ses doigts, sous sa langue, entre ses lèvres…

Il grommela dans sa barbe et tendit la main vers la cerise posée sur le gâteau. Il prit le fruit entre ses doigts et le fit glisser sur l'épais glaçage mousseux. Ça n'avait certainement pas autant de saveur que le corps de Riley, mais il s'en contenterait. Il s'arrêta, la cerise à mi-chemin entre le gâteau et sa bouche, et haussa les sourcils d'un air interrogateur.

Elle leva la main droite, la paume tournée vers lui.

— Je te le jure, ce dessert ne contient pas un gramme de glycérine.

Il déposa la cerise dans sa bouche, ferma les lèvres et gémit de plaisir. Ça ne remplaçait toujours pas sa peau à elle, mais…

— Mmm ! s'exclama-t-il. C'est époustouflant !

Elle posa l'assiette sur la petite table, avec des couverts enveloppés dans une serviette.

— On ne parle pas la bouche pleine.

— D'accord, dit-il, savourant toujours ce qu'il restait de glaçage.

Il attrapa Riley et la fit asseoir sur ses genoux, lui arrachant un cri.

— Tu devrais pouvoir m'empêcher de parler pendant quelques minutes, reprit-il.

— Mes ustensiles ! protesta-t-elle tandis que divers objets tintaient et cliquetaient dans sa ceinture.

— Ils vont bien. Il y a de la place pour tout le monde.

Il l'attira tout contre lui pour l'embrasser langoureusement. Leur baiser fut tendre et grisant, et bien meilleur que tous les napoléons du monde.

Quand enfin il releva la tête, elle avait le regard rêveur et étincelant – d'ailleurs il devait probablement afficher une expression similaire.

Elle se lécha les babines.

— Tu es tout bon et tout crémeux.

Il sourit.

— Apporte quelques-uns de ces gâteaux au bateau, et je te rendrai toute crémeuse, toi aussi.

Ses pupilles se dilatèrent, et il s'apprêtait à l'attirer contre lui pour un deuxième round, quand il aperçut le gros bandage qu'elle portait au coude. Il lui souleva le bras.

— Qu'est-ce qui t'est arrivé ?

— Oh, rien, juste une égratignure, alors avant que tu te moques…

— Je ne me moque jamais. (Il se pencha et déposa un baiser sur le bandage.) J'ai compris que mon rôle ici-bas, c'est d'embrasser tes bobos, t'assurer que ce n'était vraiment pas ta faute… (Il tendit le bras et fouilla à l'aveuglette dans le sac de son ordinateur, avant de brandir devant elle une petite boîte.)… et te fournir de généreuses quantités de pansements à l'effigie de personnages de cartoon.

Il vit son visage se radoucir, affichant la même expression de tendresse que s'il lui avait offert des fleurs ou des diamants, et fut heureux d'avoir cédé à son impulsion. Il avait craint que sa plaisanterie, au lieu de l'amuser, la vexe.

— Ah les mecs.

— Moi je suis un mec gentil, corrigea-t-il en lui tendant la boîte.

— Spiderman ? dit-elle avec un sourire narquois. Ça menaçait ta virilité d'acheter des pansements Hello Kitty ?

Elle glissa la boîte dans sa ceinture, mais il eut le temps d'apercevoir le doux sourire qui était passé sur ses lèvres.

— C'était tout ce qu'ils avaient. Enfin, c'était ça ou la gamme marron, et je voyais mal un vilain bandage marron sur ta jolie peau.

Elle éclata de rire.

— Eh bien, j'apprécie ton souci de l'esthétique, et je retire ce que j'ai dit.

Il fit glisser sa main sur sa nuque, l'attirant plus près encore.

— L'équipe est toujours là, je dois retourner travailler, lui rappela-t-elle.

— Je n'ai pas eu l'occasion de t'embrasser pour te dire bonjour, tout à l'heure.

— C'est vrai. Mais on s'est embrassés il y a deux secondes. Ça rattrape, non ?

Il secoua la tête.

— Non, il fallait prévenir. C'est la règle, concernant les baisers de rattrapage. (Sans se départir de son sourire, il soutint intensément son regard.) Ça m'a manqué. (Il fit courir un doigt le long de sa lèvre inférieure.) Et toi aussi, tu m'as manqué.

Il sentit un long frisson parcourir le corps de Riley, tandis que le sien s'éveillait avec autant d'enthousiasme.

— Tu sais ce qu'on dit, dit-elle d'une voix un peu tremblante malgré la légèreté et la décontraction qu'elle voulait feindre. Fais un câlin à un homme avant le petit déjeuner, et il ne peut plus se passer de toi.

— Surtout si le câlin est inoubliable… (Il suivit du bout du doigt la courbe de sa lèvre supérieure, ravi de la sentir tressaillir.) Tu m'as manqué chaque jour depuis que je t'ai rencontrée.

C'était la pure vérité. Elle n'avait plus quitté ses pensées depuis le jour où elle était entrée dans sa vie. Il se pencha sur elle et posa ses lèvres sur les siennes avec une infinie tendresse. Il faisait tous les efforts du monde pour contrôler les redoutables appétits qu'elle avait réveillés en le touchant.

— Et je n'avais pas encore goûté à tes lèvres, qu'elles me manquaient déjà, murmura-t-il.

Elle soupira, et il sentit son corps se détendre contre le sien. Il poursuivit sa lente exploration, glissant sensuellement sa langue dans sa bouche. Ils gémirent à l'unisson, puis il l'invita à lui rendre son baiser.

Elle voulut s'écarter mais il garda la main posée sur sa nuque, la serrant près de lui, afin qu'ils profitent de l'intimité du moment.

— Bonjour, dit-il enfin.

Elle lui sourit, et l'affection et la chaleur qu'il lisait dans ses yeux ne firent qu'exciter davantage son désir. Son cœur et sa gorge se serrèrent, cependant. Il ne pouvait s'empêcher de penser qu'il était prêt à croiser ce regard chaque jour du reste de sa vie.

— Bonjour, répondit-elle. Ça m'a manqué, à moi aussi. Comme je regrette de ne pas avoir connu plus tôt la règle…

— Je te l'aurais bien expliquée l'autre matin, sur le bateau, mais tu m'as distrait avec tes vilaines manières de dévergondée.

Elle éclata de rire.

— Oui, c'est vrai qu'ouvrir la porte en caleçon et maillot de basket avec les cheveux en bataille, c'est la meilleure façon de crier « prends-moi » à un homme.

— Même pas besoin de crier, dit-il, l'attirant à lui.

— Comment fais-tu pour toujours trouver les mots qu'il faut ? demanda-t-elle en effleurant ses lèvres d'un soupir.

— N'oublie pas que tu joues avec un pro.

Ils éclatèrent de rire sans cesser de s'embrasser, puis il déposa un chapelet de baisers le long de sa mâchoire et de son cou.

— Même vêtue d'une boîte en carton avec des trous pour les bras, tu me donnerais quand même envie de te déshabiller.

Elle fit semblant de frissonner.

— Brrr ! Je serais moi aussi pressée de me débarrasser d'un tel déguisement, plaisanta-t-elle avant de le surprendre par un baiser rapide mais passionné. Mais je préfère largement tes motivations aux miennes.

Elle le relâcha et se laissa basculer en arrière.

— Ça me fait mal d'interrompre une séance de câlins pareille, mais tu ne crois pas qu'il va être temps de la laisser se remettre au travail ?

La voix, toute proche, les fit sursauter. Quinn remarqua l'expression catastrophée de Riley. Il avait complètement oublié que personne ne les avait encore vus ensemble.

— Oh, oh…, murmura-t-il, même s'il était certain que Lani l'entendait. On dirait que papa et maman savent que tu as un petit copain.

Lorsque Riley le fusilla du regard – même si l'ombre d'un sourire planait distinctement sur ses lèvres – il articula le mot « désolé ».

Puis il leva les yeux vers Lani, tout en gardant un bras autour de la taille de Riley.

— Est-ce que tu sais que d'après une étude qui a sûrement été menée quelque part, quatre personnes sur cinq considèrent que les travailleurs ayant passé au moins un quart d'heure dans la journée à se faire des câlins sont beaucoup plus efficaces que les autres ?

Lani fit un effort visible pour garder son sérieux.

— Je n'ai jamais entendu parler de cette étude. Je vais consulter quelques experts indépendants à ce sujet, et je reviens vers vous.

Quinn regarda Riley.

— Je l'aime bien, dit-il.

— Oui, répondit Riley. C'est difficile de faire autrement.

— En attendant, insista Lani, est-ce qu'elle peut retourner à son travail d'esclave ?

Quinn consulta sa montre.

— Il me semble qu'on a besoin d'au moins trois minutes supplémentaires. Tu sais, pour une efficacité optimale.

Lani le gratifia d'un sourire sarcastique.

— À ce compte-là, elle risque de souffrir d'un trop-plein d'efficacité.

— Vous avez conscience que je suis toujours là ? intervint Riley.

— Oh, j'ai pleinement conscience de l'endroit où tu es assise, dit Quinn.

Lani éclata de rire, ce qui eut pour conséquence malheureuse de tirer Brutus de ses rêves canins.

Rompant avec sa lenteur habituelle, il se leva, cligna des yeux et tourna la tête de droite et de gauche, comme s'il cherchait la source de tout ce vacarme. Au passage, il souleva le transat déjà déséquilibré par le poids de ses deux occupants, et les propulsa directement dans la piscine.

Instinctivement, Quinn attrapa Riley pour la pousser vers la surface, l'y rejoignant quelques secondes plus tard.

Lani se tenait au bord de la piscine, les mains sur les hanches. Brutus était sagement assis à côté d'elle, l'air parfaitement innocent.

— Il y en a vraiment qui feraient n'importe quoi pour avoir leurs trois minutes de rab, dit-elle avec un grand sourire. Bien sûr, si cela refroidit un peu vos ardeurs, c'est peut-être mieux. Il fait déjà bien assez chaud dans la cuisine.

Quinn guida Riley, qui se débattait, des cheveux pleins les yeux, vers le bord.

— J'ai perdu mon élastique.

— C'est terrible, quand ça arrive.

Quinn sourit quand elle lui tira la langue.

— Fais attention quand tu braques cette chose sur moi, la prévint-il, avant de l'aider à écarter de son visage sa lourde chevelure trempée.

— Je suis sûre que tu es le témoin privilégié de mes pires moments. Tu as assisté à tant de désastres que c'est un record officiel.

— Tu as l'air d'une sirène qui sort du lit, dit-il en embrassant son sourire.

— Oh mon Dieu, dit Lani. Vous êtes trempés, mais ça fume toujours. Je m'étonne que l'eau ne se soit pas encore évaporée. Enfin bon, ce n'est pas comme si quelqu'un faisait attention à ce que je raconte…

— Je t'écoute, dit Riley. Laisse-moi juste sortir de cette piscine avec un petit peu de dignité, si c'est encore possible. Ma ceinture à outils pèse une tonne, et je risque d'avoir un sérieux problème avec mon bermuda.

Quinn surgit derrière elle.

— Je peux peut-être t'aider.

— Oh, bon sang ! s'exclama Lani, avec un rire dans la voix. Je retourne à l'intérieur avant de voir des choses auxquelles je n'ai pas envie d'assister. Vous savez qu'on vous voit, les enfants ! cria-t-elle en retournant vers la maison, caricaturant Charlotte à la perfection.

— *Dixit* la femme qui se fait régulièrement reprendre par Charlotte ! cria Riley en retour.

Lani se retourna au niveau de la porte-fenêtre et leur adressa un salut théâtral.

— Je suis peut-être la reine du royaume de Trouvez-vous-une-chambre, mais je crois bien que vous préparez un coup d'État. (Elle les salua encore une fois, en faisant de grands moulinets avec les bras.) Abracadabra ! Et maintenant, si Son Altesse dégoulinante veut bien ramener son royal popotin à l'intérieur dès que possible... Le *semifreddo* est en train de fondre... fondre...

Répétant le dernier mot d'une voix de plus en plus faible, comme un écho, elle disparut à l'intérieur en imitant parfaitement le ricanement de la méchante sorcière de l'Ouest.

— Elle a encore plus de talents qu'on pourrait le croire, remarqua Quinn, les yeux rivés sur la porte fermée.

— Tu n'imagines même pas. Quoi qu'il arrive, ne la lance surtout pas sur les boys bands des années 1990.

— Tu n'aimes pas les boys bands ? Hum. Il faut que je note ça quelque part. Pas de pot-pourri improvisé sur les Backstreet Boys lorsque nous partirons nus, en croisière au clair de lune.

Quinn l'avait guidée vers les larges marches de pierre qui servaient à sortir de la petite piscine, mais Riley se retourna.

— Le simple fait que tu connaisses les Backstreet Boys est à la fois déconcertant et étrangement excitant.

Quinn se pencha vers elle, approcha la bouche de son oreille et chanta les deux premières phrases du refrain de *I Want It That Way*.

Riley se plaqua une main sur la bouche, mais il ne savait pas si c'était pour étouffer un fou rire ou pour dissimuler sa consternation. Puis elle se jeta à son cou, lui déposa un baiser sonore sur la joue et murmura à son oreille :

— Si jamais tu me chantes ça au lit, soit je vais mourir de rire… soit tu vas pouvoir faire de moi tout ce que tu désires. J'hésite encore.

— Je pense que le risque en vaut la chandelle, juste pour voir.

Leurs regards se croisèrent, et ils éclatèrent de rire. Quinn se posa la main sur le cœur comme pour se remettre à chanter, ce qui raviva le fou rire de Riley. Ils riaient toujours lorsqu'ils sortirent, dégoulinants, de la piscine. L'eau dégringola de la ceinture à outils de Riley, en une série de cascades miniatures.

Elle baissa les yeux et fit la moue.

— Il m'a fallu une journée entière pour rassembler tout mon attirail de Supergirl.

Quinn examina les poches de nylon détrempées.

— Si tu me fais une liste, je serai heureux de t'aider. J'ai du temps libre demain.

D'un air contrarié, elle fouilla dans les poches et en sortit un paquet sur lequel était écrit « poudre de glace ». Il la regarda d'un air intrigué.

Elle haussa les sourcils en guise de réponse, et reposa le sachet.

— Si tu es sage, je te montrerai comment on peut s'en servir. Et pas seulement pour la photo.

En souriant, il l'agrippa spontanément par la ceinture pour l'attirer vers lui et l'embrasser.

— À quoi je dois ça ? demanda Riley, un peu ahurie.

— Ma vie est tellement mieux quand tu en fais partie.

Elle gloussa.

— Oui, enfin, tous les hommes ne seraient pas prêts à vivre à Calamityville.

Il lui prit le visage entre les mains.

— Je le pense vraiment. (Il lui déposa un baiser plus doux, plus tendre, sur la bouche.) Avant que tu n'ajoutes quoi que ce soit ou que tu deviennes nerveuse… Je voulais seulement dire que tu me rends heureux, c'est tout. Rentrons, ajouta-t-il, craignant d'en avoir trop dit. Je dois avoir quelques vêtements pour toi. Au moins, tu seras sèche. Je sais que tu as du travail.

À l'intérieur régnait un chaos indescriptible. Quinn alla chercher un vieux sweat et un pantalon pour Riley, et il ne la revit pas avant que les chefs et leur équipe se décident à ramasser leur matériel, à minuit passé.

À minuit et demi, il lui envoya un message l'invitant à venir le retrouver pour lui souhaiter bonne nuit, et monta à l'étage.

Il fut réveillé un peu plus tard par le bruit des camionnettes sortant de l'allée. Pensant que Riley allait se montrer à sa porte, il se demanda s'il allait lui proposer de rester, même si ce n'était que pour pouvoir dormir plus vite après ce qui avait dû être une très longue journée.

Puis il entendit un autre véhicule démarrer, et courut à la fenêtre juste à temps pour voir la jeep de Riley s'en aller, Brutus assis fièrement sur le siège passager.

Il jeta un regard à la pendule, vit qu'il était 2 heures du matin, et se dit qu'il pouvait difficilement la blâmer de n'avoir pas voulu le déranger. Elle avait dû supposer qu'il était allé se coucher. Il vérifia sur son portable. Pas de message. Il ne s'était jamais considéré comme un boudeur, mais il fit un peu la moue.

Sachant qu'il ne retrouverait pas le sommeil de sitôt, il descendit à la cuisine pour se servir un verre d'eau. Il fut stupéfait de découvrir que le champ de bataille qu'il avait aperçu deux heures auparavant avait été complètement débarrassé, pour laisser la place à une cuisine propre et bien rangée. Bien sûr, il y avait toujours des câbles, des projecteurs et des appareils photo un peu partout, mais la pièce en elle-même était impeccable.

— Bien joué, murmura-t-il en se livrant à une imitation de Baxter Dunne qui ne lui parut pas trop mauvaise.

Cela ne faisait que quelques jours qu'il lui sous-louait sa cuisine, mais il commençait à bien connaître le célèbre chef cuisinier. Baxter était un homme attachant, doté d'un charme affable et naturel que contrebalançait sa nature passionnée. Quinn supposait que c'était cet aspect flamboyant de sa personnalité qui avait fait de lui un cuisinier-vedette.

Quinn avait apprécié les quelques conversations qu'ils avaient partagées et avait été surpris de découvrir qu'ils avaient beaucoup plus de points communs qu'il ne le croyait. Évidemment, il y avait les livres et les divers aléas de la célébrité, mais aussi leur découverte de la vie insulaire de Sugarberry après une longue période citadine, sans parler de leur relation avec deux des plus éminentes citoyennes de l'île.

Quinn se demanda s'il était inapproprié d'aller chercher auprès de Baxter des conseils sur la meilleure façon d'aborder Riley. Il ne regrettait pas ce qu'il avait confié à cette dernière au bord de la piscine : sa vie était véritablement meilleure depuis qu'elle y était entrée. Il ne savait comment lui faire part de son bonheur sans l'effrayer. Il se posait probablement trop de questions ; elle avait d'ailleurs constaté que c'était un peu leur manie à tous les deux. Mais, d'un autre côté, il ne serait probablement pas en train de méditer au milieu de la nuit si elle lui avait laissé un message.

— Eh oui, mon vieux, tu t'es mis dans un joli pétrin, marmonna-t-il.

Il ouvrit la porte du réfrigérateur, et ses yeux se posèrent sur le rôti qu'il avait avec optimisme sorti du congélateur dans la matinée. Il songea aussitôt qu'il lui faudrait conserver l'os pour Brutus, et secoua la tête.

— Dans le pétrin jusqu'au cou, ajouta-t-il.

Oui mais Riley… Il était nerveux quant à l'évolution de leur relation, mais cela ressemblait plus à de l'excitation et à du plaisir anticipé qu'à de la peur ou de l'inquiétude. Debout au milieu de la nuit devant la porte ouverte du frigo, il sut que c'était parti pour durer.

Ce n'était pas une révélation. Il songeait à ce baiser qu'il lui avait donné spontanément près de la piscine, et à ce qui l'y avait poussé. Elle lui rendait la vie plus belle, elle le rendait heureux. Il avait jusqu'alors ignoré qu'on pouvait l'être à ce point.

C'était aussi simple que ça.

Il n'avait plus qu'à espérer que Riley se donnerait une chance de vivre le même bonheur.

C'est alors qu'il tomba sur le petit mot.

Souriant de toutes ses dents, il prit la petite note manuscrite posée sur la boîte d'œufs, à côté du bacon qu'il avait acheté au marché la veille. Il se redressa en parcourant ce qu'elle avait écrit.

> « Je ne voulais pas te réveiller. Je me disais qu'on pourrait peut-être jouer au pirate et à la fille de joie, au lever du soleil ? Je fournis le bateau pirate. Toi tu te charges d'apporter de quoi festoyer copieusement après le pillage. Oh, et c'est moi qui décide de la façon dont on rattrape ce baiser de "bonne nuit" raté. Et de l'endroit où il sera donné. Je n'en dis pas plus. J'espère que tu feras de beaux rêves, matelot. Yo ho ho !
>
> Riley. »

— Plus besoin de rêver, murmura-t-il, sentant son cœur vaciller sous la puissance de l'amour.

Il referma le frigo et remonta se coucher, tenant toujours le petit mot à la main. Il le posa à son chevet pour que ce soit la première chose qu'il verrait en ouvrant les yeux. Puis, souriant béatement, il enfouit sa tête dans l'oreiller.

— Ma vie est géniale.

Chapitre 20

Riley fut réveillée par le divin fumet du bacon. Elle en déduisit qu'elle était en plein rêve, et se retourna pour en profiter encore un peu plus longtemps, repoussant la dure réalité du petit déjeuner froid et sec, à base de céréales, qui l'attendait. Mais, en se pelotonnant plus profondément dans les couvertures, elle se rendit compte que la délicieuse odeur ne s'évaporait pas. Puis, brusquement, elle s'assit. *Le petit mot!* Du bacon, des œufs… et un pirate.

Elle sourit.

— Yo ho ho!

Elle n'était pas sûre que Quinn trouverait le message à temps pour réaliser le programme qu'elle y décrivait. Elle jeta un coup d'œil au maillot de baseball et au pantalon de pyjama qu'elle avait enfilés la veille, en rentrant au milieu de la nuit dans sa cabine glaciale.

— Je ne suis pas vraiment habillée comme une fille de joie…

Bien sûr, le bacon était déjà sur le grill, donc il n'y aurait peut-être pas de temps pour le pillage. Apparemment, ils allaient passer directement au festin. Elle écarta ses cheveux de son visage et consulta l'horloge : 7 heures. Heureusement, Lani n'ayant trouvé personne pour tenir la boutique à sa place, le début de leur journée de travail avait été repoussé à 11 heures. Évidemment, Quinn ne devait pas être au courant.

Hum. Un lent sourire se dessina sur son visage, et elle se demanda ce que Quinn avait prévu pour la matinée – et quel accoutrement de fille de joie elle pourrait enfiler à la hâte pour lui donner envie de monter à l'abordage.

Elle sortit les pieds des couvertures, sentit le froid de l'air et se remit aussitôt à l'abri, décrétant qu'elle serait plus à même de réfléchir à ses projets vestimentaires en restant au chaud et bien bordée.

Elle se figea quand elle crut entendre un drôle de son en provenance de la cuisine. On aurait dit... Elle sourit. Quinn était en train de chanter. Pas très fort, mais tout de même... Elle essaya de reconnaître l'air, puis tenta d'étouffer son rire dans l'oreiller lorsqu'elle l'entendit chanter à pleine voix le refrain de *The Right Stuff*, des New Kids on the Block.

Elle se laissa retomber en arrière, le visage toujours dissimulé, mais elle se surprit à remuer les hanches en rythme dans l'enchevêtrement des couvertures.

— Oh, oh, oh, fredonna-t-elle en même temps que Quinn.

Rejetant son oreiller, elle se lança dans le second couplet et entonna un « All that I needed was you ! » venu du fond du cœur.

— Ohé, matelot ! s'exclama une voix grave dans le couloir.

Elle se cacha de nouveau la tête sous l'oreiller en ricanant, puis se mit à rire franchement.

Une seconde plus tard, il souleva doucement le coussin, et la vision qui s'offrit à elle raviva son fou rire : le capitaine Jack Quinn la surplombait de toute sa hauteur, arborant un cache-œil de fortune et un bandana rouge.

— Si c'est danser sous les couvertures que tu veux, ma poulette, déclara-t-il, je devrais pouvoir te donner un coup de main. (Il jeta l'oreiller.) Mais d'abord, mille sabords, faut que j'envoie ma vigie au poste d'observation.

Il se redressa et tourna la tête vers… Brutus, affublé lui aussi d'un cache-œil, et d'un bandana attaché à son collier.

— Y'avait plus de perroquets dans notre bonne vieille boutique pirate, lança le capitaine Quinn devant son air éberlué.

— Je n'arrive pas à croire qu'il t'ait laissé faire ça.

Brutus leva les yeux vers Quinn, la langue pendante.

— Bon, d'accord, j'arrive à le croire, dit Riley en s'affalant de nouveau dans les couvertures, essoufflée à force de rire. D'abord des pirates qui entonnent des chants marins avec une belle ligne de basse et des mouvements de danse synchronisée, et maintenant ça. C'en est trop ! (Elle jeta un bras en arrière et posa l'autre sur ses yeux, en un geste digne des meilleures tragédiennes.) Faites-moi subir les derniers outrages, capitaine Quinn. Je sais que mes affriolants atours de catin vous ont échauffé le sang.

Elle entrouvrit un œil pour épier Quinn, qui enleva le bandeau de Brutus, le poussa hors de la cabine et referma la porte derrière lui. L'instant d'après, ils entendirent un bruit sourd : le chien s'était affalé juste derrière la porte.

Quinn se tourna vers Riley.

— À présent, ma jolie, plus personne ne peut venir à ton secours. (Elle sentit, lorsque le matelas s'affaissa, qu'il s'était assis sur le lit.) Et je vais t'apprendre les bonnes manières…

Elle souleva légèrement le bras pour le regarder.

— Attends…

Il sourit et s'apprêta à ôter son cache-œil.

Elle sourit à son tour.

— Garde-le.

— À vos ordres, mon capitaine, dit-il en se laissant rouler vers elle.

Il lui bloqua les bras au-dessus de la tête. Elle ne put retenir un éclat de rire essoufflé, mais son accès d'hilarité se calma bientôt lorsqu'il commença à promener ses mains le long de ses bras, puis sur sa poitrine. Quand il se mit à titiller le bout de ses seins, elle gémit et se cambra contre lui.

— Palsambleu ! Mais tu es une vraie ribaude, ma donzelle.

Il se laissa glisser un peu plus bas, souleva son tee-shirt… et brusquement, leurs jeux jusque-là légers et amusants se firent passionnés et sensuels. Il lui suçota un téton et lui enleva son pyjama tandis qu'elle lui arrachait sa chemise, heureusement ouverte jusqu'à la ceinture. Elle fut nue en quelques secondes, tandis que lui laissait tomber son pantalon sur le sol.

Fébrile, elle passa les mains dans ses cheveux et l'attira à elle pour l'embrasser tandis qu'il s'allongeait sur elle, lui écartant les jambes avec le poids de son corps. Puis ils gémirent à l'unisson quand elle glissa sa langue dans sa bouche au moment précis où il la pénétrait.

Ce fut sauvage et passionné. Il ne décolla pas ses lèvres des siennes, l'embrassant en même temps qu'il allait et venait en elle. Ils n'essayèrent même pas de retenir leurs cris lorsqu'ils atteignirent l'orgasme...

Encore extatique, il s'effondra sur elle, qui frissonnait, toujours en proie aux affres du plaisir. Ils étaient si essoufflés qu'ils ne purent échanger un seul mot. Il finit par rouler sur le côté et l'enlaça fougueusement. Elle vint s'allonger sur lui, alors même qu'ils tentaient de faire pénétrer de l'air dans leurs poumons.

La joue collée contre la peau chaude et moite de son torse, elle sentit qu'il lui passait les mains dans les cheveux, qu'il jouait avec, qu'il la caressait. Il enroula ses pieds autour de ses chevilles et glissa un bras au bas de son dos. À travers toutes ces petites marques d'affection, données instinctivement, il lui montrait l'attention constante qu'il lui portait. Il voulait qu'elle en ait conscience.

Elle lui caressa lentement le torse, puis vint poser la main sur sa joue, tout simplement. Puis elle pencha légèrement la tête et déposa un baiser sur son cœur. Parce qu'elle aussi, elle voulait lui signifier l'importance qu'il avait à ses yeux.

Tandis qu'ils reprenaient progressivement leur souffle, il continua à promener ses doigts dans ses boucles, puis les fit courir sur ses épaules et le long de son dos.

Elle glissa dans son épaisse chevelure la main qu'elle avait posée sur sa joue, joua un peu avec quelques mèches, puis effleura du bout des doigts le lobe de son oreille.

Lentement, son corps s'éveilla de nouveau, et elle sentit qu'il en était de même pour Quinn.

Sans un mot, il la fit rouler sur le dos. Repoussant les cheveux de son visage, il la regarda dans les yeux. Il avait perdu son cache-œil, et son regard bleu brillait d'un sombre éclat qui contrastait avec la douceur exquise de ses caresses.

Il lui caressa le visage, et elle sentit le léger tremblement de ses doigts. Puis, les yeux toujours plongés dans les siens, il l'embrassa, et elle eut l'impression de se donner à lui corps et âme. Il l'avait complètement mise à nu, mais avait aussi accepté de se dévoiler face à elle.

Ce baiser fut l'acte le plus intime de toute son existence.

Enfin, il s'allongea sur elle et la prit doucement, presque avec révérence. Cette fois, il s'imposa un rythme lent, empreint d'une tendresse infinie, qui la conduisit, haletante, aux sommets du plaisir. Son orgasme fut comme une explosion éblouissante, étourdissante... merveilleuse.

Il l'embrassa encore et la serra si fort qu'elle pouvait entendre leur cœur battre à l'unisson.

— Riley.

Ce fut le seul mot qu'il prononça. Elle plongea son regard dans le sien tandis qu'il était agité d'un dernier soubresaut.

Voilà, se dit-elle en se blottissant contre lui, heureuse de le sentir en elle. *Voilà comment on est censés faire l'amour.*

Ils s'assoupirent et, lorsqu'elle rouvrit enfin les yeux, ce fut pour découvrir qu'il avait tiré les couvertures sur eux. Il était couché sur le dos et elle blottie contre lui. Il avait posé l'une de ses mains sur son dos, tandis que l'autre était glissée dans ses longs cheveux qui s'étalaient sur son torse. Leurs jambes étaient entremêlées.

Tandis qu'elle s'éveillait lentement, elle entendit le souffle de Quinn demeurer calme et régulier, et devina qu'il était toujours profondément endormi. Elle resta confortablement pelotonnée et laissa ses pensées vagabonder.

Elle ferma les yeux pour écouter les battements de son cœur. *Plus la peine de te demander s'il est capable de se montrer vulnérable avec toi.* Elle ne savait d'où lui venait cette pensée. Leur première étreinte avait été si intense qu'ils avaient aussitôt accepté de baisser la garde, et de s'exposer, nus et vulnérables, au regard de l'autre.

Elle ignorait ce qu'elle ressentait. Mais elle avait une certitude : avec lui, elle pouvait être elle-même, entièrement et complètement, à chaque instant qu'ils partageaient.

En sa présence, elle n'avait jamais besoin d'élaborer des stratégies, de s'inquiéter ou de prévoir. C'était la raison pour laquelle elle se sentait si à l'aise. Elle regrettait parfois de s'être montrée maladroite à tel moment, voire complètement nulle à tel autre, mais ça n'allait pas plus loin. Au début, elle avait eu peur, s'était sentie exposée, comme s'il y avait eu une faille dans la carapace. Mais avec du recul, elle avait compris la cause réelle de ses angoisses : le fait que cette carapace précisément soit devenue inutile.

Si elle pouvait véritablement être elle-même, elle n'avait plus rien à défendre, pas de jardin secret à protéger. Ce qui amenait la question… à protéger de quoi ? De quoi avait-elle eu aussi peur ? Jeremy n'avait jamais été dur avec elle, ni même très critique. Elle s'était parfois demandé ce qu'il pensait ou ressentait véritablement, mais il ne l'avait jamais poussée dans ses derniers retranchements.

Elle y réfléchit un peu plus longuement. À première vue, cela pouvait paraître bizarre, ou malsain, de songer aux moments intimes passés avec un homme alors qu'elle se trouvait dans les bras d'un autre. Mais elle était tellement détendue, en paix avec elle-même, qu'elle pouvait enfin se débarrasser de sa douleur et mettre de côté l'humiliation de la trahison qu'elle avait subie. Elle pouvait enfin juger de ce qu'avait été sa vie d'une façon plus rationnelle, objective, peut-être même impersonnelle.

Bien sûr, Jeremy avait été un peu difficile pour certaines choses – il appelait ça de l'exigence –, et il lui était arrivé parfois de la manipuler pour obtenir ce qu'il voulait d'elle. Mais ce n'était pas grand-chose. Elle avait une tendance naturelle à vouloir faire plaisir aux autres, et ils s'étaient aimés ; aussi avait-elle toujours cru que leur relation de couple était parfaitement normale et équilibrée.

Avec le recul, elle repensa à des moments passés avec Jeremy, à des commentaires, des réactions, des échanges… Elle commença à mieux cerner la façon dont ils se comportaient l'un avec l'autre. Elle n'avait jamais revendiqué ses opinions, ni affirmé sa volonté. Elle avait été tellement heureuse de former un couple avec quelqu'un qu'elle avait mis toute son énergie à bâtir autour d'eux le meilleur des mondes. Si on lui avait posé la question à l'époque, elle se serait dite pleinement satisfaite. S'il était heureux, elle l'était aussi. Évidemment, certaines de ses petites manies l'agaçaient, leurs opinions différaient parfois, mais elle savait que ces divergences constituaient leur yin et leur yang. C'était normal. Il y avait en revanche une chose qui l'était un peu moins, et dont elle commençait seulement à se rendre compte : Jeremy, sans lui reprocher ouvertement ses défauts ou ses insuffisances, avait toujours trouvé un moyen de lui faire savoir qu'elle aurait peut-être eu intérêt à changer ci ou à faire ça.

Mais même ce genre de manipulation faisait partie d'une relation. Il ne l'avait jamais contrainte à tenir compte de ses remarques, même si elle l'avait toujours fait. Elle avait tiré son bonheur de celui de son homme. Mais elle prenait conscience à présent qu'elle-même ne lui avait jamais rien dit sur ses petits défauts à lui. Elle n'avait pas eu peur de l'énerver ; il était d'un tempérament égal, et c'était l'une des choses qui lui avaient plu chez lui. Elle savait qu'il ne perdrait jamais les pédales, si bien qu'elle s'était sentie en sécurité auprès de lui. Non, ce n'était pas du tout ça.

Si elle ne l'avait jamais informé de ses opinions, de ses envies ou de ses besoins, c'était parce qu'elle avait toujours eu l'impression que ça ne lui aurait fait ni chaud ni froid. Ça n'aurait pas eu d'importance à ses yeux. Chercher à la combler de cette façon ne l'intéressait pas, surtout si cela impliquait de faire un effort.

Elle avait été tellement occupée à les rendre heureux tous les deux, et à préserver l'harmonie de leur couple, qu'elle ne s'était jamais rendu compte que c'était elle qui fournissait tous les efforts. Elle s'était imaginé qu'il avait besoin d'elle, qu'elle était indispensable à son bonheur. D'une certaine manière, elle l'avait sans doute été, mais pas comme elle l'avait cru, ni comme elle aurait dû.

Une fois qu'elle eut rassemblé assez d'images et de souvenirs pour dresser un tableau réaliste de leur vie commune, elle comprit enfin la douloureuse vérité : il ne l'avait jamais vraiment aimée. Peut-être concevait-il l'amour de cette manière mais, elle le comprenait clairement désormais, ce n'était pas comme ça qu'elle aurait voulu être aimée. Ses sentiments à lui n'avaient jamais été aussi forts que les siens.

Elle avait cru qu'ils étaient inséparables, alors qu'il s'agissait en fait d'une relation de dépendance. Comme il s'était toujours reposé sur elle, elle avait eu l'impression d'être désirée, forte, aimée… Mais quand avait-il été là pour elle ? Dans les rares occasions où il avait semblé aller au-devant de ses envies, où il lui avait par exemple apporté le dîner à la maison – ou offert une journée de spa – elle voyait à présent qu'il avait en réalité servi ses propres intérêts.

Ces pensées l'amenèrent à une prise de conscience plus personnelle, plus douloureuse. Après leur séparation, elle avait passé la plupart de son temps à se demander ce qui n'allait pas chez elle, quelles erreurs elle avait commises, et ce qu'elle devait faire pour s'améliorer. Mais celle qu'elle avait avant tout déçue et laissé tomber, dont elle n'avait pas mérité l'amour… c'était elle-même.

Pour s'améliorer, il aurait surtout fallu qu'elle s'affirme, qu'elle prenne conscience de ce qu'elle valait, qu'elle reconnaisse que ses besoins à elle étaient au moins aussi importants que ceux des autres. Bref, qu'elle soit elle-même.

Elle ne savait pas comment ni à quel moment, mais elle avait fini par devenir la femme qu'elle aurait dû être depuis le début, dont elle aurait dû se montrer digne.

Cette femme-là n'aurait jamais toléré la prétendue « exigence » de Jeremy, du moins pas sans lui imposer en retour certaines exigences personnelles. Elle n'aurait pas pris la dépendance de Jeremy pour de l'affection. En fait, si elle avait été à l'époque la femme qu'elle était à présent, jamais elle ne serait tombée amoureuse de Jeremy Wainwright.

Riley ouvrit grand les yeux. *Ouah !* Quand, exactement, avait-elle cessé d'aimer Jeremy ? Et comment ?

Était-ce parce qu'elle assumait enfin ses propres choix ? Parce qu'elle s'était trouvé de nouveaux amis, des vrais ? Parce qu'à force de se lever tous les matins en menant sa barque à son gré, elle avait pris confiance en elle ? Cette révélation en cachait une autre : très souvent, elle avait cherché à anticiper les désirs de Jeremy, avant même qu'il lui ait demandé quoi que ce soit. Elle avait fait en sorte qu'il n'en ait pas besoin, et avait donc répondu à des exigences qu'elle avait créées elle-même.

Certes, Jeremy restait un vrai salaud mais, si elle avait eu à l'époque un tout petit peu de la maturité qu'elle avait acquise entre-temps, elle aurait compris dès le début la nature du personnage, et ne se serait jamais laissé rouler dans la farine par un tel égoïste. Elle aurait plaqué ce connard égocentrique depuis bien longtemps.

Elle rit toute seule en silence, se demandant pourquoi le fait d'ouvrir les yeux sur ses défauts d'hier lui faisait autant de bien. Enfin… elle avait vraiment compris. Elle savait exactement ce qu'elle était. Et, par conséquent… ce qu'elle ne serait plus jamais.

Ce constat la ramena à Quinn.

Elle changea de position, posa le menton sur son torse et le regarda dormir. Avait-il participé à la transformation ? Elle connaissait déjà la réponse, et c'était un soulagement : non. Quand elle l'avait rencontré, elle avait déjà opéré sa mue : elle était une meilleure personne, une meilleure amie. C'était pour elle-même qu'elle l'avait fait, et pour personne d'autre.

Elle repensa à ce que Quinn lui avait affirmé sur la plage, sur sa capacité à croire en elle. Elle comprit enfin ce qu'il avait voulu dire. Elle était déjà cette meilleure personne, mais n'avait simplement pas encore eu l'occasion de tester sa confiance en elle.

Mais tout comme elle avait, à travers l'amitié de Lani et Charlotte, pris conscience de sa valeur en tant qu'amie, elle avait découvert avec Quinn ce qu'elle valait en tant que partenaire. Il avait été la dernière pièce du puzzle, et lui avait montré en retour ce qu'était un véritable compagnon. Cette confiance réciproque, elle l'avait vue entre Lani et Baxter, entre Charlotte et Carlo. Quinn serait là pour elle et l'accepterait telle qu'elle était. Peut-être même allait-il aimer cette femme-là. Il l'avait encouragée à persévérer dans cette voie, à se convaincre qu'elle était bien digne de son amour. Il avait eu confiance en sa capacité à tomber amoureuse, elle aussi.

Et elle était bel et bien amoureuse.

Chapitre 21

Quinn avait feint de dormir quelque temps avant de faire savoir à Riley qu'il était réveillé. Il était resté couché, entendant presque résonner les rouages de son cerveau.

Il aurait tellement voulu savoir ce qui la faisait réfléchir aussi ardemment. Mais il ne voyait pas son visage et n'avait aucun moyen de deviner.

Il avait encore en mémoire tous les instants torrides et bouleversants qu'ils venaient de partager dans ce lit, et il se doutait qu'elle aussi. L'expérience avait été brutale et sauvage ; jamais il n'avait été emmené si loin et n'avait goûté ainsi la jouissance à l'état pur. Ils s'étaient donnés l'un à l'autre d'une façon totale et intense, et la récompense avait été à la hauteur de cette offrande réciproque.

Mais il ne s'agissait pas uniquement de sexe, même si l'acte en lui-même avait été plein d'une ardeur passionnée. Il savait qu'il fallait éprouver une immense confiance pour accepter d'aller ainsi vers l'autre, pour rendre au centuple le moindre cri, la moindre caresse.

Et puis il y avait eu la deuxième fois… Il sentit les larmes lui monter aux yeux, et tenta de les retenir derrière ses paupières closes.

Il l'aimait, d'un amour sincère, total, digne des grands romans et du couple formé par ses grands-parents. C'était la raison pour laquelle l'histoire d'amour de Joe et Hannah s'écrivait toute seule. Et ça allait devenir sa propre histoire d'amour… du moins, s'il n'avait pas effarouché Riley en se laissant emporter par un incontrôlable torrent d'émotions.

Pour la toute première fois, il comprenait combien la peur qu'avait Riley de retrouver l'amour pouvait en effet être paralysante. Il souffrirait terriblement si elle décidait de le quitter à présent, si elle décidait que non, finalement, ce n'était pas pour elle.

Elle était tout pour lui. Si elle partait, elle emporterait avec elle tout ce qu'il y avait de bon en lui.

Comment pouvait-on aller de l'avant, après un tel déchirement ? Comment un être sain d'esprit pouvait-il entreprendre de son plein gré une aventure aussi risquée ? Comment, ayant déjà aimé, pouvait-on accepter de s'exposer de nouveau ?

Riley l'a fait, murmura une petite voix à son oreille.

Elle avait fait le grand saut. Elle n'allait peut-être pas atterrir à l'endroit qu'il désirait mais, tandis qu'il y réfléchissait, couché dans ce lit, il éprouvait pour son immense force de caractère un respect démesuré. Il doutait être un jour capable d'en faire autant.

Brusquement, Quinn portait un regard nouveau sur les choix de son père. Riley ne se rendait peut-être pas compte du chemin qu'elle avait parcouru, mais Quinn en avait d'autant plus conscience que son père avait pris l'option inverse. Il avait choisi de ne plus rien ressentir pour qui que ce soit. Il s'était renfermé en lui-même, s'était concentré sur des choses importantes à ses yeux, comme son travail, qu'il pouvait quitter à la fin de la journée.

Riley croyait s'être renfermée elle aussi pour ne plus risquer d'avoir le cœur brisé, mais il suffisait de l'observer pour voir qu'elle avait fait tout le contraire. Bien sûr, elle avait pris la fuite avec son chien, mais au lieu de se terrer au fond d'un trou, elle avait fondé un foyer. Elle s'était fait de vrais amis, s'était taillé une place dans la communauté en s'intéressant aux gens autant qu'ils s'étaient intéressés à elle. Elle s'était fabriqué la famille dont son fiancé l'avait privée. Et, pour accompagner cette évolution, elle avait choisi un métier qui lui permettait de transformer des maisons en foyers. Quinn se demanda si elle avait conscience d'avoir fait le choix de l'ouverture.

Il aurait bien voulu être capable d'en faire autant. Il songea à sa vie. Il avait toujours fait en sorte de garder les gens à distance. Ses amitiés étaient superficielles, il fréquentait surtout des associés ou des collègues. Pourtant, ce n'était pas qu'il ne voulait pas d'une famille. Après tout, il avait essayé de se rapprocher de son père. Mais les personnes les plus impliquées dans sa vie personnelle, c'était lui qui les payait : là était le vrai problème. Certes, ils avaient développé une affection sincère et un réel respect les uns envers les autres… mais était-ce là tout ce dont il était capable en matière de liens familiaux ?

Et puis, il y avait Riley.

Peut-être avait-il simplement attendu que quelqu'un lui montre la voie, lui indique comment combler le fossé qui les séparait, lui et son père, de ses grands-parents.

Une fois encore, il remercia le destin d'avoir mis Riley sur sa route. Il avait eu raison de croire qu'en trouvant la bonne personne, il s'engagerait dans une relation qui revêtirait d'elle-même une importance particulière. C'était à la fois la chose la plus mystérieuse et la plus simple au monde.

Bon sang, qu'est-ce qu'il allait bien pouvoir faire pour qu'elle l'aime en retour ?

Elle bougea légèrement, et il sentit son regard posé sur son visage. Il ne savait pas comment il allait surmonter cette matinée. Il n'avait qu'une envie : ouvrir les yeux et lui annoncer qu'il l'aimait, tout simplement. Il mourait d'envie de le lui dire, de partager cet aveu avec elle… de la même manière qu'ils avaient tout partagé, ces derniers jours. Elle était si vite devenue son amie et sa maîtresse, sa compagne et sa complice… Comment pourrait-il lui taire une chose aussi importante ?

Il ouvrit un œil : le regard brun et pétillant de Riley était rivé sur lui. Un sourire se dessina aussitôt sur ses lèvres pulpeuses, et il se sentit brusquement beaucoup plus détendu.

Du calme, Brannigan. Il avait le temps. Inutile de tout gâcher en hâtant les choses. Elle était joyeuse, elle souriait. Pour le moment, c'était bien suffisant. Il lui dirait quand elle serait prête. Il pouvait attendre. Après tout, il avait attendu toute sa vie.

Il ouvrit l'autre œil et goûta le plaisir simple et exquis de la dévorer du regard, déjà presque étourdi d'amour pour elle.

— Bonjour, mon capitaine, dit-elle avec un sourire gourmand.

Il lui sourit à son tour, plus lentement mais avec la même franchise. D'un geste nonchalant, il enroula une boucle blonde autour de son doigt, et l'attira doucement à lui.

— Salut, dit-il d'une voix traînante et rocailleuse. Vivement qu'on joue au docteur et à la vilaine infirmière.

Elle laissa échapper un petit rire bête, ce qui le fit glousser.

— Est-ce qu'on peut alterner les rôles ? demanda-t-elle.

Il fit mine d'y réfléchir.

— D'accord, mais je refuse de porter une blouse rose.

Un grattement se fit entendre derrière la porte.

— Mais attention, précisa Riley en levant un doigt sentencieux. Pas de stéthoscope pour Brutus, il risquerait de l'avaler.

— C'est noté, dit Quinn avec un rire guttural. (Il regarda l'horloge.) Oh, oh. Je connais quelqu'un qui va être très en retard au travail. (Il lui donna une légère claque sur les fesses.) Vilaine pirate.

— Je n'ai pas pu te le dire plus tôt, puisque tu étais trop occupé à monter à l'abordage, mais je ne commence pas avant 11 heures.

— C'est la deuxième meilleure nouvelle de la matinée. Que dirais-tu d'aller profiter de ces copieuses victuailles que j'ai apportées tantôt ?

— Divine idée. J'emmène ton matelot faire sa promenade, et tu t'occupes de tout réchauffer ?

— Vendu.

Elle commença à se redresser, mais parut changer d'avis et se recoucha en l'embrassant… non pas sur la bouche, mais sur la poitrine. Juste sur son cœur. Elle leva les yeux, une lueur éclatante dans le regard.

— C'était quoi, la première bonne nouvelle de la matinée ?

Tous les plans qu'il avait soigneusement échafaudés partirent en fumée.

— J'ai compris que je t'aimais.

Elle se figea.

Il ferma les yeux. *Bien joué, Brannigan !* Il y avait une chose, une seule, qu'il ne devait pas gâcher, et…

— Bon, murmura-t-elle.

Il se raidit.

— Quinn ?

Il ouvrit les yeux.

Elle souriait de toutes ses fossettes, le regard pétillant, les joues roses. Ses cheveux lui dessinaient une folle auréole autour de la tête. Elle portait un pansement à l'effigie de Spiderman sur l'épaule, et son énorme chien haletait bruyamment derrière la porte.

— Je ne voulais pas que tu aies les yeux fermés au moment où je te dis pour la première fois que je t'aime.

Ce fut soudain comme si on avait allumé un feu d'artifice dans sa tête, dans son cœur et, il en était certain, dans tout l'univers. Il la fit rouler sur le dos, et prit son visage entre ses mains.

— C'est vrai ? dit-il, d'un ton plus affirmatif qu'interrogateur.

Il avait besoin d'être sûr qu'il était toujours sur la planète Terre.

— Tu es sûre ? insista-t-il.

Elle posa une main sur son cœur.

— Moi, Riley Brown, j'affirme que j'aime Quinn Brannigan, de tout mon cœur brisé et rapiécé.

— Comment ?

Elle éclata de rire.

— Comment ? Comment ça, « comment » ? Vraiment beaucoup, avec un peu de chance.

Il essaya de maîtriser les battements de son cœur et le cours de ses pensées, qui s'étaient emballés d'un coup.

— Il n'y a pas si longtemps, tu ne pouvais même pas...

Elle lui posa un doigt sur les lèvres.

— Tu m'as aidée à comprendre ce que j'étais devenue. Tu m'as poussée, tu as cru en moi, tu m'as harcelée… et, ce matin, tu m'as aimée. Du moins, c'est ce que j'ai ressenti.

— Je t'aime. Je suis complètement dingue de toi.

Des larmes apparurent au bord de ses cils, mais une lueur joyeuse dansait dans son regard.

— J'ai compris que c'était ce que je voulais. Je te regardais dormir tout à l'heure, en repensant à tout ça, et j'analyse les choses plus clairement, à présent. Ce que j'ai vécu avec Jeremy, ce que j'étais à l'époque, et ce que je n'étais pas. Je sais ce que je suis devenue, Quinn : une femme qui veut aimer et être aimée, et qui a enfin compris comment faire. Et puis je t'ai regardé… et j'ai osé admettre que j'avais déjà tout ça.

— Tu me l'aurais dit ? Si je n'avais pas…

— Je ne sais pas.

Il appréciait sa franchise, parce que ça l'aidait à croire le reste.

Elle sourit de nouveau.

— Tu avais l'intention de me le dire ?

— Je voulais te le dire, le crier sur tous les toits, mais je voulais d'abord te laisser le temps. Je voulais que tu sois sûre.

— Et qu'est-ce qui s'est passé ?

— Tu m'as embrassé sur le cœur, et puis tu m'as souri avec une telle tendresse… Quand tu m'as demandé ce qu'était la bonne nouvelle, il n'y avait rien d'autre à dire que la pure vérité. Je ne pouvais pas me taire.

Ses yeux brillèrent d'un éclat plus fort, et le rire ironique qui suivit fut comme une douce musique à ses oreilles.

— Je suis sûre que j'aurais fait la même chose. Mais je suis heureuse que tu m'aies devancée.

— Évidemment, la taquina-t-il.

Ainsi, tout se mit en place, ce rythme, cet espace qu'ils s'étaient ménagé rien que pour eux, dont eux seuls comprenaient les règles, où eux seuls existaient.

— Regarde les choses de mon point de vue, dit-elle. Tu aurais dû entendre ça comme je l'ai entendu, pelotonnée dans notre lit, heureuse et satisfaite après une incroyable matinée passée à faire l'amour. Mais si c'était moi qui m'étais risquée à le dire en premier, je l'aurais probablement laissé échapper au moment le moins approprié, et devant Dieu sait qui. (Elle leva la tête et l'embrassa doucement, tendrement.) Je préfère qu'on ait partagé ça sur notre petit bateau pirate, rien que nous deux.

Un aboiement assourdissant résonna dans la cabine et fit vibrer la porte.

— Enfin, rien que nous trois, rectifia-t-elle, et ils éclatèrent de rire.

— Est-ce que je peux t'annoncer la troisième bonne nouvelle de la journée ?

— C'est toi qui dois aller promener Brutus ?

Quinn roula sur le dos et attira Riley sur lui.

— Tu as dit « notre lit ».

— Eh bien, c'est notre lit. Attends, tu ne penses pas qu'on va devoir le partager avec…

Elle fit un signe de tête vers la porte.

Il éclata de rire.

— Euh, non. Mais il peut dormir sur le sol. (Il la cala tout contre lui.) J'aime beaucoup l'idée qu'au lieu d'un « tien » et d'un « mien »... il y ait un « nôtre », à présent.

Sur ce, il la fit basculer sur lui et l'embrassa avec fougue.

Derrière la porte, Brutus posa sa lourde tête sur ses pattes avant et s'installa plus confortablement. Il allait attendre. Pas de problème. Après tout, il avait une famille sur qui veiller, à présent.

Avec cette pensée à l'esprit, il se laissa rouler sur le côté, poussa un long soupir ensommeillé et s'appuya contre la porte. Ouaip. C'était une mission qu'il allait prendre très, très au sérieux. Alors qu'un éclat de rire filtrait au travers de la porte et que quelqu'un se mettait à chanter, il ferma les yeux et laissa joyeusement pendre sa langue.

Épilogue

Riley leva les yeux vers l'horloge de la cuisine de Quinn, et fit quelques pas furtifs vers le plateau en cristal rempli de cupcakes. Une heure et demie du matin. Le tournoi de poker avait fini par s'essouffler, et était officiellement terminé. *Pas trop tôt.*

— J'ai perdu 20 dollars, dit Quinn en entrant par la terrasse.

— Comment tu as fait ? demanda Riley.

Elle lorgna l'un des rares cupcakes au chocolat et à la framboise qui restaient, mais se dit qu'il était trop tard pour se laisser tenter.

Quinn se pencha pour lui déposer un baiser dans le cou.

— On a fait des paris pour savoir si les voisins allaient appeler la police avant ou après minuit. Celui qui avait l'heure la plus proche, à quinze minutes près, emportait la mise.

— Et la police est venue ? J'ai raté quelque chose ?

— Non, dit-il en la prenant dans ses bras. C'est pour ça que j'ai perdu les 20 dollars.

— Ah, dit-elle avec un sourire. Tu te fais toujours avoir.

— Apparemment. (Il se pencha sur elle et fit courir sa langue juste en dessous de son oreille.) Et pourtant, tu ne t'en plains jamais…

Même si elle était épuisée, il parvenait encore à l'exciter. Depuis le temps, elle aurait pourtant dû s'habituer. Ou bien en mourir. Elle n'avait aucune idée d'où provenait leur endurance. Heureusement qu'ils travaillaient tous les deux, sans quoi ils n'auraient jamais porté de vêtements. Il faut dire que les croisières nues au coucher du soleil s'étaient révélées plutôt… jouissives.

— Tu t'en es sorti, avec la fin de la scène que tu écrivais ? s'enquit-elle. Tu as trouvé toutes les infos qu'il te fallait sur le dressage, pour le spectacle équestre ?

— Oui. Mais finalement, ils n'y sont pas allés.

— Pourquoi ?

Son visage se fendit d'un large sourire.

— Je n'ai jamais pu les faire sortir de cette foutue grange.

— Quels ingrats ! Après toutes ces recherches…

Il haussa les épaules.

— Ce n'est pas grave. J'ai trouvé ma vie très enviable, aujourd'hui.

— Bon, si tu prends les choses comme ça… (Riley se hissa sur la pointe des pieds pour l'embrasser.) Tu as l'air d'avoir passé une bonne journée.

— Et elle n'est pas encore finie, dit-il avant de prendre un cupcake sur le plateau et de l'agiter devant elle. Bateau pirate ou château fort ?

— Je suis tellement fatiguée que je ne suis pas sûre de voir la différence. Alors arrête d'agiter tes… cupcakes devant moi.

— Vous n'êtes pas tout seuls, chantonna Charlotte, qui venait d'apparaître dans la cuisine avec un sac-poubelle.

Riley lança un coup d'œil par-dessus l'épaule de Quinn.

— Tu nous as dit de nous trouver un endroit à l'écart, tu n'as pas précisé lequel.

Quinn s'appuya sur le bord de la table et attira Riley pour qu'elle s'adosse à lui, passant ses bras autour de ses hanches. Seule Riley comprit la raison de cette pose : elle sentit au creux de ses reins une preuve manifeste de son désir.

Elle remua légèrement, et sentit les bras de Quinn se raidir. Il se pencha et l'embrassa derrière l'oreille.

— Fais attention…, murmura-t-il.

— Tu as besoin d'un coup de main ? demanda Riley à Charlotte avant de se trémousser un tout petit peu, une dernière fois.

— Non, c'est la dernière fournée.

— Le buffet était remarquable, fit remarquer Quinn tandis qu'elle ramassait les dernières assiettes en carton pour les jeter dans son sac-poubelle. Le salé autant que le sucré. Passe le compliment à Carlo. Je vous ferai de la pub auprès de mon agent et de mon éditeur. Ils doivent souvent participer à des événements comme des salons du livre, des conférences d'écrivains, ce genre de choses, et ils sont toujours à la recherche de ce qui se fait de meilleur et de plus intéressant.

— Merci, c'est très gentil, dit Charlotte avec un grand sourire avant de se tourner vers Riley. D'accord, on veut bien l'adopter.

Elle ajouta son sac aux autres poubelles déjà alignées contre le mur, attrapa un plateau vide et se hâta vers la porte. Là, elle s'arrêta et tourna la tête.

Mais Riley prit les devants.

— Si tu t'en vas, on sera vraiment tout seuls.

Quinn ricana, et Charlotte sortit.

— Elle est un peu grincheuse parce que son docteur Mamour n'a pas pu venir, expliqua Riley.

Charlotte et Carlo avaient été engagés au dernier moment pour un second événement, ce soir-là. En acceptant de prendre en charge une grande fête d'anniversaire pour l'un des assistants du maire, lâché par son traiteur à la dernière minute, ils saisissaient l'occasion de se faire beaucoup de nouveaux clients, sans parler du fait que le maire leur serait redevable. Cela signifiait que Charlotte s'était occupée seule de la soirée d'Alva, tandis que Carlo avait pris la fête d'anniversaire.

— C'est quoi, cette histoire de docteur ? demanda Quinn.

— C'est compliqué, répondit Riley.

Avant qu'elle puisse poursuivre, Dree entra en coup de vent dans la cuisine avec un autre plateau bien chargé. Dans la mesure où Carlo n'avait pas pu être présent, elle avait accepté d'aider au service.

— Elle a triché, était-elle en train de dire. Salut, Riley. Salut, Quinn. (Elle se retourna vers Franco, qui la suivait.) Je l'ai vue de mes propres yeux.

— Personne n'a rien dit, répondit Franco.

Dree lui jeta un regard incrédule.

— Bon, d'accord, reprit-il, mais si Alva a vraiment triché, pourquoi Beryl n'a pas eu de meilleures cartes ? Suzette a gagné la moitié du pot, ce soir.

— Je l'ai vue faire ; ça ne veut pas dire qu'elle est douée pour ça. Et, au cas où tu ne l'aurais pas remarqué, Beryl a quand même gagné le voyage pour l'enregistrement de Baxter, et un livre de Quinn.

— C'est vrai.

Charlotte revint dans la pièce.

— On a fini. Tu es sûr que ça ne te dérange pas que je repasse demain chercher mon matériel ? demanda-t-elle à Quinn. Carlo est coincé à Savannah. La fête n'en finit pas, et je ne vais pas récupérer la camionnette avant…

— Pas de problème, la rassura Quinn. Et si je peux faire quoi que ce soit pour t'aider…

— Non, merci. J'aurai de l'aide demain. On doit récupérer tout l'équipement pour un autre événement, après-demain.

— C'est une fête d'anti-versaire, ajouta Franco. Pour un groupe de divorcés. Ça devrait être intéressant.

— Je n'en doute pas, dit Charlotte. Tu peux toujours me ramener, ce soir ?

— Bien sûr, *ma petite**, répondit Franco. Tu es prête ? ajouta-t-il à l'intention de Dree.

— Toujours, dit Dree en enlevant sa veste frappée du logo *Sucré-Salé*.

— Vous êtes une bénédiction, tous les deux, dit Charlotte avant de se retourner vers Riley et Quinn. On vous abandonne.

— Vous avez fait du bon travail, lui dit Riley. Je n'ai entendu que des compliments.

— La vieille Mme Lauderberg n'était pas tellement ravie, précisa Dree. Mais vu qu'elle n'a goûté qu'à la décoration et n'a pas touché à la vraie nourriture, je suppose que ça ne compte pas. Elle n'a pas arrêté de se plaindre que tout était amer. J'ai essayé de lui dire que les brins de persil ne faisaient pas partie du menu, mais elle m'a donné une tape sur la main quand j'ai voulu lui prendre son assiette. (Dree s'examina le dos de la main.) Elle portait beaucoup de bagues, des grosses en plus.

— Public difficile, lui accorda Quinn.

— Tu l'as dit.

Tous dirent « bonsoir » et commencèrent à se diriger vers la porte.

— Inutile de nous raccompagner, dit Franco.

Charlotte, qui traînait derrière les autres, se retourna au dernier moment.

— Oh, j'ai failli oublier. Quand tu verras Lani, demain soir, dis-lui que je m'excuse de ne pas pouvoir venir. J'ai beaucoup de choses à gérer à la fois, mais dis-lui que je crois avoir trouvé la personne qu'il lui faut.

Riley fronça les sourcils.

— À propos de quoi ?

— Du service de vente par correspondance qu'elle envisage de démarrer, en plus de la boutique de cupcakes. Elle n'arrête pas de recevoir des commandes par courrier à chaque enregistrement de *Hot cakes*. Avec Baxter qui joue les attractions et leur livre de recettes qui va sortir l'année prochaine, elle s'est dit que ce serait une bonne idée de se lancer dans la vente par correspondance. Ça me surprend qu'elle ne t'en ait pas touché un mot, avec tout le temps que vous avez passé à travailler sur le livre de recettes.

— Si, elle en a parlé, mais je ne savais pas qu'elle comptait s'y mettre aussi vite.

— Oui, enfin, seulement s'ils trouvent une personne de confiance et opérationnelle immédiatement. Bref, conclut Charlotte en fouillant dans les poches de sa veste de chef, voilà sa carte. Elle s'appelle Kit Bellamy.

— Je la donnerai à Lani. Je sais qu'elle était dégoûtée de ne pas pouvoir venir.

Si Riley avait à un moment souhaité tomber malade pour manquer le tournoi, c'était Lani qui s'était finalement fait porter pâle.

Charlotte sourit.

— Entre nous, je ne crois pas qu'elle était si dégoûtée que ça.

Riley ouvrit de grands yeux.

— Tu veux dire qu'elle a fait l'école buissonnière ?

— Peut-être. Baxter est revenu de New York un jour plus tôt que prévu. Mais ce n'est pas moi qui te l'ai dit. Bon, j'y vais vraiment, maintenant. (Elle regarda Quinn, puis Riley.) Pas mal, ton docteur Mamour, je te l'accorde. Bonne nuit.

— Mais qu'est-ce que c'est que ce délire, à la fin ? demanda Quinn, qui n'attendit même pas que la porte se referme pour se retourner et appuyer Riley contre la table.

— Pas de câlins dans la cuisine les soirs de club, sauf si chaque membre a son docteur Mamour. Ou quelque chose comme ça.

— Ah. C'est beaucoup plus clair.

— Ça avait l'air parfaitement sensé au moment où on l'a dit.

— Et donc… je suis ton docteur Mamour ?

— On dirait bien.

— Alors ça tombe bien, parce qu'on est dans une cuisine et qu'il n'y a plus personne pour nous interrompre.

— Hum. Tu marques un point.

Il se pressa contre elle, et elle sourit.

— Et même plus, on dirait.

Il reprit le cupcake et en retira le papier avec les dents.

— Je t'ai déjà parlé de ce fantasme qui me hante depuis des semaines ? Tu en es l'héroïne, évidemment, en compagnie d'un cupcake, d'un incroyable glaçage au chocolat… et de moi.

— C'est marrant, j'ai l'impression d'avoir déjà entendu ça quelque part.

— Mais pas la partie où je lèche le glaçage.

Elle fit semblant d'y réfléchir.

— Si... ça a toujours fait partie de l'histoire. (Un lent sourire se dessina sur son visage.) Enfin, c'est comme ça que je m'en souviens. Et c'est un souvenir sur lequel je me suis beaucoup attardée.

— C'est drôle, moi aussi.

— Hum... Qu'est-ce qu'on va bien pouvoir faire à ce sujet ?

— On devrait comparer nos scénarios. Voir comment ils... se superposent.

— Oui, mais c'est toi qui m'as appris, je crois, que les écrivains doivent toujours montrer plutôt que raconter.

— C'est assurément la meilleure technique, dit Quinn en déboutonnant d'une main le chemisier de Riley.

Elle baissa les yeux.

— Tu es très doué pour ça.

— Je suis surtout très motivé, en ce moment. Or je suis très doué quand je suis motivé.

Il la poussa sur la table, où elle s'appuya en laissant son chemisier glisser sur ses épaules. Il parvint à ouvrir du premier coup la fermeture située sur le devant de son soutien-gorge.

— J'avais remarqué ça.

La respiration de la jeune femme se fit saccadée quand il se plaça entre ses jambes… et passa les doigts dans l'épais glaçage au chocolat noir.

— Maintenant, dans ta version de l'histoire, est-ce que je te recouvre de glaçage ? (Il passa ses doigts couverts de chocolat entre ses seins.) Ou est-ce que j'orne le cupcake d'un petit… (Il lui pressa le dessus de la pâtisserie sur le téton, lui coupant le souffle.)

— Je… je ne me souviens pas. Tu devrais peut-être… me rafraîchir la mémoire ?

Quinn l'allongea sur la table et se pencha sur elle pour récupérer un peu de glaçage du bout de la langue.

— Je ne suis toujours pas très sûre, articula-t-elle avant de laisser échapper un petit gloussement quand il lui souleva les hanches pour lui retirer son pantalon et sa culotte.

— À quelle heure tu dois rencontrer Chuck pour la version finale de la brochure ? demanda-t-il, la main sur la boucle de sa ceinture.

— Demain matin, 8 heures.

Il sourit.

— Tu devrais pouvoir être à l'heure, dit-il en déposant du glaçage sur son autre téton. Ou pas.

Elle lui sourit, puis l'attira vers elle.

— Je dirai que c'était à cause des cupcakes.

Note – et recettes – de l'auteur

Dans *Petites Douceurs*, Lani fait goûter à Quinn et aux membres du Cupcake Club sa dernière création, le cupcake façon pain d'épice aux pommes avec un cœur de caramel. On a un peu l'impression de manger une pomme au caramel, sauf que le caramel se trouve à l'intérieur, en guise de fourrage. C'était une recette complètement fictive, jusqu'à ce que je me dise que ça devait être délicieux ! Donc, dans le cadre de mes recherches sur les cupcakes, j'ai commencé à réfléchir à la façon dont la réalité pourrait rejoindre la fiction.

Naturellement, la première étape a été d'appeler ma mère pour lui demander si nous avions une recette ancestrale de tarte aux pommes dans la famille. Évidemment, la réponse fut « oui » ! Elle m'a aussitôt envoyé sa recette, que j'ai adaptée aux moules à cupcakes. Ensuite, il m'a fallu imaginer le fourrage au caramel. J'ai envisagé d'acheter des caramels et de les faire fondre, ou bien de faire chauffer du coulis au caramel… quelque chose comme ça. Imaginez ma surprise lorsque j'ai découvert qu'on pouvait fabriquer soi-même son propre caramel. Évidemment, je me doutais bien qu'il y avait toujours quelqu'un pour faire le caramel à un moment donné, mais je croyais que c'était un peu comme les biscuits Oreo : impossible de les faire soi-même. Faux ! C'est possible. Et je l'ai fait ! Et j'y ai même survécu !

Bien sûr, dès que j'ai vu des mots comme « thermomètre confiseur » et « 360° Fahrenheit », j'ai immédiatement enregistré le numéro de mon beau médecin urgentiste dans les raccourcis de mon téléphone. D'abord parce que, si vous avez parcouru mon blog consacré aux cupcakes (www.cakesbythecupblog.com), vous savez que c'est extrêmement pratique d'avoir un beau médecin dans le voisinage lorsque vous vous lancez dans des tentatives culinaires hasardeuses. Ensuite parce que, si vous avez un beau médecin dans votre vie, quelle qu'en soit la raison, cela peut être sympathique de pouvoir le joindre rapidement.

Donc, ci-dessous, vous pourrez trouver ma version « tout public » des cupcakes de Lani. Pas besoin d'être un grand chef pâtissier pour les réaliser. Bon appétit !

Cupcakes façon pain d'épice aux pommes avec un cœur de caramel

125 g de beurre
300 g de compote de pommes
500 g de farine
250 g de sucre
2 pincées de sel
1 cuillère à café de bicarbonate
1 cuillère à café de cannelle
1 cuillère à café de noix de muscade
1 pincée de clou de girofle écrasé
250 g de raisins secs ou de noix concassées (en option)

1. Préchauffer le four à 180 °C. Aligner 20 à 24 moules à muffins recouverts de papier cuisson.
2. Dans une petite casserole, faire fondre à feu moyen le beurre coupé en morceaux.

Dans un grand saladier, mélanger tous les ingrédients secs, y compris les raisins et les noix si vous avez choisi d'en mettre.

3. Incorporer la compote et le beurre fondu.
4. À l'aide d'une cuillère, emplir les moules aux trois quarts.
5. Faire cuire au four pendant 20 à 22 minutes, jusqu'à ce qu'une lame piquée dedans en ressorte sèche, ou jusqu'à ce qu'un cupcake soit suffisamment ferme pour se remettre en forme tout seul après qu'on a légèrement appuyé au milieu.

6. Laisser refroidir dans les moules pendant 5 minutes, puis transférer les gâteaux sur une grille pour qu'ils refroidissent complètement.
7. Avec un couteau à légumes ou un vide-pomme, ôter le centre de chaque cupcake. Réserver les centres.

Fourrage au caramel au beurre salé

600 g de sucre
15 cl d'eau
1 cuillère à soupe de sirop de maïs
20 cl de crème fraîche liquide
2 bonnes cuillères à café de sel marin

1. Faire chauffer à feu vif le sucre, l'eau et le sirop de maïs dans une casserole épaisse en remuant de temps en temps, jusqu'à obtenir un sirop clair ; accrocher un thermomètre pâtissier au bord de la casserole, puis arrêter de remuer.
2. Laisser chauffer jusqu'à ce que le sirop commence à bouillir.
3. Laisser bouillir jusqu'à ce que le mélange caramélise et atteigne tout juste 180 °C. (Vous pouvez remuer le caramel dans la casserole pendant l'ébullition pour qu'il n'attache pas, mais attention, c'est très chaud.)
4. Retirer du feu et incorporer lentement la crème en mélangeant avec une cuillère en bois – le plastique peut fondre à cette température – jusqu'à ce que la préparation soit parfaitement lisse.

5. Incorporer le sel.
6. Fourrer les cupcakes immédiatement. Si le caramel commence à durcir, le faire réchauffer jusqu'à ce qu'il ramollisse.
7. Utiliser une cuillère pour fourrer chaque cupcake avec le caramel. Il va se répandre un peu à l'intérieur des gâteaux, il faut donc en rajouter un peu pour bien les remplir.
8. Reboucher le haut du cupcake avec la partie qui a été extraite en son cœur, avant d'appliquer le glaçage.

Glaçage à la crème au beurre et à la vanille

1 kg de sucre glace
125 g de beurre ramolli
5 cl de lait
2 cuillères à café d'extrait naturel de vanille

1. Mélanger le sucre et le beurre avant d'ajouter le lait et la vanille. Mixer à vitesse lente jusqu'à ce que le mélange soit lisse.
2. Si le glaçage est trop épais, rajouter du lait (une cuillère à café à la fois) jusqu'à ce que le mélange soit suffisamment fluide pour être appliqué sur les cupcakes.

Il faut environ 750 g de glaçage pour 20 à 24 cupcakes.

Durant mes recherches pour la série *Cupcake Club*, j'ai tout appris sur la fabrication des cupcakes. En janvier 2011, j'ai commencé à partager mes aventures pâtissières avec tout le monde, via mon blog d'auteur (www.donnakauffman.com/blog, site en anglais), ainsi que sur le site consacré à mes recherches, www.cakesbythecupblog.com (nommé d'après la pâtisserie de Lani, évidemment !). C'est devenu un site incontournable, à la fois pour les lecteurs et pour les amateurs de cupcakes. Aussi, l'été dernier, mon merveilleux éditeur, Kensington, a décidé de surfer sur la vague des cupcakes en lançant un concours de recettes originales. Le prix ? Un lecteur très chanceux verrait sa recette publiée dans un volume du *Cupcake Club*. Le concours était lancé !

Le mot s'est très vite répandu, et des recettes ont commencé à arriver du monde entier. Puis Amazon.com en a entendu parler et a demandé s'il pouvait participer aux réjouissances en arbitrant la finale. On a évidemment accepté ! Ça n'a pas été facile de sélectionner les trois finalistes, mais on y est arrivés et on a envoyé les trois échantillons à Seattle, pour la décision finale d'Amazon. Leur cœur a balancé entre le « meringue au chocolat », le « thé pêche » et le « Fluffy Elvis », si bien qu'ils ont demandé à ce qu'on leur envoie les recettes, afin de pouvoir les réaliser eux-mêmes ! Le résultat final fut serré… mais vous pourrez trouver ci-dessous la recette gagnante, qui nous a été soumise par Stephanie Gamverona, de Corée du Sud. (Si vous voulez en savoir plus au sujet des deux autres finalistes, allez faire un tour sur les blogs mentionnés plus haut pour trouver leurs recettes.) Nous étions ravis du choix d'Amazon. Le cupcake au thé et à la pêche de Stephanie incarnait véritablement tout ce qu'on aime dans *Petites Douceurs* et dans la série *Cupcake Club* : il était fidèle au contexte géorgien des livres, ainsi qu'à la complexité des mélanges de saveurs dans le gâteau lui-même. Cette recette aurait sa place sur les étalages de la pâtisserie de Lani. Bon appétit ! (En ce qui me concerne, j'ai adoré !)

Cupcakes au thé et à la pêche

Beurre au thé sucré

250 g de beurre doux
32 g de thé noir en feuilles entières (ou d'Earl Grey)

1. Dans une petite casserole, faire fondre le beurre à feu moyen.
2. Ajouter les feuilles de thé.
3. Faire chauffer à feu doux pendant environ 5 minutes. La préparation ne doit pas frémir.
4. Retirer du feu et laisser reposer 5 minutes.
5. Passer le mélange au tamis fin, en pressant bien les feuilles de thé pour qu'elles conservent le moins de beurre possible.
6. Laisser refroidir le beurre infusé à température ambiante, puis mettre au frais jusqu'à ce qu'il se solidifie.
7. Votre préparation est prête pour la recette de cupcakes au thé ci-dessous !

Cupcakes au thé

375 g de sucre
Le zeste d'un citron de taille moyenne
150 g de beurre au thé
3 œufs
1 petite cuillère à café de gingembre ou de cannelle en poudre

375 g de farine
10 cl de lait
250 g de pêches très mûres, finement hachées

1. Préchauffer le four à 180 °C.
2. Recouvrir de papier les moules à cupcakes, et les vaporiser légèrement d'huile en aérosol.
3. Dans un petit saladier, mélanger le sucre et le zeste de citron. Laisser reposer pendant au moins 30 minutes.
4. Dans un grand saladier, mélanger le beurre au thé et le sucre au citron jusqu'à ce que le mélange soit lisse et homogène.
5. Incorporer les œufs un à un.
6. Ajouter le gingembre ou la cannelle.
7. Incorporer la farine en trois fois, en alternant avec le lait.
8. Ajouter délicatement les pêches.
9. Remplir les moules aux trois quarts.
10. Mettre au four pendant 18 à 23 minutes.
11. Étaler le glaçage à la pêche et à la crème fouettée lorsque les gâteaux sont complètement refroidis.

Glaçage à la pêche et à la crème fouettée.

25 cl de crème fraîche liquide
1 petite cuillère à café d'extrait naturel de vanille
1 cuillère à soupe de sucre
125 g de purée de pêches ou de pêches en conserve.

1. Dans un grand saladier, verser la crème, l'extrait de vanille et le sucre, et battre au fouet pour mélanger le tout.
2. Couvrir le saladier et le placer au réfrigérateur pendant au moins 30 minutes.
3. Lorsque le mélange est bien froid, le fouetter jusqu'à la formation de pics mous.
4. Ajouter peu à peu la purée de pêches et fouetter le mélange jusqu'à la formation de pics fermes.
5. Goûter, et ajouter plus de pêche si nécessaire.
6. Appliquer le glaçage une fois que les cupcakes sont complètement refroidis.

Pour environ 18 cupcakes.

DÉCOUVREZ AUSSI DANS LA MÊME COLLECTION :

Chez votre libraire

Lisa Plumley *Soyons fous*

23 novembre 2012

Teresa Medeiros *Pour un tweet avec toi*

Susan May Warren Deep Haven : *Un coin de paradis*

The Fell Types are digitally reproduced by Igino Marini.
www.iginomarini.com

Achevé d'imprimer en septembre 2012
Par CPI Brodard & Taupin - La Flèche (France)
N° d'impression : 70304
Dépôt légal : octobre 2012
Imprimé en France
81120856-1